Delia’s vlucht

Van Virginia Andrews® zijn de volgende boeken verschenen:

De Dollanganger-serie: Bloemen op zolder, Bloemen in de wind, Als er doornen zijn, Het zaad van gisteren, Schaduwen in de tuin

De 'losse' titel: M'n lieve Audrina

De Casteel-serie: Hemel zonder engelen, De duistere engel, De gevallen engel, Een engel voor het paradijs, De droom van een engel

De Dawn-serie: Het geheim, Mysteries van de morgen, Het kind van de schemering, Gefluister in de nacht, Zwart is de nacht

De Ruby-serie: Ruby, Parel in de mist, Alles wat schittert, Verborgen juweel, Het gouden web

De Melody-serie: Melody, Lied van verlangen, Onvoltooide symfonie, Middernachtmuziek, Verstilde stemmen

De Weeskinderen-serie: Butterfly, Crystal, Brooke, Raven, Vlucht uit het weeshuis

De Wilde bloemen-serie: Misty, Star, Jade, Cat, Het geheim van de wilde bloemen

De Hudson-serie: Als een regenbui, Een bliksemflits, Het oog van de storm, Voorbij de regenboog

De Stralende sterren-serie: Cinnamon, Ice, Rose, Honey, Vallende sterren

De Willow-serie: *De inleiding*: Duister zaad, Willow, Verdorven woud, Verwrongen wortels, Diep in het woud, Verborgen blad

De Gebroken vleugels-serie: Gebroken vleugels, Vlucht in de nacht

De Celeste-serie: Celeste, Zwarte kat, Kind van de duisternis

De Schaduw-serie: April, Meisje in de schaduw

De Lente-serie: Vertrapte bloem, Verwaaide bladeren

De Geheimen-serie: Geheimen op zolder, Geheimen in het duister

De Delia-serie: Delia's vlucht

Virginia ANDREWS®

Delia's vlucht

DE KERN

Sinds de dood van Virginia Andrews werkt haar familie met een zorgvuldig uitgekozen auteur aan de voltooiing van haar nagelaten verhalen en ideeën en aan het schrijven van nieuwe romans, waartoe ook deze behoort, die zijn geïnspireerd op haar vertelkunst.

Alle namen, personen, plaatsen en gebeurtenissen in dit boek zijn bedacht door de auteur. Elke gelijkenis met feitelijke gebeurtenissen of bestaande personen, nog in leven of overleden, berust op puur toeval.

Oorspronkelijke titel: *Delia's Crossing*

This edition published by arrangement with the original publisher, Pocket Books, a Division of Simon & Schuster, Inc., New York
V.C. ANDREWS and VIRGINIA ANDREWS are registered trademarks of The Vanda General Partnership

Uitgeverij De Kern, De Fontein bv, Postbus 1, 3740 AA Baarn
Vertaling: Parma van Loon
Omslagontwerp: Wil Immink Design
Omslagillustraties: Getty Images en Wessel Wessels/Imagestore/Arcangel Images
Opmaak binnenwerk: ZetSpiegel, Best
ISBN 978 90 325 1203 3
NUR 335

www.virginia-andrews.nl
www.dekern.nl

Proloog

Mijn oma Anabela kwam me van school halen. Door het raam van mijn klaslokaal kon ik haar over de met keitjes bestrate weg zien lopen, nu en dan bezorgd omlaag turend naar een paar kapotte stenen. Ze verzwikte bijna haar enkel en deed haar best om haar evenwicht te bewaren, waarbij ze haar ronde armen naar voren stak, alsof het onzichtbare menselijke helpers waren die haar aan beide kanten steunden. Ze liep ook al tegen de negentig.

Leeftijd was er niet in geslaagd *mi abuela* Anabela te doen verschrompelen, zoals met zoveel andere oude mensen in ons Mexicaanse dorp het geval was. De meeste grootmoeders en grootvaders van mijn klasgenoten waren gekrompen en vermagerd. Ze waren niet veel zwaarder of groter dan hun kleinkinderen. Soms vond ik ze net kinderen die veel te snel verouderd waren. Velen van hen die jonger waren dan mijn oma en heel wat minder geluk hadden met hun gezondheid, zaten in een rolstoel en moesten als baby's worden gevoerd. Ze zaten wezenloos voor zich uit te staren op hun betegelde patio's, alsof ze verbijsterd tot het besef kwamen dat ze plotseling oud waren geworden. Het was alsof ze op hun achttiende waren gaan slapen en wakker werden toen ze tachtig waren. Totaal versuft.

Maar niet oma Anabela. Haar koppige lichaam weigerde te verzwakken of zich neer te leggen bij het verstrijken van de tijd. Ze had dikke enkels en kuiten, brede heupen, en een opbollend achterste waardoor de zoom van haar rok van achteren een paar centimeter hoger hing dan van voren. Ondanks haar hoge leeftijd had ze nog krachtige schouders en armen, eerst door het werken op de sojavelden en daarna, toen ze getrouwd was, door het zware huishoudelijke werk in haar eigen huis en in de huizen van rijke mensen. Niemand kon op haar knieën de tegels zo schoon schrobben als mijn oma. Mijn vader zei altijd dat ze gemakkelijk in haar eentje een operatiekamer in een ziekenhuis kon steriliseren. Zoals *mi abuela* Anabela het beschreef, was noeste arbeid haar vaste metgezel geweest vanaf de dag dat ze een bord kon afwassen of een vloer vegen.

'Kindertijd is een luxe die alleen de rijken zich kunnen permitteren,' zei ze. 'Toen ik net acht was, werkte ik naast mijn moeder op het veld en werd geacht volwassen werk te doen en niet te huilen of te jammeren.'

Misschien zagen de meeste mensen in ons arme dorp er daarom ouder uit dan ze waren. Ze hadden weinig tijd om kind te zijn. Tengere schoudertjes torsten zware lasten. Tien jaar oude jongens hadden eeltplekken op hun palmen en vingers die net zo hard en groot waren als die op de palmen en vingers van hun vader en grootvader. Gelach en gegiechel gingen verloren en werden een herinnering die te diep begraven lag om zelfs in de slaap nog terug te kunnen vinden.

Oma Anabela keek soms naar haar oude vriendinnen, schudde haar hoofd en zei: '*Lo que pronto madura poco dura*', wat betekent: 'Wat snel rijpt houdt geen stand.'

'Ik heb er te veel vóór hun tijd zien heengaan, Delia, als sinaasappels die uitdrogen in de hete zon.'

Nu ik door het raam in mijn klas naar haar keek, deed haar ronde gezicht me denken aan een pop op een veer voor het achterraam van een auto. Het schudde en trilde bij haar schommelende passen. Maar niets leek haar te kunnen beletten door te lopen. Ze ging nooit ons *casa* uit met haar zijdeachtige grijze haren los, ze waren in een knot gedraaid. En ze kwam in het dorp nooit op straat als ze haar schort nog voor had. Iets heel serieus drong haar voorwaarts en liet haar bewegen als een vrouw die half zo oud was.

De huid van oma Anabela was leerachtig en ze had ouderdomsvlekken op haar wangen en voorhoofd en rechts in haar hals, maar de enige plek die haar ouderdom echt verried waren haar ogen. Welk uur van de dag het ook was, de donkere pupillen waren vermoeid en de oogleden leken dicht te vallen, zodat het soms moeilijk te geloven was dat ze nog iets kon zien. Ik dacht altijd dat de wereld er zo klein en smal uitzag voor *mi abuela* Anabela dat ze het gevoel moest hebben dat ze door een sleutelgat keek.

Ik zou maar al te gauw horen waarom ze de wereld vandaag afgrijselijk vond, ook voor mij, al had ik gisteren met mijn familie nog mijn *quinceañera* gevierd, mijn vijftiende verjaardag. We waren de viering begonnen met een *misa de acción de gracias*, een dankmis. Mama had een van haar mooiste jurken voor mij vermaakt, en oma had een bijpassende hoofdtooi voor me gecreëerd om naar de mis te dragen. Tijdens de hele dienst zat ik naast mijn ouders aan de voet van het altaar, waarop ik aan het eind mijn boeket legde. Daarna hadden we een fiesta in ons *casa*.

Oma had de hele vorige dag gekookt en vroeg in de ochtend een sinaasappel-amandeltaart gebakken die smolt op de tong. Het was een prachtig feest. Mama zong voor ons. Iedereen, vooral mijn vriendinnen, wilde dat ze zong. Oma zei altijd: 'Zelfs de vogels zijn jaloers op de stem van je moeder. *Ella canta como un ángel.*'

'Nee,' zei papa met een liefdevolle blik op mijn moeder. 'Ze zingt niet als een engel. Ze zingt beter dan een engel.'

Mama werd altijd verlegen als ze een complimentje kreeg. Ze was bescheiden, al vond ik dat ze de mooiste vrouw in ons dorp was. Ik weet dat papa daarvan overtuigd was.

'*El sapo a la sapa la tiene por muy guapa*,' zei ze als hij haar weer met complimentjes overlaadde. 'De pad gelooft dat zijn vrouwtjespad mooi is.'

'Vergeet die padden maar. Ik weet wat ik weet,' hield papa vol. 'En noem me geen pad.'

'Hoe moet ik je dan noemen?'

'Ik weet zeker dat je wel een betere naam kunt verzinnen,' zei hij lachend.

En dan moest mama ook lachen. Als ik die twee zag schermutselen met hun ogen en hun lippen, elkaar vasthielden tijdens het lopen en elkaar een kus toewierpen naar de andere kant van de kamer of de overkant van een straat zodra ze ook maar heel even gescheiden waren, voelde ik me getuige van iets heel bijzonders.

Na mijn fiesta nam mijn moeder me terzijde. Voor ons was de

quinceañera een kruising tussen *Sweet Sixteen* en een debutantenbal. Ik wist dat het voor de meesten het bereiken van de volwassenheid en de huwbare leeftijd betekende. Maar mama had andere ideeën over mijn toekomst.

'Weet je, Delia, je bent nu geen kind meer. Je bent een vrouw, maar ik zie je niet zo gauw trouwen en kinderen krijgen. Je kunt heel goed leren. Ik wil wat beters voor je. Ik wil dat je meer zult hebben dan ik heb. Begrijp je waarom dit zo belangrijk voor me is?'

'Ja, mama.'

'Ik weet dat je het begrijpt. Je bent wakker geworden als een kind en nu ga je slapen als een vrouw, maar je bent een vrouw met een betere toekomst. Dat weet ik zeker.' Ze zei het met zoveel overtuiging dat ik haar geloofde, en om de een of andere reden maakte dat me bang. Bang, dat ik niet aan haar verwachtingen zou beantwoorden. Hoe groter de liefde, hoe hoger de verwachtingen, dacht ik.

Elke avond ging ik slapen met de gedachte hoe gelukkig ik was dat ik zo'n familie had, vooral de avond van mijn fantastische verjaardag. Ik ging slapen onder een deken die geweven was van kussen, omhelzingen en goede wensen. Ik was tevreden. Ik voelde me veilig in mijn fort van liefde.

Nu vroeg ik me af of je gestraft kon worden omdat je te gelukkig was. Señora Porres, een van oma's vriendinnen, geloofde in het *ojo malvado*, het boze oog, een of andere duistere macht die mensen opspoorde die te gelukkig waren of te veel opschepten over hun geluk. Ze zocht zelfs in straten, stegen en achter ramen naar een teken van het *ojo malvado*. Haar gezicht met de grote, wijd uit elkaar staande zwarte ogen, die altijd geschokt en verbaasd keken, achtervolgde me in dromen over het boze oog. Daarin liep ze haastig over straat en bleef van tijd tot tijd staan om achterom te kijken, alsof ze zeker wist dat ze achtervolgd werd door het *ojo malvado*. Soms moest ik van haar er naar uitkijken. Dan stond ik stil, hield mijn adem in en onderdrukte een gegrinnik.

Aan dat alles dacht ik vandaag toen *mi abuela* Anabela het schoolplein opliep. Er moest iets heel erg mis zijn. Ze kwam nooit naar de school. Ik zag dat ze even bleef staan, haar hand op haar borst legde, omhoogkeek naar de lucht, een kort gebed mompelde, diep ademhaalde en op de ingang afliep. Een schrille, hoge toon klonk fluitend door mijn hoofd en zond een elektrisch alarm omlaag naar mijn tenen en door mijn handen naar de toppen van mijn vingers.

Señora Cuevas draaide zich met een ruk om toen oma de deur van het klaslokaal opende zonder te kloppen. Onze lerares haatte alle onderbrekingen. We twijfelden er niet aan of ze zou zelfs een aardbeving negeren als ze bezig was huiswerk op te geven of een vraag stelde. Haar mondhoeken verstrakten in het lange, magere gezicht en haar oranje lippen leken uit te rekken naar haar wangen. Haar ogen, die de kleur hadden van *cajeta*, een snoepje van gebrande suiker, glinsterden kwaad, als de vlammetjes van kaarsen. Meestal was dat voldoende om de klas tot orde te dwingen en zo mak te maken als een slapende *burro*. Zelfs de vliegen stopten met zoemen.

Maar señora Cuevas werd verrast door mijn oma, die roerloos als een standbeeld in de deuropening bleef staan, en haar woede verdween snel. Haar schouders, die ze als een havik had opgetrokken in voorbereiding van haar vinnige, kwade uitval naar de rustverstoorster, zakten omlaag.

'*Buenos días*, señora Yebarra, wat kan ik voor u doen?' vroeg ze.

Oma schudde slechts haar hoofd en keek om zich heen in de klas tot ze mij ontdekte.

Toen begon ze te huilen.

Ook al wist ik niet waarom ze huilde, toch begon ik zelf ook te huilen. Mijn klasgenoten staarden me aan, meer angstig dan nieuwsgierig. Oma strekte haar armen naar me uit en wenkte me met haar lange, nog gevulde vingers.

'Ze moet meteen naar huis,' zei ze. '*Venga*, Delia.'

Ik keek naar señora Cuevas, die nu overmand werd door nieuwsgierigheid en bezorgdheid. Ze knikte naar me, en ik stond langzaam op. Ik was zo zenuwachtig dat ik bang was dat mijn benen me niet zouden kunnen dragen. Ik pakte mijn boeken op en holde toen naar oma en liet me in haar armen vallen. Ze klemde ze heel snel om me heen, zoals een tarantula zijn prooi grijpt. Staande in de deuropening drukte ze me heel dicht tegen zich aan, alsof ze bang was dat ik weg zou lopen. Mijn hart bonsde wild. Ik wist niet wat ik moest zeggen of doen. Was ze gek geworden? Ik had gehoord dat oude mensen op een dag wakker kunnen worden en plotseling zo van slag zijn dat ze niet meer weten wie ze zijn en waar ze zijn.

'Wat is er aan de hand, señora Yebarra?' vroeg señora Cuevas. 'Waarom wilt u Delia van school halen voordat de les is afgelopen?'

'Er is vanmorgen een verschrikkelijk ongeluk gebeurd met een vrachtwagen, señora Cuevas.' Ze zweeg even, haalde diep adem en ging toen verder. 'Zojuist kwam *el policía* naar *mi hijo's casa* om te vertellen dat Delia's *madre y padre están muertos.*'

Het was of de hele klas, señora Cuevas incluis, één mond had en tegelijk dezelfde kreet slaakte. Oma draaide zich samen met mij om, haar rechterarm stevig om mijn schouders geslagen. In tragiek en verdriet waren we inderdaad onafscheidelijk met elkaar verbonden. Ze leidde me weg. Ik keek één keer achterom en zag dat señora Cuevas een kruis sloeg en toen langzaam de deur van het lokaal dichtdeed, zoals iemand het deksel van een doodkist zou sluiten. Haar hoofd en schouders waren gebogen onder de drukkende last van het verdriet.

Ik wist het nog niet, maar ik zou dat lokaal nooit meer betreden.

Deze wandeling samen met mijn oma was het begin van een lange reis, die me weg zou voeren van mijn thuis en mijn vrienden op een manier die ik me nooit had kunnen voorstellen.

Ik werd gekidnapt door een wreed noodlot en veroordeeld om de gevangene te worden van een lot waarop ik geen enkele invloed had. Zelfs de geringste keus zou me niet gegund zijn. Ik zou alles kwijtraken, *todo que poseí*, waaronder het grootste deel van mijn schamele garderobe en één paar van mijn twee paar schoenen. Feitelijk, als ik hier wegging, zou het enige wat ik nog bezat mijn naam zijn, Delia Yebarra, en zelfs het behoud däárvan zou een zware opgave worden.

Het was net of ik met mijn ouders in de pick-uptruck had gezeten en ook was gestorven.

I

Een bericht

Toen we wegliepen van school, klampte ik me vast aan *mi abuela* Anabela's hand als iemand die bang is te zullen verdrinken als ze die losliet. Ik had inderdaad het gevoel dat we rondspartelden in een zee van verdriet. Ze huilde niet meer, maar mompelde 'O, *Dios mío*, o, *Dios mío* ', bij elke stap die ze deed.

Toen we bij het dorpsplein waren, bleef ze even staan alsof ze Gods stem had gehoord. Onze kerk doemde op in het midden; de lange, slanke klokkentoren had er nog nooit zo gewichtig uitgezien. Ik moest bekennen dat ik als klein meisje, en ook nu nog, geloofde dat alle gebeden en alle liederen in de kerk opstegen, door de toren en door het dak, rechtstreeks in het oor van God.

Misschien wilde oma Anabela naar binnen om te bidden dat het gebeurde niet gebeurd was, dacht ik. Ze bleef staan en keek eerbiedig en hoopvol naar de kerk, langs de nieuwsgierige ogen van degenen die het verschrikkelijke nieuws nog niet hadden gehoord. Bejaarde mensen zaten op de banken in de schaduw van de onberispelijk gesnoeide essenbomen, die, naar men zei, net zo oud waren als het dorp zelf. Ze lazen de krant, dronken koffie en praatten zachtjes met elkaar. Niemand scheen zijn of haar stem te verheffen in de nabijheid van de kerk, maar later, vroeg op de avond, zou er muziek zijn en werd er gedanst en gelachen. Straatventers zouden tevoorschijn komen om taco's gegrild vlees en gestoomde *tamales* te verkopen.

Onwillekeurig keek ik begerig naar señora Morales, die een in chocolade gedoopte *churro* at. Ze stopte die in haar mond alsof ze een wortel in een snijmolen stopte. Ik verlangde naar een gefrituurde reep die met chocola bedekt was. Schuldbewust besefte ik de ironie ervan. Ik wendde snel mijn blik af en keek naar de kerk alsof ik verwachtte dat pastoor Martinez hoofdschuddend in de deuropening stond en waarschuwend zijn vinger schudde.

Mijn gepeins werd onderbroken door de luidsprekers van de vrachtwagen die voorbijkwam en luid een uitverkoop van wasmachines aankondigde. Het wekte niet veel belangstelling. Ik staarde naar oma. Ze sloeg weer een kruis en mompelde snel nog een gebed voordat ze met gebogen hoofd de wandeling door het dorp voortzette.

Haastig liepen we langs de kleine *menudo*-winkel waar ik twee van oma's vriendinnen zag, señora Paz en haar zus, die net gingen zitten om een kom warme, van pens gemaakte soep te nuttigen. Toen ze ons zagen, sloegen ze allebei een kruis. Blijkbaar hadden ze het afschuwelijke nieuws gehoord. Ik keek achterom, maar oma trok me mee. Geen van beide señora's glimlachte naar me; ze zagen ons omgeven door een donkere schaduw, en dat maakte hen bang.

De schok was nog te groot om te huilen of iets te kunnen zeggen. Het leek allemaal een droom, alsof ik meegesleurd werd in de nachtmerrie van een ander. Ik voelde me zweven, als een marionet die aan een touwtje hing.

Mijn ouders waren dood? Weg? Maar ik had ze diezelfde ochtend nog gezien! Mama had me een zoen gegeven bij het weggaan en me eraan herinnerd dat ik meteen naar huis moest komen om oma te helpen met het eten. Ze maakte zich altijd bezorgd dat ik zou blijven rondhangen op het plein met andere meisjes van mijn leeftijd, van wie sommigen al in problemen waren gekomen met oudere jongens.

Hoe kon ze nou dood zijn, en papa ook? Dat kón niet waar zijn. Straks zou ik wakker worden en terug zijn in mijn klas. Señora Cuevas zou op me mopperen omdat ik niet oplette. Ik deed mijn ogen dicht en toen snel weer open, maar er gebeurde niets.

We liepen de stoffige, ongeplaveide weg op, waaraan ons adobehuis met het dak van golfplaten stond. Ons *casa* werd beschouwd als een van de betere huizen in het dorp, omdat het groot genoeg was voor drie kamers. De keuken, zoals in de meeste *casa's* hier, was een simpele aanbouw van palen en maïsstengels tegen de buitenmuur, maar we hadden een aparte slaapkamer voor oma Anabela en mij, en een voor mijn ouders. We waren een van de weinige gezinnen die een televisietoestel hadden, maar het beeld was zo onduidelijk dat we vaak niet konden zien wat er zich afspeelde, en vaak viel ook de elektriciteit uit. Eén keer zaten we bijna twee weken zonder.

Er was geen grasveld of zelfs maar wat gras voor ons *casa*, alleen maar struikgewas, onkruid, stenen en de restanten van een vervallen roze en witte fontein, die geen water meer spoot, behalve als het heel hard regende. Maar we verkochten hem niet en haalden hem niet weg, want bovenin zweefde een engel, en oma geloofde dat als je in of rond je huis een replica had van een engel, echte engelen bij je zouden stilhouden en je zegenen.

Ondanks alles wat oma tegen señora Cuevas had gezegd, verwachtte ik half en half dat papa's pick-up voor het huis zou staan. Hij en mama werkten voor señor Lopez op diens sojafarm, nog geen vijftien kilometer buiten het centrum van het dorp. Vijf jaar geleden was zijn vrouw gestorven aan een bloedziekte. Zijn dochters waren getrouwd en verhuisd, en hij had geen zoons. Mama maakte elke ochtend zijn huis schoon en bereidde al zijn maaltijden, en papa hield toezicht op de arbeiders.

Voorlopig was oma's reactie op de grote tragedie het bereiden van voedsel voor de verwachte bezoekers die kwamen condoleren en troosten. Ik was uit school snel naar huis gebracht zodat ik kon helpen. Er was vrijwel geen tijd voor tranen. Ze ging ijverig aan het werk, dankbaar voor alles wat ze moest doen: het snijden van de kip en de kaas voor haar verrukkelijke tortilla's en de bereiding van salsa en bonen.

We hadden weinig serviesgoed, maar we hadden een doos met kartonnen borden en plastic messen, die mama had gekregen van señor Lopez. Ze zei dat ik alles tevoorschijn moest halen en daarna moest beginnen met de voorbereidingen voor de salsa en de bonen.

Die ochtend had oma Anabela brood gebakken, haar *pan hecho del rancho*, een recept waarvan ze zei dat het al generaties in de familie was. Ze kneedde het deeg altijd met blote voeten, want zo had haar moeder het gedaan, en de moeder van haar moeder. En voor oma waren tradities even heilig als de bijbel.

Heel vaak had ik zo naast haar gewerkt, maar nooit zo fanatiek. De tranen stroomden over haar wangen. Maar ze liet geen snik horen. Ik beefde inwendig, nog te veel geschokt om te beseffen wat er gebeurd was, maar met het gevoel dat ik elk moment kon breken als een aardewerken pot en in scherven op de grond vallen.

Zoals mijn oma verwacht had, kwamen de dorpelingen hun opwachting maken toen het vreselijke nieuws bekend werd. De meesten brachten eten en drinken mee. Het geweeklaag begon spoedig daarna. Ik kon me niet herinneren hoe vaak ik werd omhelsd en gekust en me werd toegefluisterd dat ik sterk moest zijn. Ik werd rondgedraaid om te worden omarmd en getroost tot ik zo duizelig was dat ik bijna viel.

Binnen korte tijd groeide de mensenmassa aan en spreidde zich ten slotte uit tot vóór de deur van het *casa*. De mensen letten niet meer op mij. Ze hadden het te druk met het ophalen van hun eigen droeve herinneringen. Ze weefden een tragisch net over alle aanwezigen en hielden iedereen in de greep van het verdriet. Oude wonden werden opengereten; we beleefden onze eigen Allerzielendag.

Toen pastoor Martinez arriveerde, kalmeerden de mensen en weken als de Rode Zee voor hem uiteen. Hij troostte oma Anabela en kwam toen naar mij toe. Hij pakte mijn handen vast en keek me met zulke bedroefde ogen aan dat ik eindelijk hard begon te huilen. Hij zei een paar gebeden voor me en zette toen koers naar de eettafel.

Ik hield mijn adem in en ging naar buiten, waar ik op een steen in de schaduw ging zitten, een plek waar ik, toen ik jonger was, vaak had zitten wachten tot mijn ouders uit hun werk kwamen. Ondanks de mensen, de gebeden, de tranen en het verdriet, kostte het me nog steeds moeite om het nieuws van hun dood tot me te laten doordringen. De paar bijzonderheden die ik binnen had gehoord kwamen weer boven. Een *hombre borracho* die een vuilniswagen bestuurde was frontaal op hen gebotst toen ze op weg waren naar hun werk. Het duurde uren voor er medische hulp kwam en toen was het te laat. Zoals vaak het geval is met dronken lieden die de dood van anderen veroorzaken, had de chauffeur van de vuilniswagen nauwelijks een schrammetje opgelopen. Maar wat er ook met hem gebeurde, niets zou mijn ouders terugbrengen.

De dorpelingen kwamen voorbij en keken me met zoveel medelijden aan, dat ik me eindelijk begon af te vragen wat er nu met mij en oma zou gebeuren. Mijn eigen welzijn had nog nooit zó belangrijk geleken of had zó in gevaar verkeerd. Mijn ooms, tantes en neven en nichten in Mexico woonden heel verspreid, en niemand behalve mijn tante Isabela in Amerika bezat net zoveel of meer dan wij. De meesten waren er veel slechter aan toe. Veel van mijn ooms werkten tegenwoordig in Amerika en zagen nog maar zelden hun eigen gezin. Wie wilde nog een extra mond voeden, nog een ander meisje verzorgen?

Ook al kookte ze nog zo goed, toch zou oma niet genoeg kunnen verdienen met werken voor een restaurant of een rijke familie. Niemand zou iemand van haar leeftijd in dienst nemen. Misschien zou ze voor iemand de was kunnen doen of iets van haar heerlijke chocolade-*mole* verkopen als ze de kans kreeg die te maken. Het zou maar een armzalig inkomen opleveren.

Misschien zou ik de school eraan moeten geven en naar señor Lopez gaan om mama's plaats in te nemen. Omdat ik naast oma in de keuken had gewerkt en ze me veel had geleerd, kon ik behoorlijk koken, en ik zou zijn huis zeker kunnen schoonhouden. Veel kinderen van mijn leeftijd werkten al fulltime, en sommigen waren al getrouwd, maar mijn ouders wilden beslist dat ik op school bleef. Mama had dat gisteravond nog bevestigd na de *quinceañera*. Ik had altijd goed kunnen leren en mama hoopte dat ik meer zou kunnen bereiken. Ik had geen idee wat, maar zoals ze vaak zei: '*La esperanza se encienda mañana*.' Hoop verlicht de toekomst.

Plotseling zag ik señor Orozco, de directeur van ons postkantoor, haastig door onze straat lopen. Zijn magere benen lieten een spoor van stof opdwarrelen, dat hem als een laag bij de grond liggende nevel volgde. Zijn bijna schouderlange witte haar wapperde om hem heen, alsof de lokken zich wilden losmaken van zijn schedel. Hij was zo opgewonden, dat het leek of hij elk moment kon ontploffen.

Toen hij mij zag, bleef hij stokstijf staan, trok zijn schouders recht, streek zijn haar naar achteren en liep haastig naar binnen.

Ik stond op om te zien wat hem zo dringend hierheen had gebracht. Was er een wonder gebeurd? Hadden ze ontdekt dat mijn ouders nog leefden? Was het tragische nieuws gewoon een afschuwelijk misverstand geweest? Ik hoopte dat we te horen zouden krijgen dat gebleken was dat niet mijn ouders waren verongelukt maar andere mensen in een soortgelijke truck. Was het zondig om dat een ander toe te wensen? En zou ik daarvoor gestraft worden?

'Señora Yebarra,' riep hij naar oma. Ze liet haar bezoek in de steek en liep naar hem toe.

'De zus van uw schoondochter heeft teruggebeld. Ze heeft het afschuwelijke nieuws gehoord,' verklaarde hij. Zijn lichaam verstarde bij het besef van zijn belangrijke rol, hij trok zijn buik in en stak zijn borst naar voren toen hij de boodschap overbracht.

De overgebleven bezoekers werden stil. Alle ogen waren op hem gericht. De tragedie was in Californië bekend geraakt en het antwoord was onmiddellijk gevolgd. Ook al was dit de eeuw van computers en satellieten, toch beschouwden sommigen zo'n communicatie nog als een verbluffend wonder. Het leek of we ons op een plek op de aarde bevonden die langzamer rondwentelde, zich met een slakkengang door de geschiedenis bewoog, tien jaar achterbleef bij de rest van de wereld.

'En?' vroeg oma aan señor Orozco. Dood en rouw maakten privacy overbodig. Iedereen spitste zijn oren. Ik hield mijn adem in.

'Ze zei dat ze niet op de begrafenis kan komen,' zei hij. 'Ze zal wat geld sturen voor de begrafeniskosten en voor de kerk.'

Vol afkeer en ongeloof schudden de mensen hun hoofd. Mijn tante kon de begrafenis van haar enige zus niet bijwonen? Ze keken medelijdend naar oma. Alles kwam op haar vermoeide, oude schouders neer. Maar ze gaf geen krimp. Ze hield haar adem in en hief haar schouders op als iemand die een nieuwe klap moet verwerken.

'En?' vroeg oma weer. Wat kon er nog meer zijn?

Hij draaide zich om en liet zijn blik over de aanwezigen gaan tot zijn ogen op mij bleven rusten. Ook alle anderen keken naar mij.

'Ze zei dat u alles moest inpakken wat *su nieta* heeft. Tenminste alles wat...' Hij zweeg even en voegde er toen aan toe: '...Wat niet onder de luizen zit, en de voorbereidingen moet treffen voor haar reis. Ze heeft besloten haar bij zich in huis te nemen.'

Iemand klikte met haar tong, maar niemand zei iets. Iedereen keek even naar mij en toen naar oma, om te zien hoe ze zou reageren.

Oma keek op en fluisterde iets tegen God. Ik kreeg de indruk dat het een dankgebedje was. Ze had altijd privégesprekken met de Almachtige. Tot nu toe had ik geloofd dat die speciale gesprekken met hem ons hadden beschermd. Wat hadden we gedaan, dat hij zich doof hield voor *mi abuela* Anabela, die in mijn ogen een echte heilige was?

Langzaam boog ze haar hoofd en toen vestigde ze haar blik op mij.

Ze hoefde niets te zeggen. Ik kon het aan haar gezicht zien.

Delia, ik kan niet voor je zorgen. Ik sta zelf op de drempel van de dood. Je ooms en tantes in Mexico hebben hun eigen zorgen. Dit is de beste oplossing en je enige hoop.

In minder dan een dag ben je ons allemaal kwijtgeraakt, je ouders en mij. Je zult een kleine koffer pakken, maar in je hart zul je de zware last meenemen van groot verdriet en eenzaamheid. Misschien wel voor de rest van je leven.

Ik schudde vertwijfeld mijn hoofd. Het verdriet kwam te snel en te onbarmhartig. Ik had het gevoel dat ik verdronk in een zee van treurnis. Misschien was het mijn schuld. Misschien had ik iets gedaan. Misschien had ik het op mijn geweten dat het boze oog onze kant opkeek.

Mijn angstige blik viel op señora Morales, en plotseling kon ik alleen maar denken aan die chocolade-*churro* die ze in haar mond stopte.

Ik draaide me om en vluchtte om te ontkomen aan die gedachte en aan al het andere dat me die afgrijselijke dag achtervolgde.

2

Vaarwel

Al mijn herinneringen aan tante Isabela waren net zo vaag en onduidelijk als de sepiafoto's in onze doos met familiefoto's, waarvan de beelden in de loop van de tijd langzamerhand verdwenen. Ik dacht zo zelden aan *mi tía* Isabela, dat ik vaak vergat dat mama een oudere zus had. We hadden een paar kiekjes die nog wel duidelijk waren, maar die stamden uit de tijd dat zij en mama nog kinderen waren. Er waren geen foto's van haar of haar man, die, zoals ik wist, gestorven was. Hij was veel ouder dan tante Isabela, bijna twintig jaar zelfs. Ik had haar maar één keer gezien, nu meer dan tien jaar geleden, toen mijn oma van moederskant was overleden. Ze was niet overgekomen voor de begrafenis van haar vader, maar wel voor die van haar moeder. Toen ze tegen de wil van mijn opa met haar veel oudere Amerikaanse man getrouwd was, had hij haar niet meer willen kennen.

Voor mij was dat verhaal zoiets als een sprookje of onze eigen familiesoap. Onwillekeurig was ik nieuwsgierig naar alle bijzonderheden, maar ik aarzelde om te veel vragen te stellen, want ik kon zien dat het mama verdrietig maakte om over haar zus te praten en over wat er gebeurd was. Niettemin was het hele verhaal in de loop van de tijd uitgelekt, tot ik het nu min of meer begreep.

Tía Isabela groeide al op jeugdige leeftijd op tot een mooie jonge vrouw, en toen ze twaalf was, wekte ze de belangstellig van mannen die dubbel zo oud waren als zij, en nog ouder, want zij zag er twee keer ouder uit dan ze was. Niemand, ook mijn ouders niet, kwam er recht voor uit en zei het met zoveel woorden, maar uit hun stem en de uitdrukking op hun gezicht kon ik afleiden dat ze tante Isabela een flirtende *muchacha* vonden.

'Ze hoefde een man maar op een bepaalde manier van top tot teen te bekijken, en ze waren als was in haar handen,' vertelde mama me een keer, toen ze wat meer bereid was over haar zus te praten. 'Ik weet niet eens zeker of ze zich wel goed bewust was van wat ze deed, maar ik was ervan overtuigd dat de meeste mannen dachten dat het van haar kant een soort uitnodiging was.'

Mama zweeg even en keek me aan. Ik was pas tien toen ze me dat vertelde.

'*Entiendes*, Delia?'

Ik knikte, al begreep ik het niet helemaal. Wat voor uitnodiging bedoelde ze? Voor een feest? Voor een diner? Hoe kon je nu een uitnodiging sturen met je ogen?

'Mannen,' zei ze, zich naar me toe buigend om zachter te kunnen praten, zodat *mi abuela* of *mi padre* niet mee kon luisteren, 'willen graag horen wat ze willen horen, zien wat ze willen zien. *Recuerdo eso*, Delia.' Dat hoefde ze me niet te vertellen. Ik zou niets vergeten van wat ze me in vertrouwen vertelde. Ze zei zo zelden iets over de relatie tussen mannen en vrouwen, dat, áls ze dat deed, ik gebiologeerd naar haar luisterde.

Zo te horen wekte alles, wát *tía* Isabela ook deed, het ongenoegen van mijn opa. Ze was opstandig, ongehoorzaam bijna vanaf het moment dat ze 's ochtends wakker werd. Het beviel hem niet zoals ze zich kleedde om naar school te gaan of dat ze lippenstift gebruikte nog voordat ze elf was. Hij deed al het mogelijke om het haar te beletten; zelfs als hij haar in het dorp betrapte, veegde hij haar lippen af met de mouw van zijn hemd. Maar zodra hij weg was, kleurde ze haar lippen weer rood.

'Hoe meer je opa Isabela bestrafte, hoe opstandiger ze werd. Ze was een wilde meid, *una cosa salvaje*, niet tammer dan een coyote.'

'Een krolse coyote,' voegde papa eraan toe, die ons gesprek gehoord had toen hij langsliep.

Mama keek hem kwaad aan, en hij draaide zich snel om. Om een reden die ik later zou begrijpen, werd er in elkaars aanwezigheid niet over *tía* Isabela gesproken.

Mama was erg ontdaan over dat alles en gaf zichzelf de schuld van wat er later gebeurde tussen *mi tía* Isabela en hun vader. Het was een raadsel voor de familie waarom ze het zichzelf zou verwijten. Het was een onaangenaam geheim – een skelet in een van onze kasten, maar ik voelde nu dat het niet veel langer zou duren voor ik die kast zou openen en de reden zou begrijpen. Was ik beter af als ik het nooit zou weten?

'*Tu abuela* dacht dat *tu tía* zich een hoop moeilijkheden op de hals zou halen,' zei mama. 'Ze vlogen elkaar altijd naar de keel. Ik deed wat ik kon om haar te helpen, excuses voor haar te verzinnen, haar te beschermen, maar niets van wat ik of *tu abuela* deed maakte enig verschil. Als je opa haar huisarrest oplegde, sloop ze stiekem naar buiten. Als hij haar schoppend en schreeuwend bij de haren naar huis sleepte, rukte ze zich los en rende weg. Hij was ten einde raad en gaf het eindelijk op. Op een gegeven moment overwogen hij en mama om haar naar een klooster te sturen, maar ze besloten dat de nonnen te besparen.

'Ze ging van school toen ze zo oud was als jij en ging werken in een hotel aan het strand, eerst als huishoudster, en daarna kreeg ze een opleiding als serveerster in het restaurant. Twee jaar later leerde ze señor Dallas kennen. We wisten niet dat ze romantische afspraakjes hadden. Hij kwam vaak terug in het hotel om vakantie te houden. We wisten niet dat hij alleen voor haar kwam, maar toen kondigde ze op een dag aan dat hij haar ten huwelijk had gevraagd en dat ze met hem wilde trouwen. We wisten natuurlijk niets over hem,' vertelde mama.

'Eerst waren *tu abuelo* en *abuela* er stiekem blij mee,' zei ze glimlachend. 'Nu zou een ander de verantwoordelijkheid krijgen voor hun *cosa salvaje*, maar toen ze hem ontmoetten en meer over hem te weten kwamen, waren ze er fel op tegen. Hij was bijna twintig jaar ouder dan zij, niet katholiek, en een Amerikaan die nauwelijks Spaans sprak.

'Ook al was ze op school geen goede leerling geweest, toch was ze niet dom, mijn zus Isabela. Als ze zich ertoe zette, kon ze iets goed leren of doen, en Engels leren was erg belangrijk voor haar. Hoe vlugger ze het leerde, hoe meer verantwoordelijkheid ze kreeg in het hotel, verantwoordelijkheid en goede vooruitzichten. Het maakte dat ze zich superieur voelde. En als ze thuiskwam uit het hotel, vermeed ze het zelfs om Spaans te spreken en deed ze net of ze iemand die Spaans sprak niet begreep. Dat maakte papa nog kwader. Ze was arrogant en pretendeerde beter te zijn dan de rest van ons.

'Ze verboden het huwelijk. Ik had iets moeten vermoeden toen ze niet protesteerde. Op een avond ging ze weg, en we hoorden niets meer van haar tot we een aankondiging ontvingen van hun huwelijk in Palm Springs, Californië. Papa verbrandde die en doorzocht het hele huis en gooide alles weg wat hem aan haar herinnerde, alle kleren die ze had achtergelaten, en vooral foto's.

'"*Ella está muerta a mí*. Ik wis haar uit mijn geheugen! Wat mij betreft is ze dood," riep hij uit. Mama was erg overstuur. Dagen daarna leek het of inderdaad iemand in de familie gestorven was. Tijdens de maaltijden werd er geen woord gezegd. Papa ging zwijgend naar zijn werk, en mama stond te huilen als iets haar aan Isabela herinnerde. Hij werd erg kwaad als ze dat in zijn aanwezigheid deed.

'Een tijdlang hoorden we heel weinig van of over haar, en als iemand nieuws voor ons had, weigerde papa ernaar te luisteren. Alleen al het noemen van haar naam joeg het bloed naar zijn wangen.

'"Ik heb nu nog maar één dochter," zei hij.

'Ik ging naar de telefooncel en belde haar toen vader stierf. Ze zei dat hij al jaren geleden was gestorven en hing op. Toen onze moeder stierf, kwam ze, zoals je weet, naar haar begrafenis, maar ik wilde dat ze dat niet gedaan had. Jij was nog te jong om je daar iets van te herinneren. Ze arriveerde in een limousine zo lang als de straat, net op tijd voor de kerkdienst. Beladen met juwelen, haar haren vol diamanten en haar gezicht dik onder de make-up. Ze was gekleed alsof ze naar een bal ging in plaats van naar een begrafenis. Ze kwam zonder haar man, die toen al erg ziek was. En zonder haar kinderen. In plaats daarvan nam ze een privésecretaresse mee, een tengere jonge vrouw die haar op de hielen volgde en een paraplu boven haar hoofd hield, alsof ze hypergevoelig was geworden voor de zon. Het arme kind was doodsbang een verkeerde stap te zetten of één woord van haar bevelen te missen.

'Je tante gedroeg zich alsof ze een buitenlandse was. Haar Engels was verbluffend perfect. Ze was een echte *norteamericana*. Weer deed ze alsof ze geen woord Spaans begreep en dwong pastoor Martinez in gebroken Engels met haar te praten. Het enige waarover ze sprak was haar prachtige huis, haar reizen, de plaatsen die ze bezocht had, haar talloze bedienden, haar auto's en juwelen en kleren. Ze leek niets meer op het jonge meisje dat hier opgegroeid was.

'Ze schonk een royale donatie aan de kerk en was al bijna verdwenen op het moment dat de kist in de grond zakte. Ze bleef geen ogenblik bij ons en vertelde me dat een bad nemen het eerste was wat ze zou doen als ze terug was.

'"Ik zal uren nodig hebben om al dit stof en vuil van me af te wassen," zei ze.

'Sindsdien hebben we niets meer rechtstreeks van haar gehoord, maar ze zorgt ervoor dat we goed beseffen hoe rijk ze is. Je hebt een nicht en een neef: Edward, die twee jaar ouder is dan jij, en Sophia, die een maand jonger is dan jij. Ze had ons bericht gestuurd van hun geboorte, maar geen foto's, en ze had geen foto's bij zich om je vader en mij te laten zien toen ze op de begrafenis kwam. Ze wilde niet met ons over haar familie praten. Ze was echt een vreemde voor ons. Als onze moeder niet al overleden was, zou ze toen zijn gestorven.'

Ik herinnerde me die gesprekken met mama en vond het vreemd dat die zus die ze met zoveel droefheid had beschreven, dezelfde vrouw was die mij blijkbaar wilde opeisen, voor me wilde zorgen en mijn wettige voogd worden. Als ze al die jaren geen belangstelling had getoond voor haar familie, waarom zou ze zich dan nu iets van ons aantrekken? Ze schaamde zich niet dat ze de begrafenis van haar eigen vader niet had bijgewoond en ze schaamde zich niet over haar gedrag op de begrafenis van haar moeder. En ze schaamde zich evenmin dat ze zich niet vertoonde op die van haar zus en zwager. Waarom zou ze het dan erg vinden om mij te negeren, zelfs na die tragedie? Als haar eigen ouders en mijn moeder niet belangrijk voor haar waren, waarom zou ik dat dan wél zijn?

Probeerde ze iets goed te maken, berouw te tonen, en gebruikte ze mij daarvoor als middel?

Betreurde ze haar gedrag, en had ze er zo'n spijt van dat ze mij wilde overladen met haar rijkdom en zorgen als bewijs van haar berouw?

Moest ik dankbaar zijn en blij met de mogelijkheden in plaats van triest en bang?

Wat stond me te wachten?

En mijn neef en nicht? Ik vond het een afschuwelijke gedachte dat er iets goeds zou kunnen voortkomen uit de dood van mijn ouders. Het deed er niet toe hoe goed het was of hoeveel beter ik eraan toe zou zijn, ik zou nooit gelukkig kunnen zijn in de wetenschap waaraan ik dat allemaal te danken had. Maar was het niet goed hen te leren kennen, en zij mij?

Op het moment kon ik daar niet aan denken. In ons kleine dorp hulde het vooruitzicht van een dubbele begrafenis de straten en huizen in een duistere, sombere schaduw, ondanks de heldere maartse zon. Alleen al het zien van de twee doodskisten naast elkaar in de kerk was afgrijselijk. Het was voor veel mensen, niet alleen voor mij, moeilijk te geloven dat dit werkelijk gebeurd was, dat mijn jonge en mooie ouders in enkele seconden waren weggevaagd, hun leven als twee kaarsen gedoofd. De mensen waren óf gehypnotiseerd door de aanblik, óf vermeden het te kijken en liepen met gebogen hoofd. Zelfs de baby's op de heup van hun moeder leken stil en gebiologeerd door de intens treurige atmosfeer.

Oma klampte zich bijna net zo stevig vast aan mij als ik me aan haar. Ze had veel verdriet gekend in haar leven. Behalve haar eigen ouders, had ze een jongere broer verloren door een ongeluk op de boerderij met een gekantelde tractor. Hij was net vijftien. Ze vertelde me dat haar vader daarna nooit meer rechtop had gestaan of gelopen.

'Hij leek op een geknakte maïsstengel; zijn schouders waren naar binnen gebogen onder het gewicht van zijn grote verdriet.'

Alles in het dorp kwam tot stilstand voor de begrafenis van mijn ouders. Een stoet van rouwenden volgde de kisten door het dorp in een processie die de rest van mijn leven leek te zullen duren. De lucht hoorde grauw te zijn, dacht ik. De wereld moest er niet zo licht en helder uitzien, maar de hemel had de vorige avond al alle tranen vergoten in een stortbui die het water door de oude straten deed stromen en overal groeven veroorzaakte. Het was precies zoals señora Morales tegen oma zei toen ze om de plassen heenliepen. *La muerte tuvo que ser quitada*. De dood moest worden weggespoeld.

En dan was er señora Porres die naar me knikte, om te bevestigen dat het *ojo malvado* ons dorpje had bezocht en mijn ouders had uitgekozen. Haar ogen drukten uit: 'Ik heb het je wel gezegd.' De rillingen liepen over mijn rug. Misschien was het *ojo malvado* nog niet tevredengesteld.

Er waren zelfs nog meer mensen op het kerkhof dan er in de kerk waren geweest. Sommigen kwamen net uit hun werk. Señor Lopez had veel mensen van zijn sojafarm meegebracht om de teraardebestelling bij te wonen. De mannen frutselden zenuwachtig aan hun hoed, alle vrouwen waren in het zwart gekleed en omringden ons in een inktzwarte poel van droefheid. Iedereen keek diep verslagen, señor Lopez nog het meest.

'Ik beschouwde ze als mijn eigen kinderen,' zei hij. '*Mi hijo y mi hija*.'

Hij gaf oma wat geld en schudde zijn hoofd alsof zijn tong verdroogd was in zijn mond. Toen waren er geen woorden meer, geen wondpleisters, geen verzachtende balsem, geen remedie om het verdriet te verzachten. Alleen de tijd zou het mogelijk maken om het leven voort te zetten.

Ik had geleerd dat er drie stadia waren van de dood, en nu hadden we er twee meegemaakt. De eerste dood was als je lichaam ophield te functioneren en je ziel vertrok. De tweede dood was als je lichaam werd toevertrouwd aan de aarde. En de derde dood was als en wanneer niemand meer aan je dacht. Ik was vastbesloten mijn ouders niet die definitieve dood te laten ondergaan.

'Mijn hart zal er wel uitzien als een spinnenweb met al die littekens erin,' zei mijn oma tegen haar vriendinnen. Ze deed haar best om de vele overleden beminden tegen de definitieve dood te beschermen.

Ik snikte zachtjes, maar ik geloof dat ik nog te veel in een shock verkeerde om goed te kunnen huilen. Ik wilde alleen maar dat het afgelopen was. De stilte die daarna volgde was zo diep en hol als de tunnel naar de hel. Dat waren de woorden van *mi abuela*.

Mijn vertrek naar Amerika zou al heel gauw plaatsvinden. Het leek wel of oma bang was dat mijn tante op haar besluit terug zou komen.

Ik hoopte heimelijk dat ze zich zou bedenken. Al haar familieleden waren nu gestorven, haar andere zoons werkten in Amerika. Ik was de enige familie die ze hier nog had, en zij was mijn naaste familie.

'Je zou hier geen schijn van kans hebben, Delia. Je zou snel oud worden, net als ik, misschien nog wel sneller. Dat zouden je ouders niet gewild hebben. Denk eens aan alle mannen en vrouwen die dolgraag deze kans zouden krijgen. Uiteindelijk zul je een Amerikaans burger worden. Je zult een betere opleiding krijgen en alles wat je nodig hebt om gezond en sterk te worden. En je weet hoe graag je moeder wilde dat je een goede opleiding zou krijgen. Misschien ga je zelfs wel naar een universiteit.'

'Maar Isabela was niet goed voor ons, *abuela*.'

'Wat ze was, dat was ze. Wat ze is, dat is ze nu,' antwoordde ze en schudde haar vinger naar me. 'Denk eraan, Delia, *hasta el diablo fué un ángel en sus comienzos*. Zelfs de duivel was een engel toen hij begon. Het is nooit te laat om te veranderen.'

Ik dacht dat ze het meer zei om zichzelf dan om mij te overtuigen, of misschien om zich minder schuldig te voelen omdat ze me niet bij zich kon houden. Ik kon haar niet blijven tegenspreken, uit angst dat ze zich dan nog slechter zou voelen dan nu al het geval was. Er zat niets anders op dan te knikken en te glimlachen en me erbij neer te leggen.

'Je zult gauw terugkomen om me op te zoeken,' ging ze verder. 'Dan kom je terug in mooie kleren en een mooie auto. Iedereen zal je benijden.'

Ik draaide me om, zodat ze mijn gezicht niet zou zien, het intense verdriet en de afschuwelijke twijfel. Ik keek naar de kleine koffer die we hadden gepakt voor mijn reis. De sluiting was kapot. Hij moest worden vastgebonden met een van papa's broekriemen.

Señor Orozco had de vermaning van mijn tante doorgegeven dat ik geen luizen moest meebrengen, en dat had ons zo zenuwachtig gemaakt, dat we mijn bagage tot het uiterste beperkt hadden. Ik pakte alleen mijn nieuwste kleren in en oma waste ze, ook al was dat niet nodig. Al mijn bezittingen zouden trouwens toch geen twee koffers hebben kunnen vullen.

'Ik weet zeker dat ze van plan is veel nieuwe dingen voor je te kopen,' zei oma. 'Ze bedoelde het niet kwaad met die opmerking over luizen. Het is alleen dat ze je geen oude kleren wil laten dragen in haar mooie nieuwe hacienda. Je bent haar nichtje. Ze zal niet willen dat je er slechter uitziet dan haar eigen kinderen. Isabela was altijd bezig met haar uiterlijk, dat vond ze belangrijk.'

Ik keek even naar oma. Ze deed haar best mijn toekomst rooskleurig af te schilderen. Ik wist dat ze het niet geloofde. Net als bijna iedereen was ze afkerig van Isabela's verering van rijkdom.

'Ik geef niet om mooie kleren,' zei ik.

'O, dat doe je wél. Dat zul je heus wel. Waarom niet? Je bent een mooie jonge vrouw, de mooiste in onze hele familie. Een mooi schilderij wil je toch ook niet zien in een vuile, lelijke lijst?'

Onwillekeurig moest ik even glimlachen.

'Ik ben geen mooi schilderij, *abuela* Anabela.'

'Sí, dat ben je wél. Gods mooie schilderij.' Ze streek zacht over mijn gezicht. Wees niet te trots, maar haal jezelf ook niet omlaag,' raadde ze me aan en drukte een kus op mijn voorhoofd.

Toen mompelde ze bij zichzelf: 'Ik heb niet zo lang geleefd om dit nog te moeten meemaken.'

Ten slotte ging ze weg om alleen te zijn, haar tranen de vrije loop te laten en te praten met God.

Ik bleef zitten wachten en vroeg me af waarom dit allemaal gebeurd was. Wat hadden we gedaan om deze tragiek over ons heen te krijgen? Pastoor Martinez' woorden in de kerk kwamen me hol en ontoereikend voor. God had ze bij zich genomen? Waarom zou God mijn ouders van me af willen nemen? Waarom zou Hij zo egoïstisch zijn? Ik zou ergens anders heen moeten om het te kunnen begrijpen, dacht ik, en misschien zou ik mijn hele leven nodig hebben om daar te komen.

De auto die me de volgende dag af kwam halen arriveerde verrassend vroeg in de ochtend. Ik herinnerde me de auto waarin mijn tante naar de begrafenis was gekomen niet zo goed als sommige anderen in het dorp, maar ik kon me geen luxueuzere of grotere auto voorstellen. Ze had de chauffeur en auto in Mexico City gehuurd. Iedereen die hem aan zag komen liep naar buiten om naar de chauffeur te kijken, die een uniform en een pet droeg. Hij pakte mijn kleine koffer op en zette die in de spelonkachtige bagageruimte, waar hij piepklein leek, als een eenzame erwt op een bord. Tot op dat moment was het niet tot me doorgedrongen hoe snel het allemaal in zijn werk was gegaan. Tante Isabela was praktisch op me afgesprongen zodra het nieuws Palm Springs bereikt had. Weer vroeg ik me af of dat wel een goed teken was. Waarom had ze dit zo snel besloten?

Ik had geen tijd meer om erover na te denken. Oma volgde me naar buiten, omhelsde me en bad voor me. Ze gaf me een zoen en liet me beloven dat ik elke avond zou bidden, voor mijzelf, maar ook voor de ziel van mijn arme gestorven ouders. 'En voor jou,' voegde ik eraan toe.

'*Sí, y para mí*,' zei ze glimlachend. 'Het zal je goed gaan, Delia. Je hebt een hart dat groot genoeg is om van veel mensen te houden die liefde nodig hebben. Het spijt me dat ik je niet meer kan geven dan mijn gebeden.'

'Dat is genoeg,' zei ik, mijn tranen bedwingend.

Ik keek naar het huis, naar de grasstoppels aan de voorkant, en naar de oude fontein. Ik wist zeker dat het niet veel voorstelde vergeleken bij het huis waarin ik nu zou gaan wonen, maar het was het enige thuis dat ik kende. In dit nederige huis hadden we gelachen en gehuild, gegeten en gedroomd. We hadden onze verjaardagen en vakanties gevierd en tot diep in de nacht gepraat, waarbij ik voornamelijk luisterde en mijn ouders en grootmoeder herinneringen ophaalden. Door hen had ik mijn uitgebreide familie leren kennen en mijn persoonlijke erfgoed, en nu moest ik dat allemaal achterlaten.

Nu was het of ik de ruimte in werd geslingerd, dacht ik, toen ik me omdraaide om in te stappen. Waar ik naartoe ging leek net zo ver weg als een andere planeet, niet zozeer in kilometers als wel in gewoonten, taal en levenswijze. Zonder mijn banden met mijn familie hier zou ik zijn als iemand die in de ruimte zweefde, aan niets gebonden, alleen, in de hoop op een warme ster te landen.

Oma Anabela kuste me en hield me even stevig vast, voor ze diep zuchtte en me losliet.

'Geen verder afscheid meer,' zei ze en dwong me in de auto te stappen.

Even nog keek ik naar onze buren en vrienden. Ik kon hun medelijden met me zien op hun gezicht, zelfs al stapte ik in die dure auto en ging ik op weg naar Amerika, een wereld van ongekende beloften en welvaart, van waaruit zoveel *norteños* bedragen stuurden die groot genoeg waren om de ogen te doen uitpuilen en een glimlach te toveren op hongerige, wanhopige gezichten. De comités van *los norteños* stuurden geld voor de restauratie van onze kerk en plaza, het herstel van wegen en riolen, en het bewoonbaarder maken van ons dorp. Amerika was een bron van mogelijkheden en ik had het geluk daarvan te kunnen profiteren.

En toch benijdden ze me niet. Ze zagen hoe verloren en eenzaam ik was, en ondanks hun eigen armoe en minder rooskleurige toekomst zouden ze niet met me willen ruilen. Ze trokken zich zelfs terug achter hun voordeur of in de schaduw, alsof ze niet besmet wilden worden met het onheil dat me was overkomen. Sommigen zwaaiden zelfs niet ten afscheid. Sommigen knikten niet eens. Ze staarden naar me en enkelen sloegen een kruis en gingen dichter bij degenen staan die hun dierbaar waren.

Vaarwel, Delia, kon ik ze horen denken. *Adiós pequña muchacha. Vaya con dios.*

Ik stapte in de limousine. De chauffeur, die zich niet had voorgesteld en nauwelijks enige belangstelling toonde, deed het portier dicht. Ik schoof snel naar het raam. Ik voelde me als iemand die wordt afgesloten van iedereen die haar lief is en van alle bekenden.

Mi abuela Anabela glimlachte en drukte haar rechterhand tegen haar hart. Ze knikte en keek me na, terwijl ze een gebed prevelde.

Ik legde mijn vingers op het raam, alsof ik haar nog zou kunnen aanraken.

'Maak mijn ramen niet vuil,' mompelde de chauffeur kwaad. Onmiddellijk trok ik mijn hand terug.

De auto reed weg, met banden die moeite hadden met de kuilen in de weg, nog dieper geworden door de zware regenval gisteren. De hobbelige straat deed de auto op en neer hotsen alsof het een stuk speelgoed was. De chauffeur vloekte zachtjes en ging sneller rijden. Het stof wervelde achter ons op en vormde een wolk, die *mi abuela* Anabela steeds kleiner deed lijken, tot ze uit het zicht verdwenen was. Ik werd steeds verder weggevoerd, terwijl hete tranen over mijn wangen stroomden.

Toen de weg beter werd en de chauffeur het gaspedaal dieper in kon trappen leek het landschap voorbij te vliegen. De chauffeur zei niets en vroeg niets om de tijd te passeren. Hij luisterde naar de radio alsof hij helemaal alleen was. Maar zo voelde ik me ook, dus waarom hij niet?

In minder dan een uur kwam ik door plaatsen waar ik nog nooit geweest was. Als ik achteromkeek zag ik niets dat me vertrouwd was. Het leek of God met Zijn vingers had geknipt, en póéf, als bij toverslag waren mijn leven en mijn wereld verdwenen.

3

Niets vertrouwds

Op geen enkele stop tijdens mijn reis was mijn tante er om me te begroeten. Wat haar redenen ook waren om niet naar de begrafenis te komen, toch bleef ik haar verwachten, stelde ik me voor hoe ze met mijn nichtje en mijn neef daar zou staan, allemaal verlangend om me te leren kennen. Per slot was ik net zo'n vreemde voor hen als zij voor mij waren, maar ik hoopte dat ze me graag zouden willen helpen over die rampzalige klap heen te komen. Ik stelde me voor dat ze me met medelijden in hun ogen hartelijk zouden verwelkomen.

Misschien zou mijn nichtje Sophia, die van mijn leeftijd was, me meer als een zusje dan als een nichtje beschouwen. Omdat we bijna even oud waren, zouden we misschien ongeveer dezelfde maat hebben. We zouden veel met elkaar kunnen delen. Per slot was ik enig kind en had ik geen broer of zus, ook al hadden mijn ouders geprobeerd om meer kinderen te krijgen. Ik verlangde naar een zus, iemand aan wie ik mijn intieme gedachten en gevoelens kon toevertrouwen en met wie ik de verwarring en verwondering kon uitwisselen die inherent waren aan het opgroeien. Ik zou haar zoveel kunnen vertellen over ons Mexicaanse erfdeel, en zij mij oneindig veel over Palm Springs en Amerika. Uiteindelijk zou ik natuurlijk goed Engels moeten leren. Ik kon het wel een beetje spreken, maar ik wist zeker dat er honderden uitdrukkingen waren die me in verwarring zouden brengen. Het zou noodzakelijk zijn, maar het zou ook leuk zijn die te leren.

Ik verheugde me er ook op om muziek te horen en naar films en feesten te gaan zoals ik weleens op de televisie had gezien of waarover ik had gehoord van mensen die in Amerika waren geweest. Ze hadden me verteld dat ze op fiesta's hadden gewerkt waar meer voedsel was dan ons dorp nodig had om een week van te leven. De gasten waren gekleed als vorsten, met glinsterende diamanten en goud om hun hals en polsen. Er was veel livemuziek. Ik had gehoord dat elk feest, hoe gering de aanleiding ook was, op een Mexicaans huwelijk leek, zoveel overvloed was er. De honden en katten hadden het in Amerika beter dan mensen in de meeste onderontwikkelde landen.

De gedachte dat ik in zo'n wereld mijn entree zou maken, maakte me zowel bang als opgewonden. Hoe lang zou het duren voordat ik daaraan gewend was? Zou ik er ooit aan wennen? Ik zou zoveel meer hebben dan wat ik nu had. Hoe gauw zou ik wat kunnen opsturen naar oma? Zou ik inderdaad een slaapkamer krijgen die zo groot was als ons *casa*? En zou er een heel nieuwe garderobe op me wachten in die kamer?

Ik probeerde al die hoopvolle fantasieën van me af te zetten. Ik voelde me schuldig dat ik me iets moois en goeds voorstelde als gevolg van de tragische dood van mijn ouders, maar het was moeilijk niet aan dit alles te denken toen ik van de limousine naar het vliegtuig liep en toen weer naar een andere limousine.

Om mezelf moed in te spreken, deed ik net alsof ik al eerder in een vliegtuig had gezeten, maar iedereen kon zien hoe bang en verwonderd ik was. De stewardess bleef glimlachend naar me kijken en me vragen of het goed ging. Misschien keek ik alsof ik elk moment kon gaan overgeven. Mijn maag buitelde heen en weer. Ik kreeg papieren die ik moest laten zien aan de douane in Houston, Texas, maar de onderzoekende blikken maakten me zo zenuwachtig dat ik de indruk moest wekken dat ik contrabande wilde binnensmokkelen. Mijn tas werd doorzocht en daarna ging ik aan boord van een tweede vliegtuig, dat veel kleiner was. Niemand besteedde deze keer veel aandacht aan me, en de man naast me sliep tijdens bijna de gehele vlucht.

Toen we op het vliegveld van Palm Springs waren geland, zag ik in de aankomsthal mijn naam op een groot kartonnen bord, dat omhooggehouden werd door een gezette, grijsharige man in een uniform dat nog indrukwekkender was dan dat van de chauffeur die me in Mexico had afgehaald. Deze man had gouden epauletten op zijn schouders en droeg handschoenen.

'*Soy* Delia Yebarra,' zei ik, toen ik naar hem toeliep. Ik keek langs hem heen, in de hoop mijn tante en haar kinderen te zien.

'Hoeveel zakken heb je?' vroeg hij kortaf.

Ik schudde niet-begrijpend mijn hoofd. Zakken? Waarom vroeg hij naar zakken?

'Tassen, koffers!' schreeuwde hij bijna, en deed toen alsof hij er een vasthield.

'O. *Uno*.' Ik stak één vinger op.

'Goed. Kom mee.' Hij maakte een gebaar naar de bagageband, waar we wachtten tot mijn koffer langs zou komen.

Hij keek me met samengeknepen ogen aan. Hij had grote, pecanbruine ogen, een gezicht dat uit graniet gehouwen leek en diepe rimpels rond zijn mond en ogen. Hij had zelfs rimpels in zijn kin. Ik was bang dat zijn gezicht plotseling zou kunnen verbrijzelen.

'*No sabe usted hablar inglés?*' vroeg hij.

Ik schudde mijn hoofd.

'Jeetje, spreek je helemaal geen Engels?'

'*Poco*,' zei ik, bang om te zeggen dat ik wel iets sprak en begreep. Want als ze dan iets tegen me zeiden, zouden ze verwachten dat ik het begreep. Ik dacht erover om een paar woorden te noemen die ik wél kende, maar zijn gezicht vertrok even.

'O, een beetje. Dat zal je niet veel goed doen bij mevrouw Dallas.'

Ik veerde op bij het horen van haar naam en keek weer om me heen.

'Wees maar niet bang. Ze is niet hier. *No aquí*. Alsof ze naar het vliegveld zou komen om iemand te begroeten,' mompelde hij.

Hij greep zo snel naar mijn koffer toen ik ernaar wees dat hij het handvat er bijna aftrok.

'Een wonder dat die ouwe rommel de reis overleefd heeft,' zei hij, trekkend aan papa's riem.

Ik wist dat hij de spot dreef met mijn koffer. Ik wilde het hem uitleggen. Per slot had niemand van ons ooit met een vliegtuig gereisd en als we weleens op stap gingen, pakten we onze spullen in kartonnen dozen. Maar voor ik iets kon zeggen, draaide hij zich met een ruk om en liep naar buiten. Ik moest heel hard lopen om hem bij te houden. Hij ging me voor naar de parkeerplaats, waar een auto stond die eruitzag of hij van goud was. Later hoorde ik dat het een Rolls-Royce was. De achterbank was nog ruimer dan die van de limousine, en de auto zag er splinternieuw uit. Er was geen vlekje te bekennen op de ramen of stoelen.

Tijdens de rit van de luchthaven naar de hacienda van mijn tante, zat mijn gezicht bijna vastgeplakt aan het raam. Het verbaasde me hoe goed onderhouden en nieuw alles eruitzag. De straten waren breed en hadden geen kuilen en barsten. En iedereen hier leek in een splinternieuwe auto te rijden. De palmbomen, allerlei soorten bougainville, bloemen, en zelfs het gras, alles zag er even onwerkelijk uit. De bergen in de verte leken meer op een achtergrond voor een film.

Toen we bij een zijstraat kwamen en ik tuinlieden aan het werk zag, kreeg ik plotseling heimwee. Ze hielden even op met werken om naar ons te kijken toen we langsreden. Waarschijnlijk dachten ze dat ik een rijk Amerikaans meisje was dat veilig in haar vissenkom zat. Ze moesten eens weten wie ik was en waar ik net vandaan kwam en waarom, dan zouden ze zelfs hun hoofd niet naar me omdraaien.

Natuurlijk was ik erop voorbereid een groot huis met een mooi gazon te zien, maar ik had geen idee dat mijn tante in een paleis woonde. Tenminste, in mijn ogen was het een paleis. Het had een heel hoge chocoladebruine toegangspoort met een fraai versierd smeedijzeren hek, dat eerst voor ons geopend moest worden voor we naar binnen konden rijden. Het zwaaide langzaam naar binnen, zo langzaam als de hemelpoort. Ik verbeeldde me trompetgeschal te horen.

De oprijlaan naar het hoofdgebouw was net zo lang als de weg die we hadden afgelegd vanaf de luchthaven. Links van het hoofdgebouw waren twee kleinere gebouwen, en erachter zag ik tennisbanen en een heel groot zwembad, zo groot, of groter dan de meeste zwembaden van hotels die ik had gezien. Een klein leger tuinlieden was bezig gras te maaien, struiken en bomen te snoeien. Rechts van het huis was een garage voor vier auto's, maar de chauffeur, die zijn naam nog niet genoemd had, stopte voor het hoofdgebouw.

'Hier is het,' zei hij. '*Vámanos*. Uitstappen.' Hij gebaarde, en ik deed het portier open, terwijl hij om de auto heen liep om mijn koffer te pakken.

Ik wachtte en keek omhoog naar de indrukwekkende voordeur. Hij zag eruit of hij van koper of messing gemaakt was. Het embleem van een leeuw was in reliëf erop aangebracht.

De chauffeur holde langs me heen naar de deur en drukte op de bel. Hij keek achterom naar mij en schudde zijn hoofd. Was het medelijden of afkeuring? Waarom was hij zo geïrriteerd? Was hij weggehaald van veel belangrijker werk?

Een oudere dame, die niet veel langer was dan ik en het uniform van een huishoudhulp droeg, deed open.

'Hier is ze, mevrouw Rosario,' zei de chauffeur met een knikje naar mij. 'Ze spreekt bijna geen Engels,' voegde hij eraan toe.

Mevrouw Rosario knikte. Ze had zachte, diepliggende ogen in een rond gezicht met bolle wangen en een kleine mond met gerimpelde lippen. Haar huid was minder donker dan die van mij, en er waren grijze lokken in haar strak naar achteren geborstelde en in een knot gebonden zwarte haar. Ze droeg een klein zilveren kruis om haar hals.

'*Venga adentro*,' zei ze en deed een stap achteruit.

De chauffeur overhandigde me mijn koffer en ik ging naar binnen. Señora Rosario deed de deur dicht, en ik staarde met open mond om me heen. Tegenover elkaar stonden de standbeelden van twee halfnaakte Afrikaanse vrouwen, met gobelins erboven die bijna tot aan het hoge koepelvormige plafond reikten. De vloer was van donker marmer met witte vlekken, die als melk eroverheen drupten. Een korte trap voerde naar een zitkamer die zo groot was als ons *casa* in Mexico, en misschien nog groter. Het plafond was zo hoog als in een kerk, met een reliëf van olifanten, vogels en tijgers. Ik kon het niet snel genoeg in me opnemen.

Alle meubels moesten zijn gemaakt voor een familie van mythologische reuzen, dacht ik. De banken waren lang en zwaar, en er stonden enorme stoelen, waarin ik beslist zou verdwijnen als ik erin ging zitten. In het midden stond een heel lange en brede tafel met een gebeeldhouwde houten omlijsting en bijpassende marmeren tafels naast de stoelen en bank.

Overal waar ik keek zag ik kunstvoorwerpen, van reusachtige schilderijen, naar ik dacht van wereldberoemde steden, tot bustes op piëdestals, nog meer gobelins en kasten met glazen deuren vol kristallen beeldjes, en andere verzamelobjecten. Alles leek brandschoon en nieuw.

Grote kleden lagen op de travertijnen vloeren. Aan de andere kant van de kamer waren hoge glazen deuren die toegang gaven tot een grote Spaans betegelde patio. Ik zag een grote roze fontein, nog meer standbeelden en mooie turkooizen, rode en gele tuinmeubelen. De patio leidde omlaag naar een wandelpad tussen tuinen, nog meer fonteinen en prachtige bloemperken. Ik wist zeker dat de president van Mexico niet in een groter of mooier *casa* woonde met zoveel bedienden. Als mensen in mijn dorp zeiden dat Amerikanen leefden als vorsten, dachten ze beslist aan mensen als tante Isabela.

'Zet je koffer tegen de muur,' zei señora Rosario, en knikte naar rechts. Ze sprak vloeiend Spaans. 'En ga op die bank links van je zitten en wacht daar. Raak niets aan. Señora Dallas komt direct.'

Ik deed wat ze vroeg en liep de zitkamer in. De luxe en de manier waarop alles glom en fonkelde gaf me het gevoel dat ik op mijn tenen moest lopen en extra voorzichtig moest zijn. Zoals ik had voorzien, voelde ik me verloren toen ik op de bank ging zitten, alsof ik in alle rijkdom zou kunnen verdrinken. Señora Rosario keek naar me terwijl ik de luxe om me heen probeerde te verwerken. Ten slotte verzachtte de trek om haar mond. Het was niet helemaal een glimlach, maar het kwam er in de buurt. Ik vroeg me af of ze net zoals ik had gereageerd toen ze voor het eerst in deze hacienda kwam.

'*Como se llama?*' vroeg ze.

'Delia.'

'Señora Dallas *quisiera que usted me llama* señora Rosario, maar,' ging ze nog steeds in het Spaans verder, 'als we alleen zijn kun je me

Alita noemen, maar nooit, nooit als señora Dallas erbij is,' zei ze nadrukkelijk.

'Het is zo mooi hier,' zei ik.

Ze knikte, als iemand die gewend is dat te horen. 'Het is allemaal erg kostbaar. Bijna alles wordt uit de een of andere plaats geïmporteerd.'

'Het lijkt wel een museum.'

Ze glimlachte nu voluit, maar keek snel weer ernstig.

'Zeg dat nooit tegen señora Dallas. Zij denkt dat het een thuis is.'

Ze vertelde me dat ze *mi tía* Isabela zou laten weten dat ik er was en ging weg.

Ik bleef stijf rechtop zitten, bang om me te bewegen of iets aan te raken. Ik was zo zenuwachtig dat ik dacht dat ik flauw zou vallen. Wanneer zou ik mijn nicht en neef ontmoeten? vroeg ik me af. Te oordelen naar dit vertrek moest mijn kamer wel net zo mooi en groot zijn als oma had voorspeld. Alleen al de gedachte dat ik een eigen kamer zou hebben was opwindend, maar toen ik dit alles zag, ging mijn fantasie met me op de loop.

Er stond een klok in wat eruitzag als een ovaal stuk zwart marmer op de schoorsteenmantel van een melkwitte marmeren open haard, die nog nooit een vonkje, laat staan een vuur scheen te hebben gezien. Hij was vanbinnen net zo schoon als de rest van de kamer.

Na meer dan tien minuten ontspande ik me en leunde achterover op de bank. Het was doodstil. Ik hoorde zelfs geen voetstappen. Waar was mijn tante? Waarom was ze niet meteen gekomen? Ik haalde diep adem. De reis was vermoeiender geweest dan ik gedacht had. Spanning, angst en verwarring hadden me uitgeput. Onwillekeurig deed ik mijn ogen dicht. Ik verzette me ertegen, maar mijn oogleden hadden een eigen wil, en zonder het te beseffen viel ik in slaap.

Ik werd wakker omdat iemand tegen me stond te schreeuwen.

'Ongemanierd, ongewassen en onbeleefd! Moet je dat zien!'

Ik opende snel mijn ogen en ging rechtop zitten. Ik keek even op de klok en zag dat ik bijna een uur had zitten wachten. Een vrouw van wie ik wist dat ze mijn tante moest zijn stond voor me, met haar handen op haar heupen. Een oudere man, met dik, goed geknipt haar stond naast haar en glimlachte naar me.

Natuurlijk had ik statige, elegante vrouwen gezien in tijdschriften, maar nog nooit iemand met zo'n vorstelijk voorkomen als *mi tía* Isabela. Ze was langer dan mama, had een goed gevuld figuur in een strakke, met lovertjes bestikte jurk die de kleur had van een alligator. Het V-vormige decolleté was diep uitgesneden. Haar gitzwarte haar leek te glanzend en dik om natuurlijk te zijn. Alles aan haar leek geaccentueerd. Het was alsof ze onder een vergrootglas liep dat de aandacht vestigde op haar ogen, haar lippen, haar lichaam en haar teint. Niets was imperfect. Er waren geen rimpeltje en geen vlekje te bekennen. Het leek alsof een van haar standbeelden tot leven was gekomen. Ik kon haar alleen maar vol ontzag aankijken. Toen ik me op haar concentreerde, leek ze in de lengte te groeien.

Natuurlijk zocht ik wanhopig naar gelijkenissen met mama, maar behalve de ronding van haar kin en een zelfde kleine neus, zag ik niets dat iemand ervan zou kunnen overtuigen dat ze zusters waren.

De man naast haar droeg een grijs sportjasje en tennisschoenen. Al zijn gelaatstrekken waren iets te groot, te beginnen met zijn scherp naar voren stekende neus en dikke lippen. Zijn kin was rond, met een smalle kloof, en als hij glimlachte toonde hij een paar grote tanden. Hij was tenger gebouwd en minder lang dan mijn tante. Ik zag dat hij lange, slanke vingers had die eerder vrouwelijk dan mannelijk leken. Die handen hadden nog nooit zwaar werk verricht, dacht ik. Hadden nog nooit een stevig gesloten bus opengemaakt. Zo zou papa ze hebben gekarakteriseerd.

'Moet je zien hoe ze ons zit aan te gapen. Zeg eens dat ze rechtop gaat zitten,' zei mijn tante. 'Vooral in mijn aanwezigheid.'

'*Siéntese derecho, señorita joven, especialmente en la presencia de su tía,*' vertaalde de man gehoorzaam.

Waarom moest hij het voor mijn tante vertalen, en waarom sprak ze nu alleen maar in het Engels tegen me? Ze moest toch weten dat mijn kennis van die taal heel beperkt was, dacht ik. Dit was niet het moment om te proberen me te imponeren. Bovendien hoefde ze niets extra's te doen om indruk op me te maken.

Ik ging zo recht mogelijk zitten. Ze gebaarde dat ik op moest staan, en ik gehoorzaamde. Toen liep ze om me heen en nam me van onder tot boven op. Plotseling legde ze haar handen onder mijn borsten en tilde ze op.

'Waarom draag je geen beha?' vroeg ze. Ik wist wat ze bedoelde.

'*No lo tengo*,' antwoordde ik, en haar gezicht vertrok.

'Nu zie je hoe ze leven, John.'

'Je dochter draagt meestal ook geen beha,' zei hij. Ze draaide zich met een ruk naar hem om. Ik verstond een paar woorden, en te oordelen naar zijn zelfgenoegzame glimlachje meende ik te begrijpen dat hij het over mijn nichtje had.

'Wél als het fatsoenlijk is om dat te doen, John. Het zou niet meer dan fatsoenlijk zijn geweest van haar familie om haar een beha te laten dragen voor haar eerste kennismaking met mij.'

'Maar haar ouders zijn verongelukt,' zei hij.

Ik begreep dat hij me verdedigde. Waarom was ze zo kwaad?

'Haar grootmoeder had... o, waar praat ik over? Ze hebben daar geen flauw benul van sociale omgangsvormen. Zeg tegen haar dat ik een beha naar haar kamer zal laten brengen en dat ik wil dat ze die altijd draagt.'

Hij deed het, nog steeds naar me glimlachend. Ik dacht dat het tijd was om haar te zeggen of te vragen Spaans tegen me spreken.

'Ik ken heel slecht Engels,' zei ik. 'Alstublieft, spreek *español*.'

'Ze klinkt belachelijk. Wil je dat ik *español* spreek?' vroeg ze liefjes.

Ik knikte.

Zonder enige waarschuwing hief ze haar hand op en gaf me een harde klap in mijn gezicht. Ik wankelde en moest me vasthouden aan de armleuning van de bank.

'Nooit! Vertel me nooit wat ik moet doen!' schreeuwde ze. 'Zeg het haar, John.'

Hij sprak snel in het Spaans; hij keek net zo ontsteld als ik. De tranen sprongen in mijn ogen, maar ik drong ze snel terug. Ik wilde niet huilen. Ik legde mijn palm tegen mijn wang, die nog pijn deed.

'Ga zitten!' schreeuwde ze, wijzend naar de stoel. Ik gehoorzaamde. Ze liep een tijdje met over elkaar geslagen armen te ijsberen en begon toen tegen de man te praten, die zich vervolgens tot mij richtte.

'Mijn naam is señor Baker. Ik ben al jaren met tussenpozen de leraar van señora Dallas' dochter, en nu, in afwachting van je komst na de tragedie in je familie, heeft ze me aangenomen om jou Engelse les te geven. Je mag alleen Spaans spreken met het personeel en nooit meer tegen señora Dallas, tenzij ze je toestemming daarvoor geeft.

'Verder wil mevrouw Dallas dat je onmiddellijk je Mexicaanse achtergrond vergeet. Spreek nooit over je familie of de... sloppen waar je vandaan komt. Ze geneert zich voor elke zinspeling daarop of op je familie. Je neef en nicht spreken geen Spaans, dus reken daar niet op.

'Uiteindelijk zal mevrouw Dallas je adoptie officieel maken en zul je een legale Amerikaanse worden, maar tot die tijd moet je hier je kost en onderdak verdienen als elke andere bediende. Señora Rosario zal je wijzen waar je slaapt en je vertellen wat je taken zijn. Je mag niet zonder toestemming hier rondlopen of iemands kamer binnenkomen. Je moet je werk goed en efficiënt verrichten en je bent verantwoording schuldig voor alles wat je breekt of beschadigt.'

'En school?' vroeg ik.

'Tot je voldoende Engels kent om de lessen te volgen, ga je niet naar een openbare school. Dat zijn de specifieke instructies van je tante. Voorlopig, tot je iets anders gezegd wordt, mag je niemand vertellen dat je het nichtje bent van señora Dallas.'

Wat?

Ik keek haar aan. Natuurlijk begreep ze alles wat hij in het Spaans zei, maar ze bleef me met een strak gezicht aanstaren.

'*Por qué?*' vroeg ik. Ik moest weten waarom ik dat niet mocht. Ze was de zus van mama. We hadden hetzelfde bloed.

Ze mompelde iets tegen hem dat ik niet verstond.

'Señora Dallas geniet hoog aanzien in Palm Springs. Ze wordt gerespecteerd en bewonderd. Ze zou het gênant vinden als bekend werd dat er een onopgeleid, ongewassen familielid onder haar dak woonde.'

'Ongewassen?'

'Ze bedoelt niet dat je vuil bent. Het betekent alleen dat je eenvoudig en onopgeleid bent.'

'Ik ben niet onopgeleid. Ik ga naar school!'

'Dat is niet hetzelfde. Wees maar niet bang. Ik zal je alles leren over omgangsvormen. Ik ben erg goed in mijn vak. Ik zal je in een mum van tijd hebben klaargestoomd voor school, als je naar me luistert en doet wat ik zeg,' voegde hij er glimlachend aan toe, en kwam heel dicht naar me toe.

Hij is degene die er ongewassen uitziet, dacht ik. Zijn tanden waren geel, en nu hij zo dichtbij was, kon ik zien dat hij zich niet erg zorgvuldig scheerde. Er zaten kleine plukjes stoppels op zijn kaakbeen. Hij legde zijn hand op mijn linkerbovenarm.

'Herhaal wat ik zeg, Delia, in het Engels. Dank u, mevrouw Dallas. Ik ben blij dat ik hier ben en dankbaar voor alles wat u voor me doet. Toe dan.' Hij knipoogde. 'Dat zal haar bevallen.'

Hij herhaalde het en drong er bij me op aan om het na te zeggen.

Ik draaide me naar haar om en zei het.

'Zie je hoe gemakkelijk dat was?'

'Goed, John,' zei mijn tante wier houding zich ontspande. 'Als iemand haar kan omtoveren tot iets dat enigszins draaglijk is, dan ben jij het wel.'

'Ik zal misschien veel meer tijd met haar moeten doorbrengen,' zei hij. Hij nam me op alsof hij me ging adopteren en niet zij. 'Ik zal je laten weten wanneer we beginnen en ik weet hoeveel werk ik met haar zal hebben. Ik heb geen idee hoe snel ze kan leren.'

'Je kunt zoveel tijd met haar doorbrengen als je wilt. Ze heeft op het ogenblik geen belangrijke afspraken.' Ze lachten allebei. Ik kende de woorden *doorbrengen* en *tijd* en *belangrijk*. Ik kon merken dat ze de spot met me dreven.

'Mag ik opmerken dat ik enige gelijkenis zie?' vroeg señor Baker, wijzend naar mij en naar haar.

'Nee. Ze lijkt meer op haar vader dan op mijn zus.'

'Je tante zegt dat je op je vader lijkt.' Ik vatte het op als het eerste teken van enige warme verwantschap, maar toen ik naar mijn tante keek, leek ze eerder woedend. Ik was bang iets te zeggen of zelfs maar te glimlachen.

Ik keek even naar de voordeur.

Even ging het door me heen dat ik nu mijn koffer zou moeten oppakken en weglopen, maar hoe kwam ik in Mexico? Ik had geen geld en wist zelfs niet hoe ik terug moest. Bovendien zou oma teleurgesteld zijn, zelfs al zou ik de weg naar huis kunnen vinden.

Mijn tante zag de uitdrukking op mijn gezicht en de richting waarin ik keek.

'Zeg haar dat ze weg kan wanneer ze wil, terug kan naar die smeerboel die ze haar thuis noemt,' zei ze tegen señor Baker, die het voor me vertaalde.

Ik keek haar recht aan. Ik wilde niet via hem praten.

'Ik ben nu hier,' zei ik in het Spaans. 'Ik zal doen wat ik moet doen om het u naar de zin te maken en ten slotte zult u er trots op zijn dat mensen me uw nichtje noemen.'

Ze moest bijna glimlachen, maar ze beheerste zich. 'Zeg haar dat ik geen woord heb begrepen van wat ze zei,' zei ze tegen señor Baker. Hij begon, maar ik glimlachte, wendde mijn blik af en mompelde: 'Sí, dat deed u wél.'

Ze hoorde me. Haar wangen kleurden rood en de vurige blik verscheen weer in haar ogen.

'Mevrouw Rosario!' schreeuwde mijn tante.

Señora Rosario kwam zo snel binnen dat het duidelijk was dat ze buiten had staan wachten tot ze geroepen werd.

Mijn tante wees naar mijn koffer.

'Hoe kon u toestaan dat dat smerige vod hier binnen werd gebracht?'

'Ik... Ze had...'

'Laat maar. Neem haar en dat vod mee naar haar kamer en vertel haar wat haar taken zijn. Behandel haar niet beter dan iemand anders, en laat het me weten zodra ze niet doet wat u zegt.'

'Ja, mevrouw Dallas.'

'Meneer Baker zal haar Engelse les geven als ze klaar is met haar werk. Doe wat nodig is om het hem gemakkelijk te maken in de bibliotheek.'

'Ja, mevrouw Dallas.'

'Zet haar aan het werk. Ik tolereer niet nóg een luie Mexicaanse in mijn huis of tuin,' zei mijn tante, en draaide zich om.

Ik keek naar señor Baker en sprak snel mijn nieuwste Engelse woorden.

'Dank u, mevrouw Dallas. Ik ben blij dat ik hier ben en dankbaar voor alles wat u voor me doet.'

Ze keerde zich met een ruk en met opengesperde ogen om. Ik hield mijn blik strak op haar gericht. Ik wilde niet behandeld worden alsof ik de eerste de beste *cucaracha* was, iemand die kon worden vertrapt en aan de kant gezet. Ze keek even naar meneer Baker, die zich een kort lachje permitteerde en zijn schouders ophaalde.

'Ze heeft pit,' zei hij. 'Ze lijkt misschien meer op je dan je denkt.'

Ze zweeg en staarde me even aan. Ik bleef haar zelfbewust in de ogen kijken.

'We zullen zien,' zei ze en liep de kamer uit. Haar hoge hakken tikten in een woedend ritme op het travertijn, een woede die ik niet begreep. Mijn aanwezigheid leek haar woede te wekken, maar waarom had ze me dan laten komen? Waarom wilde ze me in haar huis hebben? Als ze nog steeds zo'n hekel had aan haar familie, waarom wilde ze dan een levend memento daaraan in haar buurt hebben?

Maar iets zei me, waarschuwde me, dat ik nog maar een vonkje van de vlam had gezien. Er brandde een fel vuur in haar hart, een vuur dat jaren geleden ontstoken was in ons dorp. Zou ik het ooit leren begrijpen?

Belangrijker nog, zou het me verteren of zou ik het vóór die tijd kunnen doven?

'Je vangt meer vliegen met honing dan met azijn,' zei mijn oma altijd tegen me. 'Woede is gemakkelijk. Vriendelijkheid is moeilijker maar lonender.'

Ik had de woede gezien.

Waar bleef de vriendelijkheid?

4

Schoonmaken voor Sophia

Señora Rosario zei dat ik mijn koffer op moest pakken en haar volgen. Ik keek verbaasd op toen ze me door een zijdeur naar een van de buitengebouwen bracht. Ik had verwacht dat we via die mooie trap naar mijn kamer zouden gaan.

'*Adónde vamos, señora Rosario?*' vroeg ik.

'In dit gebouw is een kamer voor je,' zei ze terwijl we erheen liepen. 'Je moet hem zelf schoonmaken en opruimen. Je deelt een badkamer met señor Garman, de chauffeur van señora Dallas. Ik kan je wel zeggen dat hij er niet blij mee is. Hij heeft zijn badkamer nog nooit met iemand hoeven delen, dus treuzel niet als je daarbinnen bent, maak alles goed schoon en kom nooit, maar dan ook nooit aan een van zijn spullen.'

Dus daarom was hij zo geïrriteerd, dacht ik. Er waren waarschijnlijk zoveel slaapkamers en zoveel badkamers in het huis, en hij moest de zijne met me delen. Ik vroeg me af of señora Rosario ook in dit bijgebouw sliep, maar voordat ik het kon vragen, vertelde ze me dat zij en de andere bedienden naar hun eigen huis gingen. Señor Garman en ik waren de enige bedienden die intern waren.

Natuurlijk was het nooit bij me opgekomen dat ik hier als bediende naartoe zou worden gebracht. Dit was mijn familie. Ik had gedacht dat ik een tante had die mijn wettige voogd zou zijn, geen werkgeefster. Verlangend keek ik om naar de schitterende hacienda. Ik zou dus geen mooie eigen kamer krijgen. Ik kon me nu in geen enkel opzicht meer als lid van deze familie beschouwen. Feitelijk hadden ze me zojuist gewaarschuwd dat ik niemand mocht laten weten dat ik familie was van señora Dallas en haar kinderen. Ze had me maar één keer een klap gegeven, maar haar woorden deden veel meer pijn. Ik wist zeker dat mijn oren roder waren dan mijn wang.

In ieder geval hoefde ik me nu niet langer schuldig te voelen dat de dood van mijn ouders me een geweldige kans bood. Ik voelde me meer als een verhongerend kind dat voor het raam van een restaurant staat en ziet hoe andere mensen zich tegoed doen aan een overdaad van heerlijkheden. Er was geen eind gekomen aan mijn lijden. Het was misschien pas begonnen

Nu ik dichterbij kwam, kon ik zien dat het gebouw waar ik zou slapen geen stijl of karakter had. Het zag eruit alsof het inderhaast in elkaar was geflanst en het donkerbruine stucwerk snel op het vierkante bouwsel was gekladderd. Het had een gewone voordeur en een donkere, vochtig uitziende, smalle gang die ons naar de kamer bracht die van mij zou zijn.

Binnen keek ik om me heen. De ironie was dat ik een grotere kamer had bij oma in het nederige *casa* in ons Mexicaanse dorp. Deze kamer was donker en had maar één raam. De vloer was van in houtskool geschilderd beton, gebarsten en vol gaten, met een roestige afvoer in het midden. Het was beslist niet als slaapkamer bedoeld, dacht ik. Rechts stond een eenpersoonsbed, een ledikant, waarop nu een kale, gevlekte matras lag en een kussen zonder sloop. Het bed had geen zijkanten en geen hoofdeinde. Het was tegen de muur geschoven. In elke hoek zag ik spinnenwebben, en het raam leek niet meer schoongemaakt sinds de constructie van het gebouw. Er hing een indringende bedompte geur die me deed denken aan dode vis.

'Ik zal je wijzen waar je beddengoed is,' zei señora Rosario. 'Je moet natuurlijk zelf je bed opmaken. Er is een deken met een kussensloop. Je moet ze afhalen en eens per week wassen. De kamer moet ook een beetje gestoft worden,' voegde ze er rondkijkend aan toe.

Een beetje? dacht ik. Zoals oma zou zeggen, er lag hier zoveel stof en vuil dat ik er bloemen zou kunnen planten.

De kamer had geen ingebouwde kast, alleen een oude houten klerenkast, waarvan één deur openhing en niet dicht bleek te kunnen.

Rechts daarvan stond een kleine ladekast van lichter hout. Er stond een lamp op en in het midden van het plafond hing een kale gloeilamp aan een elektrische draad. Dat was alles. Dit was mijn nieuwe kamer. Kon een Mexicaanse gevangenis veel erger zijn? Hoe verbaasd en teleurgesteld zou oma zijn als ze dit zag, dacht ik. Ik zou het haar nooit vertellen. Het zou haar hart breken als ze dit wist, als ze zou horen wat *mi tía* Isabela tegen me had gezegd en wat ze had gedaan.

'Volg mij,' zei señora Rosario.

Ze liep verder de gang in om me de badkamer te laten zien. Ik zag een bad en een douche met een verschoten geel plastic gordijn, een wasbak met een klein kastje erboven, en een wc. De zitting was opgeklapt en zat onder de urinevlekken. Op de vloer lag afgebrokkeld en gebarsten vlekkerig wit linoleum en de muren zagen eruit of ze nooit overgeschilderd waren of zelfs ooit geschilderd waren geweest.

Al het sanitair was oud en geroest, en op de bodem van het bad zat een grote roestvlek. Ze maakte het kastje open. De vier smalle planken stonden vol met señor Garmans spullen. Er was geen plaats voor iets van mij.

'Hm,' zei señora Rosario. 'Er is geen plaats. Je zult je spulletjes iedere keer moeten meenemen als je de badkamer gebruikt. Sorry.'

Ze liep nog een meter verder de gang door naar een kast in de muur en liet me mijn beddengoed zien.

'Je hebt er nu geen tijd voor,' zei ze, 'maar later kun je hier alles halen.'

'Nu geen tijd?'

'Nee. Je moet meteen naar señorita Sophia's kamer en beginnen met de badkamer. Dat was señora Dallas' instructie voordat je kwam.'

'Maar na die lange reis? Kan ik niet even uitrusten?'

Ze keek me aan of ik een ontzettend domme vraag had gesteld, pakte toen een jasschort van de onderste plank en gaf dat aan mij.

'Je moet dit altijd over je kleren heen dragen als je in huis bent. Er ligt er nog een, zodat je het ene kunt wassen en het andere aantrekken. Laat señora Dallas nooit zien dat je een schort draagt dat vuil is. Je hebt gezien hoe schoon het huis wordt gehouden. Ze is allergisch voor stof of vlekken en kan heel kwaad worden als ze ook maar één stofje ziet. Trek het aan,' beval ze.

Ik gehoorzaamde. Het schort was wit en gesteven en de zoom was een beetje gerafeld. Het viel bijna op mijn voeten.

'Trek het hoger op en bind het vast om je middel, anders struikel je erover. Oké, laten we gaan.'

Ik volgde haar het gebouw uit. Deze keer ging ze naar binnen door de achterdeur. Ze bracht me naar de bijkeuken, waar alle schoonmaakmiddelen, zeep, doeken en emmers werden bewaard. Ze vertelde me wat ik mee moest nemen. Het was zoveel dat ik bijna iets liet vallen toen we van de achterkant naar de trap liepen. Ik keek om me heen om te zien of mijn tante in de buurt was, maar hoorde of zag niemand.

'Señorita en señor Edward zijn nog op school. Ze gaan naar een particuliere school,' vertelde ze toen we de met tapijt beklede trap opliepen. Ze keek even naar mijn voeten. 'Zorg ervoor dat je nooit vuil achterlaat op dat tapijt. Als je snel je werk doet, ben je klaar voordat señorita Sophia thuiskomt. Ze wil niet dat er iemand van het personeel in haar kamer is als ze thuis is. Haar kamer, haar badkamer, haar kleren zijn nu jouw verantwoordelijkheid.

'Maar,' ging ze verder toen ze boven aan de trap stond, 'dat is niet alles wat je hier moet doen. Je moet helpen met het opdienen van de maaltijden en het schoonmaken van de keuken en de badkamers beneden. Señora Dallas noemt ze *powder rooms*, dus als ze dat zegt, weet je wat ze bedoelt.'

'*Powder rooms?*'

'Onthoud dat nu maar,' snauwde ze. Of ze ergerde zich aan mij, óf aan *mi tía* Isabela omdat ze haar had opgezadeld met het toezicht op mij. Voordat ik zelfs nog een voet in het huis had gezet, hadden de voornaamste bedienden van mijn tante al een hekel aan me, dacht ik.

Boven was het net zo mooi als beneden. In de gang lag dik, lichtblauw tapijt, en er hingen grote kroonluchters met druppelvormige kristallen. De ramen waren van gebrandschilderd glas, en ik zag nog meer bustes op piëdestals en grote schilderijen in vergulde lijsten.

We bleven staan bij een dubbele deur.

'Dit is de kamer van señorita Sophia. Ook al is ze er niet, je moet toch kloppen. We zouden ons kunnen vergissen, en ze zou thuis kunnen zijn. Soms komt ze vroeger uit school of gaat er niet heen, zonder dat wij het weten. Je gaat nooit naar binnen zonder te hebben geklopt. Begrepen?'

Ik knikte.

Ze klopte aan en wachtte toen demonstratief om het goed tot me te laten doordringen, want ze had me al verteld dat ze zeker wist dat mijn nichtje nog op school was. Waarom moest ik kloppen? Dacht ze dat ik zo stom was omdat ik uit een klein Mexicaans dorp kwam, dat ze me zoiets simpels moest voordoen? Wat triest dat de ene Mexicaanse dat kon denken van een andere Mexicaanse.

Ze deed de deur open.

Ik was niet voorbereid op zo'n schitterende kamer. In het midden stond een reusachtig hemelbed, waarvan het hoofdeinde bestond uit twee vlinders die elkaar aankeken. Hun ogen waren smaragden of glazen steentjes die er precies op leken. Het dekbed leek zachter dan een wolk, en de kussens waren enorm. Het roze kleed was zo dik dat het voelde alsof ik op lucht liep toen we de kamer binnenkwamen.

Boven het bed was een plafond dat ik niet kon thuisbrengen. Er waren honderden heel kleine lichtjes. Señora Rosario zag dat ik met achterover gebogen hoofd ernaar staarde.

'Meneer Dallas ontwierp deze kamer voor señorita Sophia voor hij stierf. Hij schiep een nachtlucht in het plafond.'

'Nachtlucht?'

'Die lichtjes zien eruit als sterren, en rechts vormen ze de Melkweg. Er zijn ook andere constellaties. Weet je wat dat betekent?'

'Sí. Sterren die de vorm hebben van dingen. Waterman. Kreeft.'

Ze keek verbaasd dat ik zoveel wist.

'Mi *padre* vertelde me graag over de sterren,' zei ik, en een secondelang zag ik iets van medelijden en droefheid in haar ogen, maar even snel, alsof ze bang was te worden betrapt op enige vriendelijkheid, knipperde ze het weg.

Ik zag dat de muurkast rechts van me openstond; de kast leek net zo groot, zo niet groter dan mijn kamer. Ik kon zien dat de planken vol stonden met schoenen, en aan de andere kant was een enorm rek met jurken en blouses en jasjes. Achter in de kast stonden een toilettafel en een hoge passpiegel. In de muur bevond zich zelfs een klein televisietoestel. Waarom zou iemand tv willen kijken in een kast?

'Alles wordt verondersteld goed georganiseerd en ordelijk te zijn in die kast,' zei señora Rosario meesmuilend, 'maar dat is het nooit, hoe goed hij ook wordt bijgehouden. Maar je moet alles zo goed mogelijk op zijn plaats hangen. Je ziet waar de jurken horen, de blouses en de schoenen. Vlak naast de deur hangen vijf ochtendjassen op hangertjes.'

'Vijf?'

'Een paar waren cadeautjes, en een paar waren gewoon... cadeautjes,' ging ze verder, nog steeds meesmuilend. 'Hang nooit een ochtendjas op de plaats waar een jurk hoort te hangen,' waarschuwde ze.

We keken door de deur van de badkamer en zagen een roze zijden ochtendjas op de grond liggen. Eén slipper lag ernaast, de andere lag buiten de badkamer.

'Ze is niet gewend om dingen op te rapen,' mompelde señora Rosario, en pakte de slipper in de slaapkamer op.

Toen ik in de badkamer kwam, viel mijn mond open van verbazing. Niet gewend om dingen op te rapen? Dat was een understatement. Behalve de natte handdoeken en de washandjes op de vloer lag er een maandverband naast de vuilnisbak, waar het waarschijnlijk naartoe was gemikt. De rol wc-papier lag uitgerold op de grond. Er waren twee wasbakken naast elkaar, en allebei zaten ze onder de make-up en tandpasta. De spiegels waren smerig en de deuren van de douchecabine waren besmeurd met restjes shampoo. Overal waar ik keek, was iets opengelaten. Ook laden stonden open.

Señora Rosario keek op haar horloge.

'Je hebt minder dan een halfuur voor de kast en de slaapkamer, dus werk snel door en treuzel niet. Als je klaar bent, kom dan naar de keuken. En laat geen schoonmaakmiddelen achter in haar kamer. Dat vindt ze verschrikkelijk.'

Ik wilde vragen waarom zo'n jong meisje zoveel gezag had en de bedienden zo bang voor haar waren, maar ik hoefde het niet te vragen. Señora Rosario zag het aan mijn gezicht.

'Señorita Sophia en señor Edward zijn de eigenaars van het landgoed en al het familiekapitaal. Dat staat in het testament van hun vader, en ze hebben ervoor gezorgd dat iedereen het weet. Blijf uit haar buurt, dan gaat het goed.'

Hoe moest ik uit de buurt van mijn nichtje blijven? vroeg ik me af. En wat betekende dat trouwens?

Ik begon met de badkamer. Ik had alles opgeraapt en het bad en de wasbakken schoongemaakt voor ik aan de douche begon. Ik had mijn schoenen en sokken uitgetrokken en was de cabine ingelopen om de tegels te reinigen. Ik lette nooit op de tijd als ik met *mi abuela* Anabela in ons *casa* werkte. Ik was vastbesloten alles zo goed mogelijk te doen en indruk te maken op tante Isabela, dus raakte ik verdiept in mijn werk.

Ik zat gehurkt op de tegels in de douche, met mijn rug naar de deur, en hoorde niet dat iemand de badkamer binnenkwam. Plotseling plensde er een stroom ijskoud water op mijn hoofd. Het gaf me zo'n schok, dat ik mijn evenwicht verloor en achteroverviel. Het water stroomde over me heen, doorweekte mijn kleren, mijn schort. Ik hoorde lachen en toen ik me omdraaide zag ik mijn nichtje Sophia bij de douche staan.

Zo snel ik kon hervond ik mijn evenwicht en draaide de kraan dicht. Druipnat staarde ik haar aan. Haar lach verdween en haar gezicht vertrok van woede.

'Hoe durf je in mijn douche te komen met je smerige, verziekte voeten?' schreeuwde ze. Ik verstond *smerig* en *voeten* en kon de rest wel raden.

In het Spaans zei ik: 'Het was de beste manier om hem schoon te maken.'

'Ik spreek geen Spaans, idioot. Mevrouw Rosario!' gilde ze. 'Mevrouw Rosario!'

Haar gegil weergalmde in de badkamer. Ik stond te beven. Mevrouw Rosario kwam naar de kamer gehold.

'Kijk eens waar ze staat!' zei Sophia, naar mij wijzend.

'Waarom ben je zo nat?' vroeg señora Rosario me in *español*. Ik legde het haar uit en ze schudde haar hoofd. Zachtjes praatte ze tegen mijn nichtje en probeerde haar te kalmeren, maar mijn nichtje was razend en sloeg haar armen over elkaar.

Sophia was *un pollo regordete*, een vette kip, zoals oma zou zeggen. Ze had bolle wangen, die de indruk wekten dat ze haar mond vol walnoten had. Ze versmalden haar donkerbruine ogen, het enige mooie van haar gezicht. Haar neus was net iets te lang, en de neusgaten waren opengesperd als van een kleine stier. Haar boezem was twee keer zo groot als de mijne, maar haar heupen waren breder en haar armen waren gezwollen tot aan haar schouders. Ik zag dat ze ook dikke vingers had.

In verhouding tot haar ronde gezicht vond ik haar bruine haar te kort geknipt. Het benadrukte haar volle wangen en kleine mond met de smalle lippen, die leken uit te rekken als een elastiek als ze schreeuwde. Ze draaide zich weer naar me om.

'Kent ze geen Engels?'

'*Un poco*, een beetje,' zei señora Rosario snel. 'Ze komt net uit Mexico.'

'Waarom wilde mama zo'n dienstmeid in huis? Hebben we niet genoeg Mexicanen?'

'Ze werkt goed,' zei señora Rosario. Ze wist niet wat ze anders moest zeggen. 'Zodra ze hier was, is ze aan het werk gegaan.'

'Reden te meer om niet in mijn douchecabine te gaan staan. Heeft ze zich eerst gewassen? Heb je je eerst gewassen?' vroeg ze mij.

Señora Rosario vertaalde wat ze had gezegd en wat ze wilde weten, maar ik had al begrepen wat ze suggereerde. Oma of mama zou me nooit naar buiten laten gaan met zelfs maar een vlekje als een speldenknop op mijn kleren en nooit voordat ik me had gewassen en mijn haar had geborsteld.

'Ik ben schoon,' zei ik tegen señora Rosario. 'Schoner dan zij, wed ik.'

'Wat zei ze? Zei ze iets gemeens? Wat zei ze?' vroeg Sophia kwaad.

Señora Rosario verzon iets dat haar tevredenstelde, want Sophia leek een beetje te kalmeren. Toen wees ze weer naar mij en schreeuwde: 'Zorg dat ze hier verdwijnt!'

Snel trok ik mijn schoenen en sokken aan, pakte mijn emmer, doeken, mop en schoonmaakmiddelen en liep de kamer uit.

'Waarom deed je er zo lang over?' vroeg señora Rosario me in de gang. 'Ik had je gezegd hoeveel tijd je had en dat je niet in haar kamer moest zijn als ze uit school kwam.'

'Ik probeerde mijn werk goed te doen. Het is er een rotzooitje en vuil. Het was vals wat ze deed.'

Señora Rosario zuchtte diep.

'Welkom in La Casa Dallas. Ga later maar terug en maak het af. Trek intussen die natte kleren uit. Maak je bed maar op en pak je spullen uit. Kom dan naar de keuken.'

Ik liep de gang door.

Tante Isabela kwam uit haar kamer toen ik bij de trap was en riep señora Rosario.

'Waarom is ze zo nat? Waarom laat ze een spoor van water na in de gang?'

Señora Rosario liep haastig naar haar toe, en gebaarde, toen ze langsliep, achter haar rug dat ik de trap af en het huis uit moest. Ik keek achterom en zag dat ze het wanhopig probeerde uit te leggen. Mijn tante keek me na met ogen zo vol woede, dat ik maakte dat ik zo snel mogelijk wegkwam.

Toen ik haastig het huis uitliep, zag ik twee tuinlieden naar me kijken en lachen. Ik probeerde ze te negeren, maar een van hen riep: 'Señorita, *usted se cayó en la bañera?*'

'Nee,' riep ik terug. 'Ik ben niet in het bad gevallen, maar als ik jullie zo zie, zou ik zeggen, dat je er beter zelf in kunt vallen.'

Ze keken even geschokt op en begonnen toen te bulderen van het lachen.

Ik holde naar het personeelsverblijf en ging naar de badkamer, droogde mijn haar en haalde mijn beddengoed. Toen haastte ik me naar mijn donkere hol, waar ik snel mijn natte kleren uittrok en me afdroogde. Enkele ogenblikken later hoorde ik iemand door de gang lopen. Er werd op mijn deur geklopt.

Señora Rosario gunt me niet veel tijd, dacht ik. Waarom moest alles toch zo haastig hier? Ik hield de handdoek voor mijn borst en deed open.

Señor Baker stond voor me. Hij had twee boeken in zijn hand en een beha. Zijn blik ging snel naar mijn voeten en toen langzaam omhoog over mijn lichaam. Er verscheen een brede glimlach op zijn gezicht. Ik voelde een hete blos naar mijn wangen stijgen.

'Ik dacht dat u señora Rosario was,' zei ik.

'Het is in orde,' antwoordde hij. 'Je hoeft je niet te schamen. Ik ben je leraar', alsof dat betekende dat hij kon zien en doen wat hij wilde als het om mij ging. 'Mevrouw Dallas wilde dat ik je dit meteen gaf.' Hij stak zijn hand uit met de beha. 'Ik heb hem zelf voor je gekocht. Ik denk dat het de goede maat is.'

Bij het zien van een vreemde man met een beha voor mij bloosde ik nog dieper. Hij lachte.

'Ik heb een paar goede taalboeken voor je,' zei hij en bood ze me aan.

Het was moeilijk om mijn handdoek vast te houden en alles aan te pakken, maar dat scheen hem niet te deren. Ik probeerde alles zo snel mogelijk van hem over te nemen, maar daarbij viel een deel van de handdoek omlaag. Ik trok mijn hand terug en bedekte me weer.

'Waarom trek je eigenlijk andere kleren aan?' vroeg hij.

'Ik... ik heb een ongelukje gehad.' Het leek me de eenvoudigste manier om het uit te leggen.

Hij knikte, maar maakte geen aanstalten om weg te gaan. Hij boog zich voorover en keek langs me heen mijn kamer in.

'Niet erg mooi,' zei hij. 'We moeten zorgen dat je een betere kamer krijgt. Als je eenmaal Engels kent, zal mevrouw Dallas je vast wel een mooiere kamer willen geven. We regelen wel wat.'

Wat zou mijn Engels ermee te maken kunnen hebben? dacht ik, maar ik vroeg het niet.

'Heb je nu iets nodig?' vroeg hij.

'Nee. Ik moet me gauw verkleden en mijn bed opmaken, en dan moet ik naar de keuken.'

'Heus? Word je al zo gauw aan het werk gezet? Ik had gehoopt met je eerste les te beginnen. Ik zal er met señora Dallas over praten,' ging hij verder, en liep langs me heen mijn kamer in.

Ik kon me onmogelijk vanaf mijn middel bedekken. Ik deed een uitval naar mijn droge jurk, pakte hem op en holde de kamer uit, terwijl ik hem zo goed en zo kwaad als het ging om me heen wikkelde. Ik moest er dwaas hebben uitgezien.

'Ik ga naar de badkamer om me te verkleden,' riep ik en liep de gang af, maar toen ik bij de badkamer kwam, was de deur dicht. Señor Garman was binnen.

Señor Baker kwam mijn kamer uit en keek naar mij.

'Je kunt je in je kamer verkleden,' zei hij lachend. 'Als je wilt, wacht ik wel buiten. Kom dan.' Hij wenkte.

Ik hoorde dat señor Garman de wc doortrok. Toen hij de deur opendeed en mij half naakt in de gang zag staan, met een handdoek tegen mijn borst geklemd en mijn jurk rond mijn middel, vertrok zijn gezicht.

'Wat heeft dit te betekenen?' vroeg hij. Hij keek door de gang naar señor Baker.

'Ze ging zich verkleden in de badkamer,' riep hij terug. Hij sprak in het Spaans, realiseerde zich dat toen en herhaalde het in het Engels. 'Ze is wat in de war.'

'Waarom doe je dat niet in je eigen kamer?' vroeg señor Garman kwaad.

'Hij wil weten waarom je je niet in je kamer verkleedt,' zei señor Baker lachend. 'Kom terug. Verkleed je in je kamer, mal kind.'

Ik keek even naar señor Garman, die nog steeds met een kwaad gezicht in de gang stond, haastte me toen terug naar mijn kamer en deed de deur dicht. Ik kon ze allebei horen lachen. Ik kon mijn tranen nauwelijks bedwingen.

Señor Baker klopte op mijn deur.

'Ben je nog niet klaar?' vroeg hij, en deed de deur open voor ik antwoord kon geven. Ik had net het laatste knoopje van mijn jurk vastgemaakt. 'Mooi,' zei hij terwijl hij binnenkwam. Hij keek even om zich heen en glimlachte toen naar me. 'Je tante had gelijk, Delia. Je hoort een beha te dragen. Je hebt een heel mooi figuur en daar hoor je trots op te zijn.'

Ik kon geen woord uitbrengen. Geen man had ooit zoiets over mijn lichaam gezegd. Jongens maakten wel eens opmerkingen, maar volwassen mannen nooit, althans niet in mijn aanwezigheid. Was dat normaal in Amerika?

'Oké, waarom zouden we een goede gelegenheid voorbij laten gaan? Ik zal je mijn eerste Engelse les geven,' zei hij.

'Maar señora Rosario wil dat ik naar de keuken kom.'

'Maak je maar niet ongerust. Señora Dallas vindt dit belangrijker. We zullen beginnen met dingen op te noemen. Als ik naar iets wijs, zal ik het Engelse woord ervoor zeggen en jij herhaalt het. Begrijp je?'

Ik knikte en hij legde zijn hand op mijn bed.

'Bed,' zei hij. Hij noemde de namen van alles in mijn kamer, van de vloer tot het plafond. Ik kende al veel van die woorden, maar toen deed hij me verbaasd staan door zich naar me om te draaien en mijn lichaamsdelen te benoemen.

Hij pakte mijn hand.

'Hand,' zei hij. 'Arm.'

Hij raakte mijn gezicht aan, en ik herhaalde elk Engels woord: *ogen, neus, wangen, voorhoofd, mond, kin.*

Toen deed hij een stap achteruit en stelde me op de proef door naar alles te wijzen wat hij vertaald had. Ik was erg zenuwachtig en trilde zo erg, dat ik moeite had met spreken. Maar hij was onder de indruk van mijn geheugen.

'Heel goed,' zei hij. 'Je hebt gevoel voor taal en je bent gemotiveerd om het te leren. We zullen heel gauw succes boeken. Ik weet zeker dat ik je zal kunnen helpen. Het is goed om al wat Engels te kennen. Kwamen er veel Amerikaanse toeristen in jullie dorp?'

'Nee, een paar maar, en niet in het dorp. Ze logeerden in een hotel waar mijn tante vroeger werkte, maar soms kwamen ze naar het plein of naar de markt.'

'Werkte je tante in een hotel? Dat wist ik niet,' zei hij. 'Ze heeft me nooit veel verteld over haar jeugd of haar leven in Mexico. De meeste mensen denken dat ze uit een andere streek in Amerika komt.'

Ik zei niets, bang dat ik het niet had mogen vertellen, en dat ze nu weer een reden zou hebben om kwaad op me te zijn.

'O, nou ja. Het is niet belangrijk. Het enige belangrijke is dat je snel voldoende Engels leert om je te kunnen redden. Ik wil dat je begint met dit basisboek.' Hij pakte een van de boeken op. 'Ik zal elke dag met je werken als je het ontbijt hebt opgediend en señorita Sophia's kamer hebt schoongemaakt. Verspil geen tijd, want dan verspil je mijn tijd ook,' waarschuwde hij me. 'Bovendien, hoe eerder ik je de eerste beginselen van het Engels bijbreng, hoe sneller de dingen voor je zullen verbeteren. Begrijp je?'

Ik knikte.

'Ik weet het niet,' mompelde hij in het Engels. Toen keek hij me hoofdschuddend aan. 'Ze wil dat je praktisch van de ene dag op de andere Engels leert, zodat je naar school kunt. Het lijkt me niet dat een paar lessen tussen je werkzaamheden door een van ons beiden goed zal doen, maar maak je niet ongerust. Ik heb een idee.'

Hij glimlachte weer, kwam toen naar me toe en legde zijn hand tegen mijn wang. 'Het zal je heel goed gaan als je eenmaal Engels hebt geleerd. Voor je het weet liggen *todos los muchachos* aan je voeten. Had je een vriendje in Mexico?'

'Nee.'

'Dus je bent nog maagd?'

Ik gaf geen antwoord. Papa zou hem halfdood slaan als hij hem zo tegen me zou horen praten, dacht ik. Met een tante die geen medeleven toonde, bedienden die een hekel aan me leken te hebben, en een nichtje dat de spot met me dreef, was ik volkomen onbeschermd.

Plotseling bracht hij mijn hand naar zijn mond en drukte er een kus op.

'Welkom in Amerika, miss Yebarra,' zei hij.

Hij hield mijn hand vast en glimlachte.

'Dan zeg jij: dank u.'

'Dank u,' zei ik.

'Je zou ook kunnen zeggen: "Ik ben blij dat ik hier ben." Toe dan,' drong hij aan, en ik zei het. Toen knikte hij en liet mijn hand los.

'Het is een aardige manier om mensen te begroeten of zelfs afscheid van ze te nemen. Je moet goede omgangsvormen leren,' zei hij. Alsof we elkaar net ontmoet hadden, deed hij het opnieuw.

'Ik zie al dat het niet lang zal duren voor je vloeiend Engels spreekt, als ik maar genoeg tijd met je kan doorbrengen.' Hij bracht zijn gezicht zo dicht bij me, dat ik de poriën in zijn wangen kon zien. Sommige waren gevuld met iets wat op roet leek. Zijn adem rook naar uien en sigaretten, wat me misselijk maakte, maar ik was bang me te bewegen en hem te beledigen.

'Je tante wil dat je meer leert dan alleen de Engelse taal, Delia. Ze wil dat je leert hoe je je in gezelschap moet gedragen, hoe je een dame moet zijn. Ik zal je leren hoe je moet lopen, aan tafel moet zitten, zodat de mensen die je ontmoet zullen denken dat je van goede afkomst bent.'

'Dat bén ik!'

'Ja,' zei hij lachend, 'maar niet helemaal op het niveau dat je tante wenst. Geloof me, je hebt meer dan een grens overschreden. Je bent een nieuw leven begonnen. Daarom wil ze dat je je oude leven vergeet.'

Ik schudde mijn hoofd.

'Doe tenminste alsof,' waarschuwde hij.

Ik bleef staan met het gevoel dat mijn borst volgepompt werd met lucht en elk moment kon exploderen.

Was dit het welkom in mijn nieuwe leven? De mensen vergeten van wie ik hield?

Ik keek om me heen in mijn kleine, donkere kamertje en vroeg me af wat we in vredesnaam hadden gedaan om God zo kwaad op ons te maken.

5

Edward

Ik zag mijn neef Edward pas toen ik hielp met het serveren van het avondeten.

Hij zat tegenover Sophia en droeg een donkerblauw sportjasje en een lichtblauwe das. Hij had lang, donkerbruin haar dat in een paardenstaart was gebonden, wat me verbaasde. In tegenstelling tot Sophia was hij slank, had een lang, smal gezicht en een bijna vierkante kaak. Zijn ogen stonden vrij dicht bij elkaar en waren van een lichtere kleur bruin. Hij had een smalle maar kleine neus en volle, bijna vrouwelijke lippen. Hij glimlachte zodra ik verscheen en keek toen naar Sophia, die naar haar bord staarde.

Tante Isabela zat aan het hoofd van de tafel. Tegenover haar, aan het andere eind van de tafel, zat een lange man met lichtbruin haar. Hij droeg een beige jasje en een donkerbruine das. Hij richtte zijn helderblauwe ogen op mij en glimlachte. Snel wendde ik mijn blik af. Ik bracht een blad binnen met vier kommen Franse uiensoep, die verrukkelijk rook. Ik rammelde van de honger. Ik had nog niets gegeten sinds mijn komst hier. Het hoofdgerecht, of entree, zoals señora Rosario het noemde, was een verrukkelijk uitziende gepocheerde zalm. Mijn tante had een kok, señor Herrera, die, zoals ik hoorde, chef-kok was geweest op een luxe cruiseschip. Mijn tante had een reis gemaakt met dat schip en had hem weggekocht.

Ik kwam dat allemaal te weten door te luisteren naar de roddeltjes in de keuken, als ik aan het werk was met señora Rosario en een ander dienstmeisje, een Mexicaanse die in Amerika geboren was, Inez Morales. Ze leek niet veel ouder dan ik en was ongeveer net zo lang als ik, mager, met ogen die een katachtige schuwheid verrieden. Ze deed haar werk met een krampachtigheid alsof ze bang was dat iemand het haar zou ontnemen en daarmee haar reden om hier te zijn. Ik kon merken dat ze me achterdochtig aankeek; misschien dacht ze dat ik werd opgeleid om haar plaats in te nemen.

Ik ontdekte dat ze midden twintig was en getrouwd was geweest, maar haar man had haar in de steek gelaten toen ze een tweeling, twee jongens, ter wereld had gebracht. Haar moeder zorgde voor de kinderen als zij werkte. Ze werkte zes dagen per week, en had elke week afwisselend een zaterdag of een zondag vrij, afhankelijk van de plannen en wensen van mijn tante. Ze werkte van zes uur 's morgens tot tien uur 's avonds, wat haar weinig tijd liet om bij haar kinderen te zijn.

Toen ik in de eetkamer kwam, vroeg ik me af of mijn tante nog iets meer zou zeggen over het gebeurde in Sophia's badkamer. Ze keek kwaad naar mij en toen glimlachend naar de jongeman tegenover haar. Ik vroeg me af wie hij was. Hij leek veel jonger dan zij. Kon hij een familielid zijn dat ik nog niet had ontmoet of van wiens bestaan ik niet op de hoogte was?

Ik zette de eerste kom voor haar neer. Ik had nauwkeurige instructies gekregen hoe ik aan tafel moest serveren, maar señora Rosario was erbij om toezicht te houden. Ik keek even naar haar, en ze knikte toen ik doorliep naar Sophia.

'Ik mag die nieuwe hulp van je wel,' zei de jongeman, nog steeds naar me glimlachend. 'Welkom... hoe heet ze?'

'Ze kent nog niet zoveel Engels, Travis,' zei mijn tante voordat ik kon reageren. 'Ik laat haar les geven om het snel te leren.'

'O. Laat eens zien... eh, *recepción* a Amerika... hoe heet ze? Hoe zeg je dat in het Spaans, Isabela?'

'Dat ben ik vergeten.'

'Vergeten? Hoe kun je dat nou vergeten?'

'Gemakkelijk,' mompelde ze.

'Kom, hoe heet ze nou? Je moet de naam toch kennen van iemand die je net hebt aangenomen.'

'Delia,' zei mijn tante bijna fluisterend.

'Delia,' herhaalde hij. 'Hoi, Delia.'

Ik keek naar de jongeman en beantwoordde zijn glimlach. Ik

wilde om Sophia heenlopen, maar zag niet dat ze zich net voldoende had omgedraaid om haar voet uit te kunnen steken. Ik struikelde erover, en het blad gleed uit mijn hand. De twee overgebleven kommen vlogen eraf en de inhoud verspreidde zich over de tafel.

Mijn tante gilde en duwde haar stoel weg van de tafel. Mijn neef Edward sprong overeind. Er spatte wat soep op het jasje van Travis. Ik wist nog net te voorkomen dat ik languit op de grond viel en begon onmiddellijk de rommel op te ruimen.

'Stuur haar de kamer uit!' schreeuwde mijn tante.

Señora Rosario greep mijn arm vast en trok me van de tafel vandaan. Sophia keek me glimlachend aan.

'*Dios mío*,' gilde mijn tante met een woedende blik op de tafel. Ze besefte onmiddellijk dat ze Spaans had gesproken en smeet haar stoel tegen de tafel. Haar gezicht zag vuurrood. Ik hield mijn adem in. 'Zorg dat de tafel schoongemaakt wordt en onmiddellijk opnieuw gedekt, mevrouw Rosario. Haal haar hier weg!' Ze wees naar mij en toen naar de deur van de keuken. Hoewel ik niet alle woorden begreep, was haar woede angstaanjagend, en die was duidelijk op mij gericht.

'Isabela,' zei Travis, die zijn jasje afveegde, 'het is niet het einde van de wereld.'

'Vertel me niet wat het wel en niet is!'

Ik keek naar mijn neef Edward. Hij glimlachte niet, maar staarde hoofdschuddend en nijdig naar zijn zus.

Señora Rosario sleurde me praktisch de eetkamer uit.

'Ga naar je kamer,' beval ze.

Ik keek even naar señor Herrera, die in de war leek.

'*Qué sucedío?*' vroeg hij.

Inez, die alles gezien had, keek me niet langer achterdochtig, maar vol medelijden aan, terwijl señora Rosario uitleg gaf.

'Hoe kon ze... hoe ben je gestruikeld. *Tropezó?*'

Ik wilde hem vertellen dat Sophia me met opzet had laten struikelen, maar begon te huilen en holde de keuken uit, door de bijkeuken naar buiten. Ik liep in de richting van het bijgebouw, maar bleef toen staan. Boven flonkerden duizend sterren, alsof mijn tranen ze stuk voor stuk hadden bevochtigd. Had deze afgrijselijke dag een afgrijselijker einde kunnen hebben? Ik haalde diep adem, keek achterom naar het helder verlichte, warme hoofdgebouw, en vervolgde toen mijn weg naar het donkere bijgebouw en mijn kleine kamertje, terwijl de tranen over mijn wangen rolden.

Toen ik binnen was, ging ik op mijn bed zitten en staarde naar de koude betonnen vloer. Ik had mijn deur niet dichtgedaan. Ik bleef zitten met mijn armen om me heengeslagen en vroeg me af of ik op staande voet naar huis zou worden gestuurd. Ik zou het graag willen.

Plotseling voelde ik dat er een schaduw over me heen viel. Ik keek op en zag Edward in de deuropening staan.

'Hoi,' zei hij. 'Gaat het een beetje?' Ik staarde hem aan. 'O, ik denk dat ik mijn armzalige Spaans zal moeten oefenen.' Hij wees naar me. 'Oké, *sí?*'

Ik schudde mijn hoofd en sloeg mijn ogen neer, maar keek toen weer naar hem op.

Hij wees naar zichzelf. 'Edward,' zei hij.

'Edward, *sí*. Edward.'

'Ik zag dat mijn zus je liet struikelen.' Ik keek niet-begrijpend. '*Mi hermana...*' Hij stak zijn voet uit.

'Sí,' zei ik knikkend.

'Ze is een idioot,' zei hij. 'Dus je spreekt niet veel Engels? *No habla mucho* Engels?'

'Nee. *Poco*. Een beetje. Ik begrijp... van televisie... beetje school...'

Hij knikte en staarde me aan. 'Waarom ben je hier gekomen? Waarom... *por qué... aquí?*'

Ik staarde hem aan. Sophia wist niet wie ik was, en nu was het duidelijk dat hij het ook niet wist. Ik mocht niemand vertellen wie ik was, maar gold dat ook voor mijn neef en nicht? Op dit moment was ik zo kwaad, dat het me niet kon schelen of mijn tante erachter zou komen. Bovendien hoorde hij te weten wie ik was, maar toen vroeg ik me af hoe ik dat allemaal uit moest leggen. Kom er gewoon ronduit mee voor de dag, dacht ik. Ik hoopte nog steeds dat ze me naar huis zouden sturen, en misschien zou het de zaak bespoedigen als ik dat deed.

Ik wees naar hem en toen naar mijzelf.

'Primo,' zei ik.

'Hè?'

'Primo.'

Hij schudde zijn hoofd. 'Mama liet me Frans leren. Het enige Spaans dat ik ken, ken ik van de werklieden,' zei hij.

Ik begon uit te leggen dat ik dat niet begreep, maar hij hield zijn hand op om me duidelijk te maken dat ik even moest wachten, en toen liep hij mijn kamer en het gebouw uit. Ik stond op en keek uit het raam. Ik kon hem naar een man toe zien lopen die bezig was een patio schoon te spuiten. Hij sprak met hem en draaide zich toen om en keek naar mijn gebouw, praatte toen weer met hem en kwam langzaam terug.

Ik draaide me om toen hij weer in de deuropening van mijn kamer verscheen. Hij bleef doodstil staan en keek me bevreemd aan.

'Jij,' zei hij, naar me wijzend, '*es mi prima?*'

'*Sí*,' zei ik glimlachend, blij dat hij het eindelijk begreep. Maar waarom had tante Isabela het tenminste niet hem en zijn zusje verteld? Ze had laten doorschemeren dat als en wanneer ik goed genoeg Engels kende om naar school te gaan, ze het de mensen zou laten weten. Of was dat gewoon weer een leugen, een loze belofte? Hoe kon ze de andere hulp mijn aanwezigheid hier verklaren? Misschien vond ze dat ze niets hoefde te verklaren aan wie dan ook, behalve aan señor Baker.

Hij schudde zijn hoofd.

'*Cómo?*' vroeg hij, terwijl hij binnenkwam.

'*Cómo? Mi madre es la hermána más joven que su madre.*'

'*Más joven?* O, maar ik dacht... wij dachten...' Hij wees naar zijn slaap. '*Su madre ha muerto.*'

'*Sí, muerto*,' zei ik. Hij keek nu nog verwarder. Weer stak hij zijn hand op en ging naar buiten. Ik liep terug naar het raam. Ik zag dat hij naar de werkman liep en samen met hem terugliep. Even later stonden ze allebei in mijn deuropening.

'Meneer Edward begrijpt het niet goed,' zei de werkman in het Spaans. 'U hebt hem verteld dat u zijn nichtje bent, de dochter van de jongste zuster van zijn moeder, maar ze hadden hem verteld dat ze als kind gestorven is.'

Nu was ik banger dan ooit. Misschien zou het me vergeven worden dat ik mijn neef vertelde wie ik was, maar nu wist ook een van de werklieden het. Misschien zou mijn tante me niet terugsturen naar Mexico. Misschien zou ze iets doen wat veel erger was. Hoe moest ik de waarheid vertellen zonder mijn eigen veiligheid in gevaar te brengen?

'Leugens vermenigvuldigen zich als konijnen,' zei mijn grootmoeder altijd. 'Al lijken ze nog zo klein.'

Ik was hier nog geen dag, maar ik had er nu al genoeg van om in een leugen te leven.

'Nee,' zei ik. 'Dat is niet waar. Mijn ouders zijn onlangs bij een auto-ongeluk om het leven gekomen, na een botsing met een vrachtwagen. Daarom ben ik hier komen wonen.'

Hij vertaalde het voor me, en Edward sperde zijn ogen open. Hij wilde weten of zijn zusje wist wie ik was.

'Nee. En áls ze het weet, doet ze net of ze het niet weet.'

Hij zei tegen de werkman me duidelijk te maken dat hij terug zou komen, en ging weg. De werkman, die zich voorstelde als Casto Flores, merkte op dat deze familie, de familie Dallas, *loco* was. Hij was bijna vijfentwintig jaar in dienst van de familie Dallas en had señor Dallas heel sympathiek gevonden, maar, ging hij verder, señor Dallas was kort na zijn huwelijk met tante Isabela ziek geworden. De andere werklieden dachten dat ze hem te veel was geworden.

Ik begreep dat hij bedoelde te veel vrouw voor hem, dat ze hem te snel deed verouderen en dat het niet lang duurde voor hij ziek werd en invalide. Hij zei dat hij señor Dallas soms tijdenlang zelfs niet gezien had. Hij was de gevangene van zijn ziekte.

'Señora Dallas liet zich daardoor niet weerhouden een goed leven te leiden,' voegde hij eraan toe. Ik was niet te jong om te horen wat hij tussen de regels door zei.

Hij wilde weten wat er precies met mijn familie in Mexico gebeurd was en waarom ik hier was. Ik vertelde hem alles. Ik kon zien dat hij medelijden met me had. Voordat hij weer aan het werk ging, vroeg hij wanneer ik mijn vrije dag had, en ik besefte dat me nooit verteld was dat ik een vrije dag had. Hij zei dat hij er met señora Rosario over zou praten, en als ik een dag vrij had, zou hij me misschien voorstellen aan zijn dochter Nina, die ongeveer van mijn leeftijd was.

'Ga je hier niet naar school?' vroeg hij.

Ik vertelde hem wat mij verteld was. Eerst moest ik genoeg Engels leren, anders zou ik niet op school worden toegelaten.

Hij schudde zijn hoofd.

'Niet juist,' zei hij, maar ik kon zien dat hij niet veel meer wilde zeggen.

Pas toen hij en Edward weg waren, herinnerde ik me dat ik nog niets had gegeten. De spanning en de ramp in de eetkamer hadden me afgeleid van mijn eigen knagende honger, maar nu ik wat meer ontspannen was, keerde die in verdubbelde hevigheid terug. Ik had ook ontzettende dorst.

Ik wist niet wat ik daar nu aan moest doen. Ik durfde niet terug naar de keuken in het hoofdgebouw. De enige oplossing, dacht ik, was te proberen te slapen, dus maakte ik me gereed om naar bed te gaan. Señor Garman was nergens in het gebouw te bekennen. Toen ik naar de badkamer ging om te douchen, besefte ik dat er geen slot op de deur zat. Sneller dan ooit nam ik een douche en trok onmiddellijk mijn nachthemd aan.

Maar toen ik weer in mijn slaapkamer kwam, zag ik tot mijn verbazing dat Edward was teruggekomen. Hij had een bord eten voor me meegebracht. Hij reciteerde wat hij kennelijk zojuist van een van de andere Mexicaanse employés had gehoord en uit het hoofd geleerd: '*Sabía que usted tendría hambre y hice que el cocinero preparar este plato para usted.*'

Hij wist dat ik honger had en had de kok wat eten voor me laten klaarmaken.

Ik vond dat hij een goede uitspraak had. Ik wilde hem vertellen dat wat zijn moeder ook wilde, hij zijn latino-afkomst niet zou kunnen verloochenen, maar ik wist dat hij het niet zou begrijpen. Dus bedankte ik hem en nam het bord van hem aan. Hij stond op en keek toe terwijl ik at.

'Hoe oud ben je?' vroeg hij. '*Años?*'

Ik stak mijn hand drie keer omhoog.

'Vijftien? Dan ben je net zo oud als Sophia.'

Ik knikte. Ik herinnerde me dat mama me eens verteld had dat ik ongeveer dezelfde leeftijd had als Sophia.

'Ik hoorde dat meneer Baker je helpt Engels te leren... *hablar inglés*... Baker?'

'*Sí*.'

Mijn glimlach verdween.

'Je mag hem niet? Eh... *no le gusta?*'

'*No*,' zei ik nadrukkelijk, en hij lachte.

'Ik ook niet,' zei hij hoofdschuddend en wijzend op zichzelf.

Ik had me niet gerealiseerd dat ik mijn eten naar binnen had zitten schrokken tot ik naar mijn bord keek en zag dat alles verdwenen was.

'Je had echt honger,' zei hij.

Hij bleef me aanstaren. Toen pas besefte ik dat ik alleen een nachthemd aan had. Al was het niet doorzichtig, het was toch dun genoeg om me diep te doen blozen, vooral toen ik zijn blik volgde naar mijn borsten. Ik zette het bord neer toen ik klaar was en sloeg mijn armen over elkaar.

Hij glimlachte. 'Genoeg? *Más?*'

'*No más, gracias*.'

'Oké, ik ga ervandoor. Het spijt me, dit alles. *Mi hermana* is een idioot, en *mi madre*...' Hij haalde zijn schouders op. 'Ik zal met haar praten. Ik zal *habla mi madre*.'

Ik glimlachte. Hij was het enige lid van de familie dat aardig tegen me was.

'*Buenas noches*,' zei hij.

'*Buenas noches*.'

Hij knikte en vertrok. Ik liep naar de deur en keek hem na toen hij het gebouw uitliep, en toen keek ik door het vuile raam naar de lucht en staarde naar de sterren. Het waren dezelfde sterren als boven mijn huis in Mexico, waar oma waarschijnlijk aanstalten maakte om naar bed te gaan. Mijn leven lang, behalve toen ik in een wieg in mama's kamer sliep, had ik die slaapkamer gedeeld met mijn oma. Vóór het slapengaan zeiden we samen onze gebeden, en ze bad naast mijn bed voor me dat ik een lang en gezond leven zou hebben. Ze was de laatste tegen wie ik sprak als ik 's avonds ging slapen en de eerste tegen wie ik sprak als ik 's morgens wakker werd. Ze was er als ik nachtmerries had en verpleegde me als ik ziek was, en nu sliep ze alleen in het huis. Ondanks mijn twee bij vier meter grote donkere, koude kamer, had ik meer medelijden met haar.

Het huis in Mexico moest gevuld zijn met echo's uit het verleden, herinneringen die haar begonnen te achtervolgen. Hoeveel wanhoop kon haar oude hart verdragen? Voelde ze zich verraden, verloren en eenzaam? Wat zou haar stimuleren om te denken aan de volgende dag, op te staan en het huis schoon te maken, haar kleren te wassen en eten te bereiden voor zichzelf? Hoe vaak zou ze naar mijn lege bed kijken en aan mij denken?

En aan de zoon die ze had verloren, zijn leven plotseling gedoofd als een vlam die helder had moeten branden en ons allemaal veilig en warm had moeten houden? Ze was zo plotseling in een zware rouw gedompeld. De echo's van vroeger waren niet alleen de echo's van mijn stem, mijn voetstappen en mijn lach. Ik wist zeker dat ze dacht aan papa toen hij nog een kleine jongen was, hoe ze hem omarmde, beschermde, voedde en kleedde. De kleine jongen verdwijnt langzamerhand in de volwassen man en de man in de ouderdom, had oma me verteld, maar de beelden blijven als rook hangen in je geheugen, brengen de glimlachjes terug, de oude glimlach, de oude lach uit het verleden.

Toen ik pas op weg ging naar de hacienda van *mi tía* Isabela, dacht ik dat ze me in staat zou stellen in contact te blijven met oma, misschien via een telefoontje naar het postkantoor, waarna ze mij zou kunnen bellen. Mijn brieven zouden haar bereiken en dan zou ik haar brieven hier ontvangen. Nu vroeg ik me af wat mijn tante voor me zou doen, áls ze al iets zou doen. Ik had Mexico verlaten met de hoop dat ik op de een of andere manier weer bij oma terug zou kunnen komen, had me vastgeklampt aan het geloof dat dit geen definitief afscheid was.

Maar ik voelde me meer een gevangene op dit landgoed van mijn tante en haar kinderen. Niet alleen werd ik behandeld alsof ik de eerste de beste werkende immigrant was, maar mijn identiteit werd me ontnomen. Ik werd echt veranderd in een wees, iemand zonder familieverleden. Omdat me verboden was er een woord over te zeggen, werd het uitgewist. Wie was ik nu? Wie zou ik worden?

Onwillekeurig vroeg ik me af of Sophia me anders behandeld zou hebben als ze geweten had wie ik was. Zou ze net zo wreed zijn geweest? Kijk eens hoe vriendelijk Edward tegen me was nog voordat hij wist dat we neef en nicht waren. Er blonk nog hoop voor me, dacht ik. Ja toch? Nu Edward de waarheid kende, zou hij er op een of andere manier misschien voor kunnen zorgen dat mijn tante me beter behandelde. En misschien zou Sophia niet meer zo vijandig en gemeen zijn.

Ik klampte me vast aan dat sprankje optimisme, zei mijn gebed en ging naar bed. Al het beddengoed rook naar stijfsel. Het laken en de deken moesten al heel lang in de kast hebben gelegen, dacht ik. En natuurlijk was deze kamer, met zijn ene raam, vochtig en bedompt en rook nog steeds naar oude vis. Bijna besloot ik buiten te gaan slapen, maar toen bedacht ik dat ik daarmee nog meer negatieve aandacht zou trekken en mijn tante nog kwader zou worden.

Ik deed mijn ogen dicht, maar een paar ogenblikken later opende ik ze weer om te luisteren naar de zware voetstappen in de gang. Wie zou er nu komen? De deur van mijn slaapkamer kon ook niet op slot. De voetstappen gingen mijn deur voorbij, dus ik bedacht dat het señor Garman zou zijn. Ik hoorde een deur dichtslaan en het geluid van stromend water. Verder was het doodstil. Toen ik hem naar zijn kamer had horen gaan, viel de stilte als een zware deken op me.

Ik ging in foetushouding liggen en deed wanhopig mijn best om in slaap te vallen. Minuten later, meer uitgeput dan ik had gedacht, viel ik in een tunnel van nachtmerries, waarin flitsen van mijn tantes kwade gezicht en de grijns van Sophia op de donkere muren verschenen. Ik denderde omlaag en kwam aan het eind in het zonlicht, toen de ochtend me met een schok terugbracht in de werkelijkheid, die niet veel beter was dan de nachtmerries waaraan ik zojuist was ontsnapt.

Ik kreunde en draaide me om op mijn smalle bed. Ik wreef de slaap uit mijn ogen toen de deur van mijn kamer openging en señora Rosario naar binnen keek.

'Waarom ben je nog niet op en aangekleed?' vroeg ze.

'Hoe laat is het?'

'Het is kwart voor zeven. Ik heb je gezegd dat je om halfzeven in de keuken moest zijn. Er is van alles te doen. Señorita Sophia en señor Edward gaan om halfacht naar school, tenzij señorita Sophia zich verslaapt.'

'Wil señora Dallas dat ik opdien?'

'Je krijgt een tweede kans, maar intussen moet je señorita Sophia elke ochtend haar ontbijt brengen.'

'U bedoelt naar haar kamer?'

'Natuurlijk. Waar wil je het anders naartoe brengen? Er is veel werk, en señor Baker wil dat je om halfnegen in de bibliotheek bent. Je moet señorita Sophia's kamer doen zodra ze weggaat, en de lakens en kussenslopen verschonen. Die worden elke dag verschoond.'

'Elke dag?'

'Herhaal niet voortdurend mijn vragen. Sta nu op en kom naar de keuken,' snauwde ze. 'Ik heb hier de leiding van het huishoudpersoneel, en ik krijg de schuld van alles wat de een of andere stommeling die onder mijn toezicht werkt, uithaalt. Ik ben niet van plan dat te laten gebeuren. Sta op!' snauwde ze weer en deed de deur dicht.

Ik stond snel op, pakte mijn kleren en liep naar de badkamer, maar toen ik daar kwam, was de deur dicht. Ik klopte. Was señor Garman daarbinnen of was de deur gewoon dicht? Ik begon hem te openen.

'*Espere hasta que me acabo!*' hoorde ik señor Garman schreeuwen. Hij was in de badkamer en zei dat ik moest wachten tot hij klaar was.

'Maar ik moet naar de keuken,' zei ik in het Spaans.

'Dan moet je vroeger opstaan,' zei hij.

Vroeger opstaan? Ik had geen wekker. Hoe kon ik weten wanneer ik moest opstaan?

Hij kwam niet naar buiten. Ik hoorde zijn elektrische scheerapparaat en besloot me aan te kleden zonder me te wassen. Ik ging terug naar mijn kamer, kleedde me aan en borstelde mijn haar. Toen holde ik met bonzend hart de deur uit. Ik wilde niets doen om mijn tante vandaag nijdig te maken, vooral nu ik een tweede kans had gekregen. Misschien was het tot haar doorgedrongen wat Sophia had gedaan en dat het niet echt mijn schuld was geweest. Misschien had Edward me verdedigd. Misschien zou het nu beter worden, dacht ik hoopvol.

Of misschien zou Sophia kwaad zijn omdat zij de schuld kreeg en zou ze nog gemener tegen me zijn en andere verschrikkelijke dingen bedenken die ze me zou kunnen aandoen. Ik kon nu begrijpen waarom Inez zich gedroeg of ze op glassplinters liep. Ze moesten allemaal wel goed betaald worden om zo'n spanning te willen verdragen. Niemand, begreep ik uit de woorden van señor Flores, voelde enige genegenheid of respect voor deze familie. Hoe anders dan er gedacht werd over señor Lopez door mijn ouders en zijn arbeiders.

Ik wachtte nog steeds op iets dat, behalve de rijkdom, beter was in Amerika.

De twee Mexicaanse tuinlieden, die er gisteren hadden gestaan toen Sophia me doorweekt had met haar douche, zagen me voorbijhollen. Ze lachten, en een van hen riep: 'Hé, ben je vanmorgen niet in het bad gevallen?'

Nee, dacht ik, ik ben in iets veel ergers gevallen: mijn eigen privéhel.

6

Engelse les

Señor Herrera en Inez waren fanatiek aan het werk toen ik binnenkwam. Ze keken even naar me en toen begon señor Herrera opdrachten uit te delen. Ik moest wat toast maken voor Señorita Sophia en hij waarschuwde me die niet te laten verbranden. Hij maakte roereieren met bacon. Inez was bezig de ontbijttafel te dekken voor mijn tante, haar gast en Edward. Ik kreeg opdracht koffie in een thermoskan te gieten, waarna señor Herrera het blad klaarmaakte dat ik naar Sophia moest brengen. Op het bord lag een zilveren deksel, en de room, boter en kaas lagen op zilveren schaaltjes. Inez zette een verse roos op het blad voordat ik het opnam.

'Als je de bloem vergeet, stuurt ze je naar beneden om die te halen, ook al gooit ze hem gewoon in haar prullenmand,' zei Inez.

'Voorzichtig. Niet morsen,' waarschuwde señor Herrera me. 'Ze stuurt het blad terug als er ook maar een druppeltje of iets uit een schaaltje of van het bord is gevallen.'

'En zorg dat je nergens op ademt,' zei Inez. 'Dat vindt ze verschrikkelijk.'

Ik wachtte even om te horen of er nog meer waarschuwingen waren.

'Schiet op, voordat het koud wordt,' zei señor Herrera.

Langzaam liep ik de keuken uit naar de trap. Terwijl ik naar boven liep, hield ik mijn blik strak op het blad gericht, om vooral niets te morsen. Edward kwam zijn kamer uit en bleef boven aan de trap staan. Hij droeg een jasje en een das en had zijn haar op dezelfde manier naar achteren geborsteld. Hij glimlachte naar me.

'Goeiemorgen,' zei hij. '*Hola.*'

'*Hola.*'

'Ik zie je straks,' zei hij. 'We hebben een hoop om over te praten.'

Ik schudde mijn hoofd. Ik had me zo geconcentreerd op het voorzichtig dragen van het ontbijtblad, dat het niet tot me doordrong. Hij wees naar zichzelf en toen naar mij en zei: '*Tarde.*'

'O. *Sí. Tarde.*'

Hij liep verder de trap af, en ik liep naar Sophia's kamer. Toen pas besefte ik dat het een probleem zou zijn om aan te kloppen, de deur open te doen en het blad vast te houden. Ik moest het blad op de grond zetten en dan kloppen. Ik hoorde niets, dus klopte ik harder.

De deur werd zo hard opengerukt dat ik door de luchtstroom bijna naar binnen werd gezogen, over het blad heen. Ze stond voor me in haar beha en slipje.

'Jee,' schreeuwde ze. 'Ik ben niet doof, gek die je bent. Zet het blad op mijn bureau,' ging ze verder en wees naar het bureau.

Ik knielde, pakte het blad op en liep naar het bureau. Ze staarde naar zichzelf in de spiegel en frutselde aan haar haar. Ik zag dat haar beha strak zat; het vet puilde er in plooien overheen. Ze had ook een vetrol op haar heupen, en haar billen zakten omlaag over haar zware heupen. Ze draaide zich met een ruk naar me om.

'Waar sta je naar te kijken?' vroeg ze. 'Je bent toch geen lesbo, hè?'

Ik schudde mijn hoofd. Ze praatte te snel, en ik begreep de vraag niet.

'Het spijt me. Ik begrijp je niet zo goed,' zei ik.

'O, jee, wat moet ik beginnen met iemand die geen Engels spreekt?' Ze grijnsde. 'Edward zegt dat je een nicht van ons bent. Hij houdt me natuurlijk voor de gek. Je bent toch niet echt onze nicht, hè?'

'Nicht. O, *sí, prima, sí.*'

'Ik geloof er niks van. Mama heeft me nooit zoiets stoms verteld.'

Ze liep naar het blad, tilde het deksel op en inspecteerde de eieren.

'Je kunt gaan,' zei ze en gebaarde naar de deur. '*Vamos* of hoe jullie dat zeggen. Ga!'

Ik liep naar de deur.

'Wacht!' schreeuwde ze. Ik draaide me weer om. 'Die koffie is koud. De koffie.' Ze hief haar kopje op. 'Die is koud... koud... hoe heet dat? *Frio?*'

Ik schudde mijn hoofd. Ik had gezien dat de koffie heet was toen señor Herrera hem in de thermosfles schonk. Hij kon niet koud zijn.

'Jawel! Hij is koud. Breng me hete koffie, *pronto... caliente*.'

Ik pakte de thermosfles en liep de kamer uit. Toen ik terugkwam in de keuken, legde ik het Inez uit, die koffie in een kopje schonk en haar hoofd schudde.

'We zullen haar leren,' zei ze.

Ze schonk de koffie in een bak en zette die in de magnetron. De damp sloeg eraf toen ze hem weer in de thermosfles schonk en ik ging weer naar boven, holde de trap bijna op.

Sophia had een dunne, strakke blouse aangetrokken en stapte nu in een rok. Ze zag dat ik de koffie op het bureau zette en schonk een kopje in. De damp sloeg eraf. Ze voelde aan het kopje en trok een lelijk gezicht.

'Als dat eindelijk is afgekoeld, moet ik weg. Vergeet het maar.'

Ik verstond niet wat ze zei, maar begreep uit haar gebaren dat ze de koffie nu niet zou drinken. Ik zag dat ze haar bord had leeggegeten. Ik pakte het blad, haalde mijn schouders op en ging weg.

'Goed zo, ga maar,' schreeuwde ze me achterna. 'Idiote Mexicaanse. Hoe zou jij een nicht van ons kunnen zijn?'

Idiote Mexicaanse? Je bent zelf een halve Mexicaanse, dacht ik, maar veronderstelde dat ze dat, net als haar moeder, niet wilde weten. Toch moest ik even glimlachen toen ik naar beneden liep. Zodra Sophia en Edward de deur uit waren om naar school te gaan, beval señora Rosario me naar boven te gaan en Sophia's kamer op te ruimen.

'Gauw,' zei ze. 'Doe het goed, maar gauw. Geen dagdromerij.'

'Waarover zou ik hier moeten dromen?' mompelde ik. 'Behalve vluchten.' Ik dacht dat ik haar zag glimlachen.

De badkamer verkeerde in dezelfde verschrikkelijke toestand als toen ik de eerste keer had geprobeerd Sophia's kamer schoon te maken. Deze keer werkte ik sneller en verspilde geen tijd aan het boenen van de douchecabine of de vloer. In plaats daarvan richtte ik mijn aandacht op de slaapkamer en begon kledingstukken op te rapen en in de kast te bergen. Even bleef ik verbijsterd staan. Niet te geloven hoeveel blouses, rokken, broeken, sokken, kousen, ondergoed en schoenen ze bezat. Die kast bevatte meer dan de meeste winkels in mijn Mexicaanse dorp of zelfs in de grotere naburige dorpen.

Toen ik alle kleding had opgeraapt, begon ik aan het beddengoed. Toen ik de deken erafhaalde, schrok ik van de bloedvlekken op het laken. Wist ze niet dat ze ongesteld zou worden of was ze vergeten dat ze het was? Kon het haar niet schelen? Even voelde ik me misselijk worden, maar toen rukte ik snel het laken van het bed. Verbaasd zag ik dat er een zeil op de matras lag. Alsof ze als een klein kind in bed zou kunnen plassen. Ik waste hem snel af, droogde hem en legde een schoon laken op het bed en verving de kussenslopen. Ik was net klaar toen señora Rosario langskwam om me te vertellen dat ik nog tien minuten had om te ontbijten voordat ik naar de bibliotheek moest voor mijn afspraak met señor Baker.

Ze liet me zien waar ik met het vuile beddengoed naartoe moest en ik liep haastig naar de keuken. Ik hoorde lachen in de eetkamer en bleef staan. Ik keek naar binnen en zag dat mijn tante en haar gast, de jongeman die Travis heette, aan tafel koffiedronken. Mijn tante droeg haar negligé onder haar roodzijden ochtendjas. De ochtendjas viel open en ze boog zich zo dicht naar Travis toe, dat hun lippen elkaar net raakten. Plotseling stopte ze en draaide zich om naar de deur, waar ze mij met open mond zag staan kijken.

'Hoe durf je me te bespioneren!' gilde ze. Travis lachte. 'Ga aan je werk!'

Op haar gegil kwam señora Rosario haastig beneden. Ze beval me naar de keuken te gaan, joeg me weg met haar handen. Geschrokken gehoorzaamde ik snel. Señor Herrera en Inez keken me verbaasd aan.

'Wat is er nu weer gebeurd?' vroeg Inez, en ik vertelde haar dat ik niets anders had gedaan dan even de eetkamer in te kijken naar señora Dallas en haar gast. Toen ik zei hij er jong genoeg uitzag om haar zoon te zijn, glimlachte ze naar señor Herrera, die lachend een kom havermout voor me klaarzette met een glas sap en koffie.

'Ga zitten.' Hij wees naar de stoel bij de keukentafel. 'Eet.'

Ik ging zitten en begon te eten. Ik voelde señora Rosario achter me staan, die me opjoeg met haar felle, beschuldigende ogen.

Ik schrokte mijn havermout naar binnen.

'Laat het kind toch even eten,' zei señor Herrera. 'Ze schrokt het op als een hond.'

'Wil je dat tegen señora Dallas zeggen?' kaatste señora Rosario terug. Nu ik erover nadacht, verbaasde het me dat ze allemaal Spaans spraken. Waarom stond mijn tante er niet op dat zij Engels spraken, zoals ze van mij eiste? Ze kenden allemaal Engels.

Zijn gezicht vertrok even en hij ging verder met zijn werkzaamheden voor de lunch en het diner.

Inez ging weg om het huis te gaan schoonmaken – alle kamers behalve die van Sophia. Die eer viel mij te beurt.

Ik slokte mijn sap naar binnen en stond op.

'Waar is de bibliotheek?' vroeg ik aan señora Rosario. Ik was niet bekend met de indeling van het huis.

'Hierheen,' zei ze. Ik volgde haar en keek even achterom naar señor Herrera, die geruststellend naar me lachte.

Toen we door de gang liepen, zag ik dat bijna alle beschikbare ruimte op de muren was bezet door schilderijen en foto's. Er waren veel foto's van mijn tante met mensen van wie ik later hoorde dat ze beroemdheden waren, politici, of domweg steenrijke zakenlieden. Mettertijd zou ik ook te weten komen dat veel voorzitters van liefdadigheidsverenigingen bij haar in de gunst trachtten te komen om haar naam op hun programma te krijgen.

Toen ik in de bibliotheek kwam, zag ik een tafel vol trofeeën en onderscheidingen die haar door deze of gene liefdadigheidsclub waren geschonken. Behalve een stuk of zes foto's en het grote portret van haar man boven de open haard in de bibliotheek, was er, voor zover ik had gezien, verder geen enkele herinnering aan haar man. Geen trofeeën of gedenkplaten met zijn naam erop. Was hij niet zo royaal of haalde ze gewoon alles weg wat niet uitsluitend een eerbewijs was aan haarzelf? Op elke foto die ik zag, leek hij oud genoeg om haar vader te kunnen zijn.

Señor Baker zat achter het bureau in de bibliotheek toen we binnenkwamen. Hij begon te glimlachen, maar stopte zodra ik de deur door was.

'Waar zijn de boeken die ik je heb gegeven?' vroeg hij.

'In mijn kamer.'

'Hollen, niet lopen,' beval hij. 'Ga ze halen!' Hij gebaarde met zijn handen.

Ik keek even naar señora Rosario, die me een bestraffende blik toewierp, draaide me toen om en liep haastig de gang af. Ik holde pas echt toen ik buiten was. Toen ik terugkwam, hijgde ik niet alleen van het harde lopen, maar ook van angst. Met alles wat er gebeurd was, was ik de boeken totaal vergeten. Ik had zelfs geen boek opengeslagen.

'Hoe kon je je boeken vergeten?' Señor Baker schreeuwde bijna toen ik terugkeerde in de bibliotheek. Señora Rosario was verdwenen. 'Heb je ze niet geopend en ben je niet begonnen te lezen?'

'Ik heb nog geen tijd gehad.'

'Geen tijd gehad? Wil je niet naar school? Wil je niet dat señora Dallas je aardig vindt? Nou?'

'Sí.' Ik bedwong mijn tranen.

'Sí, *sí*... geen *sí* meer. Je zegt ja of nee, begrepen? Ja of nee.'

'S... ja,' zei ik.

'Hoe goed is je geheugen?' vroeg hij, terwijl hij om het bureau heenliep. 'Laten we dat eens onderzoeken. Geef me de Engelse woorden voor wat ik je heb laten zien.'

Ik noemde de woorden.

'Goed,' zei hij. 'Ik zal een goede indruk met je maken.' Hij zei dat ik op de donkerbruine leren bank moest gaan zitten. Hij nam naast me plaats en opende mijn boek. 'Laten we beginnen.' Ik las het Spaans en worstelde met de Engelse vertaling, terwijl hij me verbeterde. Hij zat zo dicht bij me dat ik zijn adem in mijn nek voelde. Hij had een slechte, zure adem die stonk naar koffie en sigaretten.

Plotseling stond tante Isabela in de deuropening. Ze droeg haar ochtendjas nog, maar ze was alleen.

'En?' vroeg ze. 'Wat denk je van haar leervermogen? Is het de moeite waard om jouw tijd en mijn geld te verspillen?'

'O, ze is een goede leerling,' antwoordde hij. Hij keek naar me, glimlachte en herhaalde in het Spaans wat hij had gezegd. 'Maar met al het huishoudelijke werk en de tijd die ik kwijt ben met op en neer reizen zal het wel even duren, Isabela. Ze heeft moeite om zich erop te concentreren jou een plezier te doen. Ze wordt erg afgeleid. Er is zoveel dat haar aandacht vergt. Ze heeft nauwelijks tijd om te studeren en te lezen. Ik kan geen wonderen verrichten.'

'Wat stel je voor, John? vroeg ze meesmuilend.

Hij haalde zijn schouders op en keek weer naar mij. 'Ik zou wonderen kunnen doen in twee weken, als...'

'Als wat, John?'

'Tja, ik ben een voorstander van de Helen Keller-methode in een situatie als deze. Iemand die onze taal niet spreekt en uit een streek komt die op een andere planeet lijkt... Iemand als zij,' hij draaide zich naar me om en knikte, 'is als iemand die doofstom en blind is. Ze moet van mij afhankelijk zijn om snel te leren. En door de noodzaak om te overleven. Maar het versnelt de dingen natuurlijk wel. Tenzij het je niet interesseert hoe lang het duurt.'

'Natuurlijk interesseert dat me. Denk je dat ik haar eeuwig zo hier wil houden?' snauwde ze. 'Kijk eens hoe ze me de afgelopen vierentwintig uur in verlegenheid heeft gebracht. Mijn zuster heeft waarschijnlijk met opzet dat ongeluk veroorzaakt om mij te kwellen.'

Señor Baker glimlachte.

'O ja, lach maar. Je hebt geen idee wat ik heb doorgemaakt voor ik aan die wereld ontsnapt ben.'

Hij haalde weer zijn schouders op. Ik wilde dat ik meer begreep van wat ze zeiden. Ik begreep wél dat ze over me klaagde. Ik worstelde met de paar woorden die ik begreep. Werd al die boosheid veroorzaakt door het feit dat ik mijn boeken vergeten had? Señor Baker keek even naar mij.

'Ik stel niets voor dat je onrechtvaardig of wreed zult vinden.'

Ze staarde me aan, wat me een onbehaaglijk gevoel gaf.

'Als je denkt dat haar grootmoeder het niet zal goedkeuren...' ging hij verder.

'Het kan me niet schelen wat iemand in Mexico vindt!' riep ze uit.

Hij knikte. 'Delia,' begon hij in het Spaans, 'hoe zou je het vinden om een tijdje bij mij te komen logeren, om dag en nacht je tijd te besteden aan het leren van de Engelse taal? Voorlopig geen huiswerk meer.'

Ik keek van mijn tante naar hem en toen weer naar mijn tante en schudde mijn hoofd. Ik begreep het nog niet helemaal, maar bij hem logeren? Betekende dat naar zijn woning verhuizen?

'Het idee bevalt haar niet,' zei mijn tante koel glimlachend. 'Nee?' vroeg ze me. Haar glimlach bleef op mijn zenuwen werken.

'Nee, *por favor*,' zei ik.

'Nee, alstublieft,' verbeterde señor Baker me. 'Alstublieft. Zeg alstublieft.'

'Alstublieft.'

'Zie je?' zei hij tegen mijn tante. 'Stel je voor dat ik dat twee weken dag en nacht doe.'

'Ja,' zei ze. 'Ik begrijp wat je bedoelt. Je hebt gelijk. Bovendien interesseert het me niet wat ze wel en niet wil. Ze heeft haar grote mond al opengedaan en Edward verteld dat ze zijn nicht is.' Ze keek me woedend aan. 'Nadat ik uitdrukkelijk had gezegd dat je dat niemand mocht vertellen!'

'Vroeg of laat moest het toch uitkomen, Isabela,' zei señor Baker.

'Laat zou beter zijn geweest. Mevrouw Rosario!' schreeuwde ze. Ze liep naar de deur.

Ik keek naar señor Baker. Hij staarde me met een vreemde uitdrukking aan. Het gaf me het gevoel dat ik naakt was.

'*Todo será bien*,' zei hij, in een poging me tot bedaren te brengen door me te verzekeren dat alles goed zou gaan.

Ik keek weer naar mijn tante. Ze schreeuwde nog een keer om mevrouw Rosario, die haastig aan kwam lopen.

Wat bedoelde hij dat alles goed zou gaan? Wat ging er gebeuren? Mijn tante sprak snel tegen mevrouw Rosario en richtte zich toen weer tot señor Baker.

'Maar, nu ik er over nadenk, zou het te veel onnodige aandacht kunnen trekken als je met haar naar je appartement gaat, John.'

'Wat stel jij dan voor?'

'Ik heb een huis te huur in Indio. Het is gemeubileerd. Ga twee weken met haar daarnaartoe. Niemand daar in de buurt zal het merken of interesseren. De helft van de mensen die daar wonen is daar waarschijnlijk gisteravond gebracht door een coyote*. Ik verwacht dat ze heel anders zal zijn als je terugkomt,' voegde ze er dreigend aan toe.

'O, ze zal als nieuw zijn,' zei hij, terwijl hij me glimlachend aankeek. 'Ze zal een Mexicaans-Amerikaanse zijn, niet alleen een Mexicaanse.'

'Goed,' zei mijn tante. 'Wil je dat mevrouw Rosario met je meegaat om alles in orde te brengen?'

'O, nee,' zei hij. 'We willen niet dat er iemand bij haar in de buurt is die Spaanse spreekt. Daar gaat het juist om. Ze zal moeten onthouden wat ik haar leer om te overleven.'

'Je zult haar daar achter slot en grendel moeten houden, John.'

'Geen probleem.' Hij glimlachte weer naar me. 'Het zal net zo worden als *My Fair Lady*. Ik zal professor Higgins zijn.'

'Ja, maar verwacht niet dat zij in een Audrey Hepburn verandert, John.'

'Ze zal er dicht in de buurt komen,' bezwoer hij haar.

Mijn tante lachte.

Wat was er aan de hand? Ze praatten te snel, en de woorden die ik opving en begreep brachten me alleen maar in de war.

Tante Isabela draaide zich om naar señora Rosario en begon alles uit te leggen. Ze zei dat ze het mij in het Spaans moest verklaren. Heel even keek señora Rosario alsof ze haar niet zou gehoorzamen. Mijn tante sperde haar ogen open en señora Rosario richtte zich haastig tot mij.

'Señora Dallas en señor Baker denken dat het te lang zal duren voor je Engels hebt geleerd als je zoveel tijd besteedt aan huishoudelijk werk. Señora Dallas wil dat je sneller leert en naar school kunt.'

* Een coyote is in dit verband een mensensmokkelaar die illegalen over de grens brengt. (vert.)

Ik knikte. Dat klonk niet zo slecht. Geen huishoudelijk werk meer.

'Señora Dallas en señor Baker denken dat het beter is als je ergens bent waar niemand Spaans spreekt, zodat je snel Engels leert.'

'Waar?' vroeg ik. '*Dónde?*' Bedoelden ze echt dat ik in zijn huis zou komen te wonen?

'Señora Dallas bezit veel huizen. Ze heeft een huis in Indio dat jij en señor Baker zullen gebruiken. Het is niet ver hier vandaan.'

'Alleen ik en señor Baker?' Ik draaide me naar hem om. Hij lachte vrolijk. Mijn hart begon te bonzen

'Waag het niet je hoofd te schudden!' schreeuwde tante Isabela tegen me. 'Waarschuw haar dat als ze niet doet wat ik zeg, ik haar grootmoeder zal laten weten hoe onbeleefd en ongehoorzaam ze is.' Glimlachend sloeg ze haar armen over elkaar en rekte zich in haar volle lengte uit. 'Zeg maar dat ik haar grootmoeder dan geen geld meer zal sturen om haar te helpen te overleven.'

Señora Rosario vertelde het me en ik keek verbaasd op. Tante Isabela stuurde geld aan mijn grootmoeder?

'Ja, Delia. Ik stuur haar nu geld,' zei ze in het Engels. 'Ze is een heel oude vrouw, ze kan niet hard genoeg meer werken om haar huis en zichzelf te onderhouden. Zonder mijn hulp staat ze straks op straat. Vertel haar wat ik heb gezegd en vraag of ze dat leuk zou vinden.'

Mevrouw Rosario vertaalde het voor me.

'Nou?' vroeg mijn tante. Met haar handen op haar heupen deed ze een stap naar me toe. 'Zul je doen wat ik wil of niet? Ja of nee? Ik kan niet langer mijn tijd aan haar verspillen. Zeg het haar!'

De tranen rolden over mijn wangen. Ik kon me niet voorstellen dat oma op straat zou moeten leven. Haar vrienden zouden het niet toestaan, maar ik wist dat ze ook te trots was om liefdadigheid te accepteren. Ik boog mijn hoofd en knikte.

'Goed. Pak dat armzalige zootje van haar in,' zei mijn tante tegen señora Rosario. 'Meneer Baker heeft genoeg tijd verspild. Breng haar over twee weken terug en zorg dat ze dan voldoende Engels spreekt om er mee door te kunnen, anders kun jij samen met haar het land uit gestuurd worden,' dreigde mijn tante hem.

Señor Baker lachte, maar wat ze tegen hem had gezegd bracht een angstige blik in zijn ogen.

'Maak je geen zorgen. Ik weet dat ik succes zal hebben.' In het Spaans ging hij verder tegen mij: 'We zullen succes hebben.'

'Toe dan. Jullie moeten opschieten,' beval mijn tante.

Señora Rosario ging met me terug naar mijn kamer om erop toe te zien dat ik snel mijn spulletjes inpakte. Ik stopte alles weer in mijn koffer terwijl zij met een gezicht vol medelijden ernaast stond. Ik huilde nog harder.

'Ik wil niet mee met señor Baker,' zei ik. 'Ik mag hem niet.'

Ze beet op haar lip alsof ze wilde voorkomen dat ze iets zei waarvan ze spijt zou hebben. Toen schudde ze haar hoofd.

'Ik vind het jammer. Doe zo goed mogelijk je best. Dat doen we allemaal. Kom mee.'

Ik volgde haar naar de voorkant van het huis, waar señor Baker op me wachtte in zijn auto. Stralend hielp hij me met zijn koffer. Toen deed hij het portier voor me open.

'*Adentro*. Stap in,' zei hij.

Ik stapte in de auto en hij sloeg het portier dicht en ging achter het stuur zitten.

'Ik zal je lessen beginnen door elk onderdeel van het interieur te op te noemen,' zei hij. Bij alles wat hij aanraakte, zei hij het Engelse woord ervoor. Hij vroeg me te herhalen wat hij zei en raakte toen zwijgend elk onderdeel weer aan en vroeg me de Engelse naam.

Ondanks mijn nervositeit en angst, lukt het me gemakkelijk.

'Zie je hoe gemakkelijk het is als we op deze manier werken?' zei hij, luid genoeg dat señora Rosario het kon horen. Hij knikte glimlachend naar haar, maar zij bleef slechts naar ons staren. 'Dat was doodeenvoudig. Je vond het leuk, hè?'

'Sí.'

'Ja.'

'Ja.'

'Oké.' Hij startte de motor. 'We gaan een ritje door de woestijn maken. Onderweg zullen we wat levensmiddelen kopen, en ik zal je al doende de woorden leren. Het gaat goed. Je zult het zien. En ik heb je uit je slavenwerk gehaald,' zei hij luid, knikkend naar het huis en señora Rosario, die op de trap naar ons bleef staan kijken. Haar gezicht stond grimmig.

'Het huishoudelijke werk dat je bij mij zult moeten doen is niets vergeleken bij wat ze je hier lieten doen.' Hij boog zich naar me toe en fluisterde: 'En je zult geen last hebben van dat verwende kreng Sophia. Nu ben ik de enige in je leven die verwend is.' Hij lachte.

'Weet je, ik heb nóg een goed idee. Ik zal je een liedje leren waarmee je de getallen kunt leren. Ben je zover? Het begint zo: *One hundred bottles of beer on the wall, one hundred bottles of beer. If one of the bottle should happen to fall, ninety-nine bottles of beer on the wall.* Honderd flesjes bier op de muur, honderd flesjes bier. Als een van de flesjes valt, negenennegentig flesjes bier op de muur. Snap je? Zing mee. Vooruit,' zei hij terwijl hij wegreed.

Ik keek achterom naar señora Rosario en zag dat ze weer haar hoofd schudde, zich toen omdraaide en naar binnen ging. Ondanks alles wat señor Baker zei en de manier waarop hij me behandelde, vond ik het vreselijk om met hem mee te moeten. We reden de lange oprijlaan af, langs de mooie bloemen en heggen, de beelden en de fonteinen.

'Zing wat ik zing,' beval hij.

Ik deed het.

'Harder. Wees blij, energiek. Je staat op het punt een nieuw leven te beginnen. *Ninety-seven bottles of beer on the wall...*'

Het hek ging open en ik keek nog één keer achterom terwijl señor Baker bleef zingen en me dwong met hem mee te zingen.

Nu heb ik zelfs geen zogenaamde familie meer, dacht ik.

Waarom zou het me iets kunnen schelen wat me wachtte als we bij nul flesjes bier op de muur waren beland?

7

Pasgetrouwd

Zoals hij beloofd had, stopten we onderweg bij een supermarkt in een groot winkelcentrum. Señor Baker legde uit dat we de nodige basisbehoeften en voldoende voedsel moesten inslaan voor minstens een week of zo. Hij zei dat mijn tante me had verteld dat alle keukenbenodigdheden aanwezig waren en ook borden en glaswerk. Een stofzuiger, emmers en dweilen, bezems en stofdoeken om schoon te maken konden we in de bijkeuken vinden. Het was een huis dat ze gewoonlijk verhuurde. Zoals señor Baker erover sprak bezat tante Isabela veel huizen, en señor Baker vertelde me dat haar man zijn geld heel slim belegd had.

'Je hoort heel dankbaar te zijn,' zei hij. 'Je tante investeert veel in je. Ze betaalt me een hoop geld om je snel Engels te leren.'

Hij keek me aan om te zien of ik wel op prijs stelde wat *mi tía* voor me deed, maar ik had niet het gevoel dat ze me wilde helpen. Meer alsof ze een manier zocht om me kwijt te raken.

'Je tante betaalt alles wat we nodig hebben en kopen, dus zoek maar uit wat je graag wilt eten,' zei hij. Toen we door de supermarkt liepen, spoorde hij me aan. 'Toe maar. Neem wat je wilt, net als een kind dat zijn gang mag gaan in een snoepwinkel.'

Hij gaf me een kar om vol te laden. Ik had nog nooit zo'n grote supermarkt gezien. Er was zoveel keus in alle mogelijke levensmiddelen. Ik voelde me werkelijk als een kind in een snoepwinkel. Hoe kon je weten wat je moest kiezen? Afbeeldingen op dozen maakten me duidelijk wat veel dingen waren, maar sommige waren moeilijk te begrijpen.

Señor Baker volgde me, vertaalde alles en gaf uitleg. Ik moet toegeven dat het heel leerzaam was. Hij bleef zelfs een keer staan om iemand te vertellen dat ik zijn leerling was.

'Niets beter dan de praktijk, het dagelijks leven, om iemand snel een taal te leren,' zei hij tegen een vrouw die hem scheen te kennen. 'Ja toch, Delia?' vroeg hij. Hij herhaalde snel in het Spaans wat hij had gezegd, en ik knikte. Het leek inderdaad juist.

Misschien was het goed wat hij deed, dacht ik hoopvol. Misschien was hij niet zo'n verschrikkelijke man als ik had gedacht. Hij was leraar, en als ik aan een leraar dacht, dacht ik aan señora Cuevas. Net als zij zou hij toch wel trots willen zijn op zijn leerlingen en op zijn eigen prestaties. Als ik goed en snel Engels leerde, zou hij succes hebben gehad, en ik twijfelde er niet aan dat mijn tante hem goed betaalde en hem misschien zelfs een bonus zou geven.

Ik voelde dat ik me ontspande en kreeg steeds meer belangstelling voor de diverse ontbijtgranen, rijst, bonen en brood. De vlees- en visuitstallingen maakten diepe indruk op me. Er was zoveel. Dit was echt wat ze me verteld hadden dat ik in Amerika kon verwachten.

'Kun je goed koken?' vroeg hij me.

Ik legde uit dat ik van *mi abuela* Anabela veel gerechten had leren klaarmaken. Toen ik een paar ervan beschreef, zorgde hij ervoor dat we alle benodigde ingrediënten hadden om ze te bereiden. Alles wat ik uitzocht vertaalde hij in het Engels en liet me dat herhalen. Onder het lopen knikte hij naar mensen en dingen en zei de Engelse woorden. 'Die vrouw draagt een blauwe hoed,' zei hij bijvoorbeeld, of: 'Die man is hier met zijn zoon.' Ik moest alles nazeggen en dan legde hij het uit en liet het me nog eens herhalen.

'Zie je,' zei hij, zijn armen uitstrekkend, 'op deze manier is de wereld ons leslokaal. Begrijp je nu waarom ik je weg wilde halen uit het huis van je tante, weg van al dat huishoudelijke werk waardoor je te veel werd afgeleid?'

Ik moest toegeven dat ik het begreep, al voelde ik me nog steeds onrustig en nerveus.

Voordat we bij de kassa kwamen om te betalen, liet hij me de hele inhoud van de kar doornemen, alles bij de Engelse naam noemen, en hij verbeterde mijn uitspraak.

Toen alles wat we gekocht hadden betaald was, controleerde hij de bedragen en toen we de supermarkt uit waren, bleef hij staan, draaide zich naar me om en vroeg in het Engels: 'Waar wil je nu naartoe?'

'Waar?' De vraag leek zo voor de hand liggend, dat ik meende hem verkeerd te begrijpen. '*Dónde?*'

'Nee, nee, alleen Engels. Waarheen?' vroeg hij weer.

Ik haalde mijn schouders op.

Naar de auto, dacht ik, waar anders?

Ik zei het, en hij glimlachte. 'Goed zo. Denk in het Engels. Zeg naar de auto,' beval hij, en ik gehoorzaamde.

Feitelijk werd alles wat we deden, elke stap die we zetten, door hem beschreven in het Engels, en ik moest het herhalen.

'We laden de levensmiddelen in de kofferbak van de auto. Dit is een kofferbak. Ik doe het portier voor je open. Hier zit de passagier. De passagier. Herhaal alles,' zei hij, en ik deed het. Ik begon me een grote papegaai te voelen. Hij corrigeerde mijn uitspraak en liet me de woorden herhalen tot hij tevreden was.

Zelfs toen hij de auto startte en wegreed van het parkeerterrein, bleef hij onderweg zoveel mogelijk dingen beschrijven. Telkens liet hij me zijn woorden herhalen en als we dan iets soortgelijks zagen, wees hij ernaar en vroeg me het in het Engels te benoemen. Te oordelen naar de manier waarop hij reageerde, dacht ik dat ik het er goed afbracht.

Op een gegeven moment begon hij een overzicht te geven van wat hij idiomen noemde, algemeen voorkomende uitdrukkingen.

'Als je 's ochtends wakker wordt, wat zeg je dan?'

'Goedemorgen.'

'En?'

'Hoe gaat het?'

'Wat voor dag is het?'

'Het is een zonnige dag.'

Zo ging het verder, rijden en praten. Hij zei iets en ik herhaalde het. Toen verraste hij me door me te vragen hem te vertellen wat ik dacht en daarbij zoveel mogelijk Engelse woorden te gebruiken. Ik wist niet wat ik moest zeggen, maar wist eruit te brengen: 'De auto is lang.'

'Je bedoelt niet de auto. Je bedoelt de rit in de auto,' verbeterde hij me. 'Zo lang is het niet,' ging hij verder. 'Nou ja, misschien door al die verkeerslichten en het verkeer. Te veel auto's.' Hij wees naar de auto's vóór ons.

Eindelijk sloegen we een zijweg in, reden langs een paar kleinere huizen, namen een andere weg en stopten voor een lichtbruin gestuukt huis dat niet veel groter was dan *mi casa* in Mexico. Er stond een smal lichtblauw hek omheen, en het had een mooi gazon, maar niet veel grond. Een reeks lage bergen doemde erachter op. Het deed me denken aan plaatsen in Mexico. Het was echt alsof ik een tijdlang mijn ogen had gesloten, en toen ik ze opendeed, weer thuis was, zoveel leek het landschap op dat van Mexico. Ik was bedroefd en had heimwee. Ik miste oma zo erg.

Señor Baker moest uitstappen om het hek te openen naar de korte, smalle oprit. Er was geen garage, alleen een carport. Hij noemde de Engelse naam ervan en vertelde weer in detail alles wat we deden en zagen en aanraakten. In de carport bevond zich een zij-ingang. Hij haalde de sleutels tevoorschijn, maakte de deur open en noemde de woorden op voor *sleutel*, *deur*, *open*, *openmaken*. Zoals al het andere liet hij me alles herhalen en verbeterde mijn uitspraak.

De deur gaf toegang tot een kleine keuken. Er was een aanrecht met in het midden een kleine gootsteen. Alles zag er oud en veelgebruikt uit, en de vloer was bedekt met dof, lichtbruin, gebarsten linoleum. We brachten de levensmiddelen binnen en zetten ze op het aanrecht. Toen hij onze aankopen uit de zakken haalde, moest ik alles weer in het Engels opratelen. Als ik iets niet wist, deed hij het weer terug in de zak en pakte iets anders. Dan ging hij weer terug naar wat ik vergeten was, tot ik het me herinnerde en de Engelse naam op de juiste manier uitsprak. Hij zei dat hij het er niet uit zou halen tot ik het wist, en als ik het me niet herinnerde, zou hij het er nooit uithalen. Ik vond het nogal belachelijk, maar hij keek heel serieus, dus concentreerde ik me tot ik het goed had.

Toen alles was weggeborgen, liep hij door de keuken, noemde alles weer op in het Engels en liet me de woorden herhalen. Hij liet me ook een paar woorden combineren, bijvoorbeeld: 'Ik zet de borden in de gootsteen.' Dan vroeg hij: 'Waar heb je de borden gezet?' en ik gaf antwoord. Mijn zelfvertrouwen nam toe. Misschien was dit toch wel een goed idee, prentte ik me in.

We gingen naar de zitkamer. Het grijze tapijt zag er oud en versleten uit en moest dringend gestofzuigd worden. Het meubilair was er niet veel beter aan toe. De armleuningen van de stoelen en de bank waren gekrast en de kussens moesten eens goed gelucht worden. Ik staarde om me heen naar de koffiekleurige muren en zag dat nergens foto's of schilderijen hingen, maar overal ontdekte ik spijkers waar iets had gehangen.

Net als in de keuken noemde hij de Engelse namen van alles in de zitkamer en weer vormde hij zinnen en stelde vragen. 'Waar ga je zitten?' 'Bank.' 'Wat ligt op de grond bij de bank?' 'Een kleed.' Hij leek heel tevreden over mijn vorderingen.

'Je tante zal versteld staan,' zei hij en legde uit wat hij bedoelde met *versteld*. 'Het is goed om een paar woorden te kennen die bijna hetzelfde betekenen. Die woorden noemen we synoniemen. Woorden die het tegenovergestelde betekenen zijn antoniemen. Laten we het eens proberen. Wat is een woord voor het tegenovergestelde van warm?'

Ik antwoordde: 'Koud.'

'Goed zo!' zei hij. Het leek nu meer op een spelletje. Ik glimlachte. Het komt best in orde, dacht ik. Dit kan nog leuk worden.

Hij probeerde de televisie. Het toestel ontving maar een paar lokale zenders. De beelden waren vaag en korrelig, wat hem ergerde.

'Verdomme, geen kabelaansluiting,' mompelde hij, draaide zich toen naar me om en legde me uit wat hij bedoelde.

Ik vertelde hem dat we in Mexico een veel kleiner tv-toestel hadden met een nog slechtere ontvangst, maar er waren andere gelegenheden waar we televisie gingen kijken en een ervan had een satellietontvanger.

'We hebben hier tenminste een oude videorecorder,' zei hij. Hij wees naar een apparaat onder het tv-toestel, en legde uit wat het betekende. Natuurlijk had ik ervan gehoord en had ik ze ook gezien.

'Ik zal een paar films voor je halen waar je geregeld naar kunt kijken, want op die manier kun je heel wat Engels leren.' Hij zei dat hij iemand kende die op die manier Spaans had geleerd.

'Eén film heeft hij zeker driehonderd keer gezien,' zei hij.

Zo had ik het meeste Engels geleerd dat ik kende. Dit zou heel wat leuker zijn dan alleen het lezen van een Engels leerboek.

We liepen verder door het kleine huis en bleven staan bij de enige badkamer. Al was hij groter dan de badkamer die ik deelde in het landhuis van tante Isabela, veel mooier was hij niet. Er was geen douchecabine, alleen een bad en een douche met een plastic gordijn. Maar de badkamer had een groot raam, dat hem lichter maakte, maar ook duidelijk de vlekken liet zien in de vloer, muren, wasbak en toilet.

'Je zult hier wel wat moeten schoonmaken,' zei hij. Hij somde de woorden *wassen*, *spoelen*, *schrobben*, *wrijven* en *dweilen* op. Ik dacht niet dat het veel werk zou zijn, want het was lang niet zo'n grote ruimte als de badkamer van Sophia.

Ik vertelde het hem, en ook wat een puinhoop haar badkamer en slaapkamer waren.

'Ik weet het,' zei hij. 'Ze is een door en door verwend mormel. Ik heb gehoord wat ze met je heeft gedaan in de doucheruimte, maar maak je geen zorgen. Ik weet het nu al. Jij bent een stuk slimmer dan zij.'

Zijn compliment deed me blozen.

'Wat een lief, onschuldig gezicht,' zei hij en raakte mijn wang aan. 'Je bent een frisse wind, geloof me. Ik hou van onschuld. Die is zo puur.'

Hij keek me met een doordringende blik aan, en mijn hart leek even stil te staan. Toen glimlachte hij weer en we vervolgden de rondgang door het huis.

We inspecteerden de twee slaapkamers, een met een kingsize bed en een met twee tweepersoonsbedden. Hij controleerde de kasten in de kamer en de kast in de gang.

'Verdomme. Je tante heeft nog een paar essentiële dingen vergeten,' zei hij.

Ik keek hem niet-begrijpend aan, en hij legde uit dat tante Isabela ons hierheen had gestuurd zonder te vertellen dat er geen handdoeken, washandjes, lakens, kussens en kussenovertrekken waren. In de supermarkt hadden we gekocht wat ik nodig zou hebben om een begin te maken met de schoonmaak van het huis.

'Nu zal ik terug moeten naar het winkelcentrum,' zei hij. 'Maar eerst zullen we de koffers binnenbrengen. Pak jij je spullen uit en begin vast het huis schoon te maken. Begin met de keuken, want daar hebben we ons eerste diner.'

Hij keek om zich heen en knikte.

'Dit huis is geknipt voor ons. We zullen het hier best naar onze zin hebben,' zei hij nadrukkelijk.

'Dit noemen ze het opzetten van een huishouding. Dat is wat een pasgetrouwd stelletje doet. Jij en ik lijken daarop. Dat zal je helpen sneller te leren, en het zal een stuk leuker zijn om net te doen of we pasgetrouwd zijn.'

Het woord bracht me van de wijs. *Getrouwd, een huwelijk*, kende ik, maar *een pasgetrouwd stelletje*? Hoe kon dit nou een huwelijk zijn? Ik vroeg het.

'Nee, het is geen huwelijk. Het is alsof we het huwelijk al gehad hebben,' legde hij uit. 'Dat is het. We zullen zijn als een bruid en bruidegom. Op die manier is alles gemakkelijker te verklaren.'

Ik schudde mijn hoofd. Hoe konden we nu bruid en bruidegom zijn? En waarom zou dat het gemakkelijker maken?

'Pieker maar niet,' zei hij toen ik het hem vroeg. Daarna legde hij in het kort uit wat *piekeren* betekende. 'Je tante piekert erover dat je niet voldoende Engels leert om naar school te kunnen gaan en dan zou je een groot probleem voor haar vormen. We zullen haar bewijzen dat ze nergens over hoeft te piekeren, hè?'

Hij liep naar me toe, legde zijn handen om mijn bovenarmen en hield me glimlachend vast.

'Ja toch, señora Baker?' vroeg hij.

Ik boog mijn hoofd achterover. Señora Baker? Waarom noemde hij me señora Baker?

'We zijn pasgetrouwd, weet je nog? Dat betekent dat jij señora Baker bent, en ik je echtgenoot.'

Hij gaf me een zoen op mijn voorhoofd, draaide zich toen om en liep weg, maar bleef in de deuropening staan.

'Zet je koffer in de grootste slaapkamer,' zei hij in het Spaans, en toen zei hij het nog eens in het Engels en liet me de woorden *koffer*, *grootste* en *slaapkamer* herhalen.

'Niet nodig om twee slaapkamers te gebruiken. Ons werk zal dag en nacht in beslag nemen. We zullen deze paar weken onafscheidelijk zijn.' Hij legde het uit in het Spaans, maar toen verdween zijn glimlach en hij voegde eraan toe dat hij over een paar dagen niet meer naar mijn vragen zou luisteren als ik niet eerst probeerde het in het Engels te zeggen.

'Dan zal ik net doen of ik je niet gehoord heb. Als het huis in brand stond en je zei niet *brand*, dan zou ik je niet horen en zouden we verbranden.'

Weer vond ik het belachelijk wat hij zei; ik dacht dat hij me alleen maar bang wilde maken, maar er was geen greintje humor in zijn gezicht te bekennen. Zijn ogen straalden een diepe ernst uit.

'Ik ben niet van plan om te falen,' zei hij in het Spaans. 'En dat betekent dat je alles doet wat ik zeg en heel gauw leert, want anders. *Entiende?* Nou? *Entiende?*'

'Sí,' zei ik. Zijn stemmingen wisselden zo snel, dat ik verder niets durfde te zeggen. Er was zoveel dat ik niet begreep.

'Geen *sí*, verdomme. Ja, ja. Zeg ja.'

'Ja,' herhaalde ik.

'Berg je spullen in de laden in de slaapkamer, beval hij. '*Comprende?* Weet je wat dat betekent?'

'Ja.'

'Goed. We moeten opschieten. Vooruit.' Hij wenkte.

Ik volgde hem, pakte mijn koffer en keek hem na toen hij de auto uit de carport reed.

'Aan het werk!' schreeuwde hij tegen me. 'Maak de keuken schoon en begin aan ons eerste diner als pasgetrouwden.' Hij lachte toen hij de auto keerde en wegreed om te gaan kopen wat we verder nog nodig hadden.

Ik klemde mijn handen om mijn koffer.

De wereld om me heen zag er troosteloos uit. Ik dacht dat ik het dieptepunt van eenzaamheid had bereikt in het huis van mijn tante, maar nu daalde ik nog dieper af in de hel. Ik keek in de richting waarin hij verdwenen was en voelde de neiging om weg te lopen, de andere kant op. Maar waar moest ik naartoe?

In Mexico had mijn grootmoeder al haar hoop gevestigd op mijn nieuwe toekomst. Het troostte haar te weten dat ik in Amerika was en zoveel meer mogelijkheden had. Als ze me nu zou zien, staande in de carport van dit heel kleine, heel eenvoudige huis, verward en verloren, zou haar zwakke hart het begeven, en zou ik weer naar een begrafenis gaan, maar dan zou ik aan haar graf staan en me afvragen of ik haar dood had kunnen voorkomen door mijn angst in te slikken en, hoe moeizaam ook, mijn weg te zoeken door deze benarde tijd. Ik moest het lef en de kracht zien te vinden die zij bezat. Zoals ze vaak tegen me zei: *No hay dolor de que el alma no puede levantarse en tres días*. Er is geen verdriet waaraan de ziel zich niet in drie dagen kan ontworstelen.

Misschien zou mijn tante, als ik voldoende Engels kende, zich niet meer voor me schamen en zou ze een plaats voor me inruimen in haar gezin, en zou ik mijn grootmoeder het geluk kunnen geven dat ze nodig had voor de gang naar haar laatste rustplaats. Ze zou sterven met een glimlach op haar gezicht en niet met de grimmige uitdrukking van een nederlaag.

Dat was ik haar wel verschuldigd.

Met een nieuwe vastberadenheid richtte ik me op, ging naar binnen en ruimde mijn spulletjes op. Toen begon ik de keuken schoon te maken, pakte de potten en pannen en begon aan het eten, terwijl ik bij mezelf alle Engelse woorden herhaalde die señor Baker me had geleerd over de keuken. Toen ik opging in het klaarmaken van het eten, moest ik denken aan oma die opging in de bereiding van voedsel voor de menigte rouwenden.

Werk was de reddingsboei waaraan we ons vastklampten in een zee van droefheid. Het belette ons te verdrinken. Het was alles waar we ons aan konden vasthouden en het verhinderde dat we dachten aan onze barre omstandigheden. Geen wonder dat mijn volk op het veld werkte, zwoegend en bijna dankbaar dat ze tenminste dát nog hadden.

Ik glimlachte heimelijk toen ik me nog een van *mi abuela* Anabela's *dichos* herinnerde als we hard moesten werken: '*La pereza viaja tan lentamente que la probeza no tarda en alcanzarla.* Luiheid reist zo langzaam dat de armoede haar spoedig inhaalt.'

In mijn kleine dorp waren we altijd één stap van de armoede verwijderd.

Iets meer dan een uur later hoorde ik señor Baker de carport inrijden. Fluitend kwam hij binnen met armenvol dingen die hij gekocht had.

'Er komt nog meer, señora Baker,' zei hij. 'Kijk eens achter in de auto. Waarin?'

'De kofferbak.'

'Goed. Ga maar halen.'

Ik veegde mijn handen af aan een handdoek en ging naar buiten. Er lag een deken in een plastic verpakking en twee hoofdkussens. Hij wachtte op me in de kleine gang en wees naar de grootste slaapkamer.

'Maak het bed op,' zei hij. 'Ik zal de rest opbergen.'

'Waarom hebben we maar één bed?' vroeg ik. 'Slaapt u niet hier?'

Hij glimlachte. 'Natuurlijk wel. Zelfs in je slaap zul je nog leren.'

'In mijn slaap? Hoe kan ik nu leren als ik slaap?'

'Maak je maar geen zorgen,' zei hij op scherpe toon. 'Doe gewoon wat ik zeg. Je tante heeft mij de leiding gegeven, nietwaar? Toon wat respect.'

Ik voelde dat ik een kleur kreeg. Zijn woedende uitval verbaasde en beangstigde me. Ik draaide me snel om en ging het bed opmaken. Toen ik terugkwam in de keuken stond hij glimlachend naar de voorbereidingen voor het eten te kijken.

'Het ziet er allemaal heerlijk uit en het ruikt verrukkelijk, señora Baker,' zei hij. Toen liep hij rond in de keuken en liet me van alles de Engelse namen opsommen. Hij was tevreden over mijn geheugen. 'Zo gaat het goed,' zei hij. Hij klonk verbaasd over zijn eigen idee. 'Dit zal echt indruk maken op Isabela. Ga maar door met het klaarmaken van het eten, maar herhaal wat ik zeg.' Ik deed wat hij vroeg.

Hij vertaalde alles wat we deden en alles wat we aanraakten in de keuken en op het aanrecht. Hij liet het me steeds weer herhalen, tot hij tevreden was over mijn uitspraak.

'Ik zal je elke dag testen over de dingen die ik je de dag en de nacht ervoor heb geleerd,' zei hij. 'Als ik denk dat je zover bent, zal ik je vragen niet in *español* te praten maar alleen in *inglés*, begrepen? Als je een fout maakt, zul je die moeten vergoeden.'

'Vergoeden? Ik heb geen geld.'

Hij lachte. 'Er zijn andere manieren om iets te vergoeden, Delia. Dat weet iedereen. Vooral vrouwen,' voegde hij er lachend aan toe.

Ik durfde niet verder te vragen.

'Kijk eens wat ik voor je heb meegebracht, señora Baker,' zei hij toen we gegeten hadden en ik bezig was op te ruimen. Hij liet me een video zien. 'Het is een van mijn eigen films, uit mijn eigen collectie. Hij kan je veel goede Engelse woorden leren, woorden die je moet kennen als je in de wereld komt en jongens en mannen ontmoet. Als je die woorden niet begrijpt, ben je in het nadeel, en dat zul je toch niet willen als je met jongemannen omgaat, Delia?'

Ik staarde naar de video. Op het doosje stond een foto van een man in een minuscule onderbroek en een vrouw die met haar rug tegen hem aan leunde. Het was duidelijk dat ze naakt was. Ik begreep de titel niet, *Bubbles, Bangles, and Bedsheets*; zelfs niet toen hij elk woord vertaald had. Bubbels, armbanden en lakens.

'Na een tijdje snap je het wel,' zei hij. 'Maak het hier maar af, dan kijken we naar onze film.'

Het maakte me allemaal erg zenuwachtig, vooral het feit dat hij me voortdurend señora Baker noemde. Mijn vingers trilden toen ik de borden vasthield, en ik liet er een uit mijn handen glippen. Het viel in scherven op de grond. Hij kwam onmiddellijk terug.

'Wat is hier aan de hand? Verdomme,' zei hij. 'We mogen niks breken. Daar zal je tante niet blij mee zijn.'

Ik begon te huilen. Waren die borden duur?

'Ruim die boel op. En zorg ervoor dat je verder niets meer breekt,' waarschuwde hij. Toen hij sprak, rook ik whisky op zijn adem.

Haastig ging ik de bezem halen. Hij bleef me roepen vanuit de zitkamer en zei dat hij er genoeg van had op me te wachten. Hij wilde de film afspelen.

Ik bewoog me langzaam, aarzelend. Mijn instinct zei me dat ik steeds dieper wegzakte in gevaarlijk drijfzand. Ten slotte had ik niets meer te doen en moest ik wel naar de woonkamer.

'Het zal tijd worden. Werken jullie altijd zo langzaam? Alles laten jullie liggen tot *mañana*. Nou, er is geen *mañana* meer. Begrepen?' Voor ik antwoord kon geven, glimlachte hij en zei: 'Natuurlijk zijn er bepaalde dingen die je wél langzaam moet doen.' Zijn glimlach bracht me in de war. 'Ga zitten.' Hij klopte op de plaats naast hem op de bank. Ik zag dat er een fles whisky op tafel stond met een glas ernaast waarin nog een bodempje zat.

Ik ging zitten en hij zette de televisie aan en toen de videorecorder. Zijn film begon en vrijwel onmiddellijk begonnen een man en een vrouw elkaar uit te kleden. Señor Baker dronk van de whisky en begon te vertalen wat ze tegen elkaar zeiden, maar ik snapte er niets van. Kleren werden 'afgepeld'. Zij wilde dat hij haar 'heet' maakte. Hij wilde dat ze hem 'opgeilde'.

Algauw deden ze er het zwijgen toe. Ze kreunden en steunden, en wat ze deden shockeerde me en bracht me in verlegenheid. Toen de video was afgelopen, zei hij dat hij hem zou terugspoelen en weer afspelen, om me de woorden weer te leren. Daarom was een video zo goed om een taal te leren.

'Je kunt hem steeds opnieuw bekijken om de woorden perfect te leren,' zei hij, maar hij besteedde meer tijd aan de stukken waarin ze niets zeiden en alleen maar kreunden en steunden.

'Doe jij dat weleens?' vroeg hij. Hij dronk zijn glas leeg en schonk weer bij.

Ik sperde mijn ogen open en schudde mijn hoofd. Hij lachte.

'Er is niks mis mee. Zo leren we elkaar beter kennen.'

Het duurde niet lang of de man in de film was samen met een andere vrouw, en ze deden en zeiden hetzelfde. Ik voelde me steeds onrustiger worden. Ik zag dat señor Baker steeds opgewondener raakte. Zijn gezicht werd vuurrood en het zweet parelde op zijn voorhoofd. Als hij zich net als ik zo weinig op zijn gemak voelde, waarom zette hij de film dan niet uit?

'Ik weet dat je hier graag naar kijkt,' zei hij grijnzend. 'Alle meisjes van jouw leeftijd kijken graag naar dit soort films.'

Ik had niet veel films gezien, maar geen ervan leek ook in de verste verte hierop.

'Nee,' zei ik. 'Ik hou er niet van.'

'Natuurlijk wel. Je doet alleen maar preuts.' Hij begon aan een lange uitleg van het woord *preuts*. Hij zei dat het iets natuurlijks was voor een vrouw. Vrouwen doen net of ze niet dezelfde dingen verlangen als een man, maar dat doen ze wel,' beweerde hij. 'Het geeft niet. Je mag preuts doen.'

Ik schudde mijn hoofd. Nu ik begreep wat het betekende, wilde ik hem duidelijk maken dat ik niet voorwendde dat ik preuts was, maar hij weigerde me te geloven.

Plotseling werd hij kwaad en zette de televisie uit.

'Het wordt tijd voor je bad,' zei hij. 'Ik wil dat je elke avond in bad gaat. Ik wil dat mijn meisjes schoon zijn en lekker, fris en onschuldig ruiken. Schiet op,' drong hij aan.

Hij verviel van de ene stemming in de andere, zoals een klein meisje van het ene hok naar het andere springt in een hinkelspelletje. Ik liep heel snel bij hem vandaan. Ik pakte mijn nachthemd en mijn slippers en ging met mijn spullen naar de badkamer. Ik hoorde dat hij de televisie weer aanzette en naar iets anders keek.

Ik deed de badkamer op slot en liet mijn bad vollopen. Hij had badolie gekocht en zeep en nieuwe handdoeken en washandjes. Terwijl het water in het bad stroomde, ging ik op het wc-deksel zitten en vroeg me af wat er nu met me zou gebeuren en wat ik moest doen. Ik had een hoop nieuwe woorden geleerd, veel nieuwe dingen in mijn hoofd gepropt, maar ik was nu zo bang en in de war dat alles door elkaar tolde. Waarschijnlijk zou ik het er slecht afbrengen als hij me overhoorde, en wat zou hij dan doen? Wat bedoelde hij, dat ik dingen moest vergoeden zonder geld?

Toen het bad vol genoeg was, kleedde ik me uit en stapte in het water. Nauwelijks een minuut later hoorde ik dat hij probeerde de deur te openen.

'Waarom heb je de deur op slot gedaan?' schreeuwde hij. Hij rammelde hard aan de knop. 'In dit huis doe je nooit een deur op slot. *Ik* doe hier de deuren op slot! Doe open! Onmiddellijk!'

'Ik zit in bad,' riep ik.

Even bleef het stil.

'Je doet de deur open zodra je uit het bad bent!' gilde hij. 'Droog je niet eerst helemaal af. Doe eerst de deur open. Begrepen?'

'Sí,' zei ik en hield mijn adem in.

'Niet *sí*, ja. Ja!' krijste hij.

'Ja.'

'Vanaf dit ogenblik zul je elke keer dat je een Spaans woord gebruikt in plaats van een Engels woord dat ik je heb geleerd, worden beboet.'

Ik luisterde ingespannen en dacht dat hij weg was gegaan, maar plotseling sloeg hij één keer hard met zijn vuist op de deur.

'Was jezelf en kom uit bad!' gilde hij.

Ik trok de stop uit het bad en pakte een van de handdoeken. Zo snel ik kon droogde ik me voldoende af om mijn nachthemd te kunnen aantrekken.

Hij begon weer op de deur te bonzen, dus deed ik open. Hij stond naar me te kijken.

'Ik dacht dat ik gezegd had dat je je niet helemaal moest afdrogen,' zei hij.

'Dat moest ik wel om mijn nachthemd te kunnen aantrekken.'

'Ik wilde dat je zou wachten. Je luistert niet goed naar me. Je zult hier heel wat langer zijn dan noodzakelijk is, omdat je niet luistert,' waarschuwde hij, en zwaaide zijn wijsvinger heen en weer voor mijn gezicht. Toen zweeg hij en keek naar me. Zijn ogen waren glazig, zijn mond vertrok als iemand die net een beroerte heeft gehad. 'Ruim hier op en ga naar de slaapkamer,' zei hij en ging mompelend weg.

Ik liet mijn ingehouden adem ontsnappen en begon het bad schoon te maken. Ik hoorde dat de tv nog aanstond. Hij kwam niet uit de zitkamer. Misschien zou hij toch daar gaan slapen, dacht ik, en liep naar de slaapkamer. Ik knielde en zei mijn gebed. Mijn hart bonsde. Ik wilde niets liever dan gaan slapen en een eind maken aan deze vreemde en moeilijke dag, maar toen ik enkele ogenblikken in bed lag, verscheen hij in de deuropening en deed het licht aan.

'O, nee,' zei hij. 'Er is nog werk te doen, Delia. Zo gauw ga je niet slapen!'

'Wat voor werk?'

'Werk. Sta op!' beval hij. 'Nu!'

Ik sloeg de deken van me af, ging rechtop zitten, trok mijn slippers aan en stond op. Wat voor werk viel er nog te doen? Hij kwam de slaapkamer in en bleef voor me staan.

'Goed. Aan het eind van de dag neem ik je een test af om te horen of je onthouden hebt wat je die dag geleerd hebt. Laten we beginnen me de auto-onderdelen die ik je heb geleerd voor we het huis van je tante verlieten. In het Engels. Wat heb ik beschreven? Toe dan.'

Ik somde alle woorden op die hij me had verteld, visualiseerde alles en stond verbaasd over mezelf. Misschien maakte de angst dat mijn geheugen zo goed was. Ik zag de verbazing op zijn gezicht.

'Heel goed,' zei hij, en reciteerde toen heel snel een lijst Spaanse woorden en eiste dat ik die zou vertalen. Als ik aarzelde, schreeuwde hij het woord naar me. Ik begon te huilen en hij beval me daarmee op te houden.

'Je hebt vijf fouten gemaakt in de laatste minuut,' zei hij. 'Je hebt straf verdiend.'

'Straf?'

'Weet je nog? De vergoeding. Draai je om,' beval hij. 'Vooruit. Draai je om, buk je en leg je handen op het bed. Doe het, anders komt er nog straf bij.'

Ik voelde het bloed naar mijn voeten zakken.

Zijn adem stonk nu nog erger naar whisky, en ik wist wat whisky met een man kon doen.

Ik was niet vergeten dat mijn ouders waren gedood door een *hombre borracho*. Ik draaide me om en deed wat hij zei. Ik voelde ik dat hij mijn nachthemd omhoogtrok tot mijn middel. Even deed hij niets anders. Ik dacht dat het daarmee was afgelopen, en toen sloeg hij me zo hard op mijn billen, dat ik naar voren viel en de tranen in mijn ogen sprongen. Voor ik kon gillen, sloeg hij me weer en weer. Vijf keer in totaal.

'Vijf voor vijf fouten,' zei hij, met zijn hand op het onderste deel van mijn rug. Hij drukte me met zijn volle gewicht omlaag. Ik huilde nu openlijk, snikkend en kreunend. 'Je moet zeggen dank u. Dank u, niet *gracias*. Gauw een beetje.'

'Dank u,' mompelde ik tussen mijn snikken door.

'Juist. Goed.'

Hij hief zijn hand op van mijn rug, maar ik durfde me niet om te draaien. Ik hoorde dat hij om het bed heen liep. Hij ging zitten en kleedde zich mompelend uit. Hij had te veel gedronken, dacht ik. Hij verloor zelfs bijna zijn evenwicht.

Langzaam liet ik me van het bed glijden.

'Ga slapen,' hoorde ik hem bevelen. ''s Ochtends doe ik het beter, señora Baker.' Hij lachte.

Ik kwam overeind en tuurde naar hem over het bed heen. Hij lag op zijn rug, spiernaakt. Voorzichtig, om hem niet wakker te maken, sloop ik naar de deur van de slaapkamer. Ik kroop zelfs op handen en voeten erheen, biddend en kruipend. Ik kon mijn gesnik en gehijg niet onderdrukken. De stekende pijn was minder erg dan de doodsangst die door me heen ging. Ik was bijna bij de deur en wilde juist opstaan toen ik hem ernaartoe zag lopen en de deur dichtsmijten. Hij keek op me neer.

'Dat is geen damesachtig gedrag, señora Baker,' zei hij glimlachend. Hij bukte zich, greep mijn haar vast en trok me overeind. 'Ga terug naar bed,' zei hij, en duwde me erheen.

Toen liep hij naar zijn broek, trok zijn riem eruit en nam die mee naar het bed.

'Ga liggen,' beval hij. 'Op je rug.'

Ik staarde naar de riem in zijn hand en naar zijn gezicht.

Ging hij me slaan? Ik begon mijn hoofd te schudden toen hij zijn hand ophief, en kromp ineen.

'In bed!' schreeuwde hij.

Ik deed wat hij zei, en toen stapte hij in bed, wikkelde de riem rond zijn dij en rond die van mij en gespte hem vast. Hij streek met zijn hand over mijn schouder, over mijn arm en rond en over mijn borsten. Dat hield hij een tijdje vol, toen ging hij omlaag naar mijn buik voor hij zelf ging liggen.

'Welterusten, señora Baker,' zei hij. 'Nou? Wat zeg je dan? Zeg het!'

'Welterusten,' zei ik al snikkend.

Hij sloot zijn ogen en mompelde in zichzelf. Ik staarde in de duisternis. De strakke riem maakte het me onmogelijk me af te wenden of er zelfs maar aan te denken weer op te staan. Ik wilde hem niet wakker maken. Ik probeerde zelfs niet te luid adem te halen, maar wat zou er de volgende ochtend met me gebeuren?

8

Gered

Mijn oogleden werden steeds zwaarder, maar ik was te bang om in slaap te durven vallen. Na een tijdje hoorde ik señor Baker snurken. Ik was blij dat hij niet meer bij bewustzijn was, maar bleef me maar afvragen wat er zou gebeuren als hij wakker werd. Ik raapte al mijn moed bij elkaar en bewoog me centimeter voor centimeter, tot ik bijna rechtop zat. Toen zocht ik tastend naar de gesp van de riem. Twee keer hield hij op met snurken, en ik verstarde, maar hij deed zijn ogen niet open.

Het dunne gordijn voor het raam was niet bij machte het maanlicht te verhinderen als een reusachtige lamp naar binnen te schijnen. Het hielp me om te zien wat ik deed, maar als hij zijn ogen opendeed, zou hij ook zien wat ik deed. Alstublieft, laat hem slapen, bad ik in stilte.

Mijn vingers trilden, maar ik ging zo omzichtig mogelijk te werk, tot ik erin slaagde de gesp los te maken. Ik wachtte even om te zien of hij wakker was geworden. Hij bromde iets en bewoog, maar hij bleef snurken. Zijn lippen zwollen op als hij zijn adem uitblies. Ik kon de whisky nog ruiken, nu vermengd met zweet. De stank maakte me misselijk, en ik moest een paar keer slikken om te voorkomen dat ik zou kokhalzen. Zelfs een gesmoord geluid zou hem kunnen wekken.

Net zo voorzichtig als *mi abuela* Anabela mijn schaaf- en snijwondjes placht te verbinden, wikkelde ik de riem van mijn been en trok heel langzaam en voorzichtig mijn been opzij. Hij snurkte weer, en ik hield me even stil tot ik hoorde dat hij regelmatig ademhaalde. Centimeter voor centimeter bewoog ik me naar de rand van het bed, tot ik me er zachtjes af kon laten glijden. Ik stond op en wachtte even, om zeker te weten dat hij het niet had gehoord en niet wakker was geworden, en toen bewoog ik me zo onhoorbaar als een geest. Ik pakte mijn kleren en schoenen en liep op mijn tenen de kamer uit.

In de zitkamer kleedde ik me zo snel mogelijk in het donker aan, en luisterde scherp of ik iets hoorde. In deze intense stilte zou zelfs het kraken van een vloerplank hem kunnen alarmeren. Ik had geen idee waar ik naartoe moest of wat ik moest doen. Ik wist alleen dat ik weg moest.

Toen ik de zijdeur opendeed, kraakte die zo luid, dat ik ervan overtuigd was dat het hem wakker zou maken. Ik aarzelde, luisterde, hoorde niets en liep toen naar buiten en deed de deur zachtjes achter me dicht. De maan was nu mijn vriend. Hij verlichtte mijn pad en wees me de weg. Ik liep niet langer op mijn tenen of probeerde stil te zijn, maar holde de carport uit, de weg af. Ik had geen idee of ik naar links of naar rechts moest. Ik rende op goed geluk naar links, huilend en biddend. Ik bleef rennen tot ik het gevoel had dat een gigantische hand mijn zij vastgreep en die fijndrukte. De pijn ging omhoog naar mijn borst en ik bleef hijgend staan.

Toen ik weer kon ademhalen en me sterk genoeg voelde, liep ik verder. Ik zag nu huizen aan beide kanten van de weg. De ramen waren verlicht. Het was nog niet erg laat. De bewoners zouden waarschijnlijk nog tv-kijken of gewoon met elkaar praten. Ik dacht erover naar een van die huizen toe te gaan en om hulp te vragen, maar als ze eens geen Spaans kenden, me niet begrepen? Zouden ze schrikken als ze me zagen en de deur voor mijn neus dichtslaan? Trouwens, wat moest ik ze vragen voor me te doen? Me terugsturen naar Mexico? Misschien zouden ze de politie bellen en zou de politie het doen. Ik was geen Amerikaans onderdaan. Naar wat ik ervan had begrepen, kon dat betekenen dat ik het land uit zou worden gestuurd, tenzij mijn tante tussenbeide kwam en het belette, maar waarom zou ze?

Ik wilde natuurlijk naar huis, maar maakte me ook ongerust hoe oma zou reageren als ik door de politie werd thuisgebracht. Misschien zou ze zichzelf de schuld geven dat ik in deze situatie terecht was gekomen. De rooskleurige toekomst die ze voor me verwachtte zou verdwenen zijn en daarmee al haar hoop voor mij. Ze was blij dat ze deed wat mijn ouders gewild zouden hebben: me een beter leven verschaffen. Dit was allesbehalve een beter leven.

Wat moest ik doen? Wat wilde ik?

Een paar ogenblikken bleef ik staan, ondergedompeld in besluiteloosheid, verwarring en angst. Ik voelde me alsof ik aan de rand van de wereld stond. Nog één stap, en ik zou eraf vallen en voorgoed door de duisternis worden opgeslokt.

Plotseling verscheen er een verblindend licht. Ik draaide me om en zag dat een auto heel snel dichterbij kwam. De bestuurder minderde vaart toen hij me zag.

Señor Baker, dacht ik. Hij was wakker geworden, had gezien dat ik het huis verlaten had en kwam me nu achterna. Ik zal het nu nog erger te verduren krijgen.

Ik begon te hollen. De chauffeur toeterde. Ik holde nog harder, tot mijn benen te moe werden en ik viel. Met beide handen op de grond wist ik mijn val te stuiten, maar ik rolde twee keer om en kwam in een greppel terecht. De auto stopte. Ik kreunde toen ik de stekende pijn in mijn handpalmen en knieën voelde. Ik deed mijn best om overeind te komen en zag de gestalte van de automobilist naderen. Toen hij zich over me heen boog, gilde ik.

'Kalm maar,' zei Edward en stak zijn handen naar me uit. 'Het is oké. *Bueno, bueno.*'

Hij pakte mijn hand, maar ik bewoog me niet. Ik staarde hem aan. In het licht van de maan kon ik hem duidelijk zien. Hij leek uit het niets tevoorschijn te zijn gekomen. Had señor Baker mijn tante gebeld, en had ze Edward gestuurd om me op te halen en terug te brengen? Kon hij zo snel hier zijn? Wie kon ik vertrouwen?

'Kom.' Hij wenkte me. 'Stap in de auto. Ik ben gekomen om je te helpen. Het komt allemaal in orde.'

Ik krabbelde uit de greppel en volgde hem langzaam naar de auto. Hij deed het portier voor me open. Ik keek hem aan, nog steeds in de war en bang.

'*No quiero volver a señor Baker*,' zei ik. Ik ging liever dood dan terug naar die man.

'No señor Baker,' zei hij. 'Nee.' Hij knikte en glimlachte. 'Het is oké,' zei hij weer. '*Bueno, bueno*.'

Ik stapte in. Hij deed het portier dicht, liep haastig om de auto heen en ging achter het stuur zitten. Toen deed hij het licht aan in de auto, draaide mijn handen om en bekeek mijn palmen. Hij schudde zijn hoofd, keek naar mijn knieën en zei: 'We zullen die wonden van je uitwassen.' Hij maakte gebaren om het uit te leggen. Ik zei niets. Ik was nog steeds versuft en bang.

Hij raapte iets op van de grond. Een vel papier.

'Casto schreef dit *en español*,' zei hij en begon te lezen. Zijn uitspraak was goed genoeg om elk woord te kunnen verstaan.

'Ik kwam erachter dat mama je met señor Baker had weggestuurd om een paar weken met hem in een van onze huurhuizen te wonen,' begon hij. 'Ik was erg van streek toen ik dat hoorde, en zij en ik hebben een flinke ruzie gehad. Ik zei haar ook dat ik kwaad was omdat ze mij en mijn zus niet de waarheid over je had verteld. Ze beweerde dat ze dat van plan was, maar dat ze je eerst presentabel wilde maken.

'Ik zei dat het een afschuwelijke manier was om je te behandelen, en dat ze je nooit met Baker weg had mogen sturen. Ik ken Baker. Het was heel misplaatst.'

Hij zweeg even en ging toen in het Engels verder. 'Het verbaast me niks dat je bent gevlucht.' Hij zag dat ik niet zeker wist wat hij bedoelde, dus wees hij naar me en zei: 'Jij.' Hij bewoog zijn vingers als iemand die hardloopt en knikte. '*Bueno*,' zei hij.

'*Señor Baker no es bueno*,' voegde hij eraan toe en ik knikte. Hij wees naar de weg die voor ons lag. '*A mi casa*,' zei hij, legde het papier neer en reed door.

Hij bracht me terug. Wat zou mijn tante zeggen? Wat zou ze doen? Ze zou woedend zijn. Zou ze oma nu niet meer willen helpen?

'Maak je geen zorgen,' zei hij. Hij wees naar zichzelf. 'Ik *inglés* tegen jou, en jij *español* tegen mij. *Comprende?*'

'Sí. Ja. Jij leert mij Engels spreken en ik leer jou Spaans spreken.'

'Precies. Perfect. *Perfecto*.'

Toen we op een drukke snelweg kwamen, stopte hij in een winkelcentrum en zei dat ik in de auto moest wachten terwijl hij naar een grote supermarkt ging. Een paar minuten later kwam hij terug met een ontsmettingsmiddel en pleisters. Hij had papieren zakdoekjes in de auto. Hij goot het ontsmettingsmiddel op een ervan en begon met de schaafwonden op mijn knieën. Met gebaren en gezichtsuitdrukkingen waarschuwde hij me dat het pijn zou doen, zou steken, maar hij deed het zo overdreven dat ik moest lachen, ook al deed het wel degelijk pijn. Voorzichtig bevestigde hij de pleisters. Daarna maakte hij mijn handpalmen schoon en verbond die ook.

'Oké?'

'*Gracias*,' zei ik. 'Dank je.'

'Graag gedaan.'

'*De nada*.'

'Juist. *De nada*. Zie je? We zijn goede leraren. *Bueno* leraren.'

'*Professores*.'

'Geweldig. Ik ben een professor.'

Hij lachte en reed door. Hij deed zijn best om me tot rust te laten komen, maar het enige waaraan ik kon denken was wat er nu zou gebeuren, welk verschrikkelijk lot me zou wachten in het huis van mijn tante. Tot mijn verbazing stopte hij op het parkeerterrein van een restaurant en zei dat ik in de auto moest wachten. Ik wilde hem uitleggen dat ik geen honger had, maar hij maakte een afwerend gebaar en liep het restaurant binnen. Ruim vijf minuten later kwam hij naar buiten met een jong meisje. Ze droeg het uniform van een serveerster.

'Dit is Elena Jimenez,' zei hij. 'Praat maar met haar. *Habla* met Elena, oké?'

Het meisje stapte aan zijn kant in de auto en hij ging achterin zitten. Ze had kort zwart haar en was erg mooi. Ze was natuurlijk zijn vriendin, dacht ik.

'*Hola*,' zei ze.

'*Hola*.'

Ze legde uit dat ze Edward van school kende en een goede vriendin van hem was. Hij had haar gevraagd met mij te praten om erachter te komen wat er precies met mij gebeurd was. Ze zei dat Edward me was gaan halen toen hij ontdekt had waar ik was.

'Toen hij bij het huis kwam, merkte hij dat jij verdwenen was. Toen hij señor Baker zag, maakte hij zich ernstig bezorgd over je en ging je zoeken. Hij weet dat er iets verschrikkelijks is gebeurd.' Ze keek achterom naar hem. 'Hij wil niet zeggen waarom hij dat denkt, maar hij denkt het. Wat is er gebeurd?'

Ik keek ook achterom en hij knikte, wees naar Elena.

'Vertel het haar.'

'Hij kent niet zo goed Spaans,' ging ze verder. 'Wees dus maar niet bang als er iets is dat je een jongen liever niet laat horen.'

Ik zei niets.

Ze boog zich naar me toe en keek naar mijn verbonden handen en knieën.

'Verdomme, meid, je hebt wel wat doorstaan, hè?'

Ik knikte.

'Heeft meneer Baker dit gedaan?'

'Nee. Ik ben gevallen toen ik wegholde.'

'Waarom holde je weg? Wat is er gebeurd?' Ik aarzelde nog steeds. Ik vond het pijnlijk om het op te biechten.

'Edward is een geweldige jongen. Ik mag hem graag als vriend. Ik ben niet zijn vriendin,' voegde ze eraan toe. 'Ik ken hopen meisjes die dolgraag zijn vriendin willen zijn, maar hij wil er geen. Hij vindt jou aardig, hij geeft om je. Dat is duidelijk, al heeft hij me nog niet verteld waarom.' Ze keek weer achterom. Ze zei iets tegen hem en hij lachte.

'Hij moet precies weten wat er met je gebeurd is, anders kan hij je niet helpen, Delia. Dus – zoals ik het heb begrepen ging je weg om Engels te leren met meneer Baker. Was je samen met hem in een huis? Alleen met hem?'

Ik knikte.

'En je werd verondersteld samen met hem daar te wonen?'

'Sí.'

‘Ik zou ook zijn weggelopen,’ zei ze. ‘Ik weet een en ander over hem. Hij is geen reguliere leraar meer. Twee jaar geleden moest hij ontslag nemen omdat er verdenkingen tegen hem waren. Het verbaast me, eerlijk gezegd, dat Edwards moeder hem heeft aangenomen om zijn zus les te geven.’

Ik vroeg haar wat ze bedoelde met verdenkingen.

‘Sommige jonge meisjes zeiden dat hij dingen had gedaan, hen had betast op plekken die hij niet mocht aanraken. De school maakte er niet veel ophef van. Ze probeerden het stil te houden. Hij nam zogenaamd ontslag wegens gezondheidsredenen, maar de meeste mensen kenden de waarheid.’

Ze draaide zich om en zei iets tegen Edward, die zich naar voren boog en zei: ‘Baker *no bueno*. Hij is een psychopaat.’

‘En?’ vroeg Elena weer. ‘Wat is er met jou gebeurd? Het is beter om alles te vertellen.’

Ik keek achterom naar Edward en begon. Toen ik haar vertelde dat hij me señora Baker noemde zodra we in dat huurhuis waren, sperde ze haar ogen open.

‘Hij zei dat we als een pasgetrouwd stelletje waren.’

‘Zei hij dat?’

‘Hij liet me naar een slechte film kijken.’

Ze wilde weten wat ik bedoelde, en ik vertelde een en ander erover.

Edward bleef vragen wat ik zei, het wachten maakte hem ongeduldig.

‘Wacht,’ zei ze tegen hem. ‘En toen?’ vroeg ze. Ik ging verder met het pak slaag dat señor Baker me had gegeven omdat ik fouten had gemaakt in het Engels.

‘Op je blote billen?’

‘Sí, ja.’

‘Wat?’ riep Edward uit. ‘Kom, Elena, wat zei ze?’

‘Ga door.’ Ze negeerde hem en keek me vol belangstelling aan.

Ik geneerde me, maar vervolgde toch mijn verhaal. Ik vertelde haar dat hij naakt was en dronken en me aan hem vastbond met zijn riem. Omdat ik Spaans sprak, vertaalde ze het voor me tegen Edward in het Engels, en hij bleef mompelen: 'De schoft. De smeerlap.'

'Dus hij viel in slaap voordat hij verder iets met je kon doen?' vroeg Elena doelgericht. 'Als hij meer heeft gedaan, moet je het ons vertellen, Delia.'

'Hij viel in slaap. En toen ben ik weggelopen.'

'En Edward ging erheen om jou te halen, zag hem, maar jou niet, en ging je zoeken.'

Ze herhaalde nog een en ander tegen Edward, en hij zei iets terug.

'Hij zei dat hij je zag hollen over de weg, en dat het hem spijt dat hij maakte dat je viel.'

'Ik dacht dat señor Baker achter me aankwam.'

'Ik kan het je niet kwalijk nemen dat je doodsbang was. Jee, Edward, ga je met haar naar de politie?' vroeg ze. 'Je moet naar de politie,' zei ze tegen mij.

Maar die gedachte maakte me bang. Als señor Baker eens leugens vertelde over me? Als ze me eens niet zouden geloven? Zouden ze me dan gevangennemen? En wat zou er met oma gebeuren als ze zoiets verschrikkelijks hoorde? Zou iedereen in mijn dorp het te weten komen en slecht over me denken?

'Nee, dat kan ik niet doen,' zei Edward. 'Ze zouden naar ons huis komen en een hoop opschudding veroorzaken. Ze zouden willen weten waarom mama haar wegstuurde, alles. Geen politie,' zei Edward, naar mij kijkend.

'Mocht wat. Nou, ja, ze vragen een en ander aan je moeder, wat dan nog. Dat horen ze te doen. Ik begrijp niet waarom je moeder een illegale Mexicaanse immigrante die geen Engels kent in dienst neemt en dan besluit te betalen voor haar privéonderricht. Wie laat hun bedienden les geven, vooral illegale?'

'Ik heb niet met zoveel woorden gezegd dat ze illegaal is.'

'Nou, is ze het of is ze het niet?'

'Het ligt gecompliceerd.'

Ik wist maar een paar woorden op te vangen, maar ik begreep dat hij Elena niet alles vertelde, en ze wist het en was er niet blij mee.

'Nou, wat ben je van plan met haar te doen?' vroeg ze, op mij wijzend.

'Ik regel het wel. Maak je niet ongerust. Ik zal zorgen dat mama nu doet wat juist is, of anders... *Mi madre* zal *bueno* tegen je zijn. Wees maar niet bang,' zei hij tegen mij.

'Ik weet het niet, Edward. Die man is zo'n engerd.' Ze keek naar mij. 'Señor Baker *es una serpiente en la hierba.*'

'Sí, ja,' zei ik. 'Een slang in het gras.'

Ze glimlachte. 'Ze kan snel leren, Edward. Trouwens, ze kan geplaatst worden in die overgangsklas op de openbare school, niet?' Ze draaide zich naar mij om en legde uit wat ze had gezegd.

Als er zo'n klas bestond op school, waarom had mijn tante me er dan niet gewoon naartoe gestuurd?

'Verdomd, je hebt gelijk,' zei hij. 'Daar had ik niet aan gedacht. Bedankt, Elena. Je bent een grote hulp geweest. Ik sta bij je in de schuld.'

'Dat sta je zeker,' zei ze lachend. '*Buena suerte*, Delia,' zei ze. Ze wenste me geluk en stapte uit.

Edward en zij bleven nog even staan praten voor hij weer in de auto stapte.

'Ze is aardig. Elena *bueno*.'

'Ja, heel aardig,' zei ik.

Hij reed het parkeerterrein af en ging verder in de richting van het huis van mijn tante. De spanning en de vragen die door mijn hoofd tolden putten me uit. Ik verheugde me zelfs op mijn grimmige, kale kamer en lelijke bed. Het enige wat ik nu nog wilde was slapen en vergeten, maar onwillekeurig begon ik te beven toen we over de oprijlaan naar het huis reden.

'Kom,' zei hij, en stapte uit.

Ik volgde langzaam, met knikkende knieën.

Het was heel stil in huis toen we binnenkwamen. Ik had mijn adem ingehouden, omdat ik verwachtte mijn tante daar woedend te zien staan. Ik dacht dat señor Baker haar nu wel zou hebben gebeld en haar allerlei leugens over me zou hebben verteld, maar er was niemand te zien, zelfs señora Rosario niet.

'Wat je nu nodig hebt, is een goede nachtrust,' zei Edward. Hij klemde zijn handen ineen en boog zijn hoofd erover.

'Sí, *sueño*,' zei ik.

'Kom.'

Maar in plaats van me via de achterdeur naar het andere gebouw te brengen, ging hij me voor de trap op. Verward bleef ik staan.

'Het is goed. *Bueno*,' zei hij en spoorde me aan hem te volgen.

Ik deed het, en hij leidde me door de gang, langs Sophia's kamer. Bij een deur bleef hij staan.

'Mi kamer... *mi*...'

'*Dormitorio*.'

'Sí, *dormitorio*.'

Ik dacht dat het zijn bedoeling was dat ik zijn kamer zou binnengaan, maar hij liep verder naar een volgende deur, opende die en liet me een andere slaapkamer zien.

'Gasten-*dormitorio*,' zei hij. Hij probeerde het uit te leggen. 'Bezoeker... extra...'

Ik knikte.

'*Para una huésped*.'

'Ja, wat dan ook,' zei hij lachend en deed een stap achteruit om mij naar binnen te laten.

Hij was niet zo groot als Sophia's kamer, maar toch heel groot, en er stond een kingsize bed met een prachtig hoofdeinde van donker kersenhout en vier bedstijlen. Het dekbed was bordeauxrood, en de kussens waren net zo groot als die van Sophia. Op dit moment vond ik niets zo aanlokkelijk als dit bed.

In zo'n bed kun je alleen maar mooie dromen hebben, dacht ik, denkend aan wat oma me eens had verteld.

Edward liet me de badkamer zien. In de kast zag ik splinternieuwe tandenborstels en andere toiletartikelen voor de gasten. De badkamer was betegeld en voorzien van een enorm bad en een douchecabine. Ik bedacht dat dit de kamer was waarvan ik had gedroomd dat hij van mij zou zijn. Ik had een kronkelige, pijnlijke weg bewandeld om er te komen, maar nu was ik er. Maar hoe lang zou ik hier blijven? Toen ik om me heen keek naar het comfort en de luxe, was ik bang dat mijn tante me hier zou vinden en weer een woedeaanval krijgen. Edward zag mijn bezorgde gezicht.

'Maak je niet ongerust,' zei hij. 'Het is oké. Daar zal ik voor zorgen.' Hij wees naar zichzelf. 'Jij *sueño*.' Toen dacht hij even na en hief zijn hand op. 'Wacht. Ik ben zó terug.' Haastig liep hij de kamer uit.

Ik verroerde me niet. Nog geen minuut later kwam hij terug en overhandigde me wat ik zeker wist dat zijn pyjama was.

'Oké?' vroeg hij.

'Ja, *gracias*.'

Hij liep weer naar de deur. Ik bleef staan, nog steeds verlegen en bang, elk moment verwachtend dat mijn tante zou verschijnen en tegen ons allebei zou gaan schreeuwen. Señor Baker zou haar nu beslist wel gebeld hebben, dacht ik. '*Sueño, sueño*,' zei Edward in de deuropening. '*Buenas noches*.'

'*Buenos noches. Gracias*,' zei ik tegen hem toen hij aanstalten maakte om de deur te sluiten.

Hij glimlachte en deed de deur dicht. Ik bleef staan, nog steeds in de verwachting dat er iets vreselijks zou gebeuren. Dit was te mooi om waar te zijn. Van een nachtmerrie was ik in een mooie droom terechtgekomen. De stilte overtuigde me dat ik voorlopig niets te vrezen had. Ik ging naar de badkamer en waste me zo goed mogelijk met al die pijnlijke schaaf- en kraswonden. Toen trok ik de pyjama aan, die natuurlijk te groot was. Toen ik in de lange spiegel keek, moest ik lachen om mezelf.

Ik stapte in het grote bed. Het dekbed, de matras en de grote donzen kussens voelden verrukkelijk. Zo moest het zijn als ik op een wolk zou slapen. Maar ondanks alles wat Edward had gezegd en voor me had gedaan, was ik nog steeds angstig en ik luisterde scherp of ik iets hoorde van voetstappen of geschreeuw, maar alles bleef rustig.

Het duizelde me. Er was zoveel gebeurd, en zo snel. Ik had nog nooit in een echte achtbaan gezeten, maar ik kon me niet voorstellen dat die net zo angstaanjagend zou zijn als de achtbaan van emoties die ik zojuist had bereden.

Ik deed de lichten uit met het knopje naast mijn bed en voelde me enkele ogenblikken later wegzinken in een diepe slaap. Ik had het gevoel dat ik steeds dieper in de grote, zachte matras zakte, maar het kon me niet schelen als ik verdween. Ik had de slaap nog nooit zo verwelkomd als op dat moment, en verdwijnen leek me nu helemaal niet erg.

De volgende ochtend werd ik wakker door luide ruziënde stemmen in de gang. Hoewel ik niet begreep wat ze zeiden, hoorde ik duidelijk mijn tante en Edward. Edward zei iets dat mijn tante het zwijgen oplegde. Toen hoorde ik Sophia. Ook tegen haar begon Edward te schreeuwen.

Even later werd er op de deur geklopt. Ik was zo bang dat ik bijna geen woord kon uitbrengen, maar ik slaagde in een '*sí?*' en toen een snel 'Ja?'

Edward kwam binnen. Hij was gekleed om naar school te gaan. Ik keek even op de klok en zag hoe lang ik had geslapen.

'*Todo bien*,' zei hij. 'Jij blijft *acquí*,' ging hij verder, gebarend naar de slaapkamer. '*Acquí. Comprende?*'

'Ja. Ik ben hier.'

'Precies,' zei hij lachend. 'Nu ben je hier. Je gaat naar school. School, *comprende?*'

'*Escuela*.'

'Ja, *escuela*. Jij gaat. *Mi madre* zal... hoe zeg je dat... het laten gebeuren... het doen...'

Ik knikte.

'Ik moet weg. Wees maar niet bang. *Todo bien*. Verdomme, ik zal sneller Spaans moeten leren. Jij leert me elke dag *español*.'

'Oké,' zei ik glimlachend. 'En jij leert mij Engels, ja?'

'Ja, maar je zult het gauw genoeg leren in de klas. *Gracias. Hasta la vista*.' Hij liep weg en deed de deur achter zich dicht.

Het werd weer stil, maar toen hoorde ik plotseling veel gepraat en heen en weer geloop vlak voor de deur van de slaapkamer. Kort daarna ging hij weer open en señora Rosario kwam binnen met haar armen vol kleren. Ze leek ontdaan en liet de kleren zonder meer op het bed vallen.

'Die krijg je van Sophia. Zij draagt ze niet meer. Vraag me niets. Ik weet niet waarom ze je die kleren geeft. Ik weet dat ze niet jouw maat heeft, dus heb ik naald en draad meegebracht en veiligheidsspelden.' Ze gooide ze neer naast de kleren. 'Als je iets hebt gevonden dat je kunt dragen en je bent aangekleed, ga dan naar beneden om te ontbijten. Dat is alles wat ze me gezegd hebben. Ik weet niet waarom je nu in deze kamer bent of wat er verder allemaal aan de hand is. Dit is een krankzinnig huishouden.' Ze liep de kamer uit en smeet de deur achter zich dicht.

Ik stond langzaam op en begon de kleren te bekijken. Ze had natuurlijk gelijk, het meeste was óf te klein of veel te groot, maar ik vond een rok waar ik in kon en een blouse die met wat creatief spelden redelijk paste. Ik zou moeten vragen of iemand mijn eigen kleren kon halen, dacht ik.

Juist toen ik uit de badkamer kwam om naar beneden te gaan, ging de deur weer open en mijn tante kwam de kamer binnen. Ze deed de deur achter zich dicht en keek me woedend aan. Toen glimlachte ze.

'Señor Baker belde om me te vertellen wat er gebeurd is, dat je hebt geprobeerd hem te verleiden, zodat hij aardige dingen over je zou zeggen. Het verbaast me niks dat je Edward zo gauw hebt weten in te palmen, Delia,' zei ze in perfect Spaans. 'Zoals de meeste mannen is hij snel onder de indruk. Hoe luidt dat stomme spreekwoord, *dichos*, waarmee je grootmoeder, de moeder van je vader, voortdurend op de proppen kwam? Het is niet de schuld van de muis maar van degene die hem de kaas aanbiedt? Natuurlijk kon haar dierbare zoon geen kwaad bij haar doen. Het waren meisjes als ik die de kaas aanboden.

'Als iemand weet hoe onwaar dat is, dan is het je moeder wel. Of wás, hoor ik te zeggen. Voor mij is ze al zo lang dood dat ik vergeet dat ze pas is gestorven.'

'Waarom was ze dood voor u?' waagde ik te vragen. Niet dat ik plotseling zo dapper was geworden; het was mijn immense nieuwsgierigheid. Hoe kon iemand zich zo tegen haar eigen familie keren?

Ze glimlachte weer en liep naar het raam. Met haar rug naar me toe, vroeg ze: 'Heeft je moeder je nooit verteld waarom?'

'Nee, *tía* Isabela.'

Ze draaide zich met een ruk om.

'*Tía* Isabela,' jammerde ze met een vreemde uitdrukking op haar gezicht. 'Je zou me *madre* moeten noemen, niet *tía*.'

Toen ze mijn reactie zag begon ze te lachen.

'Wees maar niet bang, je bent niet echt mijn dochter, Delia. Maar,' zei ze, weer met diezelfde intense woede, 'dat zou je moeten zijn.'

Ik begreep het niet, het was allemaal zo verwarrend.

'Waarom?'

'Je vader had met mij getrouwd moeten zijn, niet met je moeder,' antwoordde ze. 'Ik had hem het eerst gevonden. Hij was eerst mijn vriendje, wist je dat niet?'

Ik schudde mijn hoofd.

'Dat was voordat ik slim genoeg werd om te beseffen in wat voor gat ik leefde en wat ik zou kunnen bereiken als ik mijn best deed. Jouw ouders, hun ouders, allemaal, stelden zich ermee tevreden zich te wentelen in hun armoe, in hun karige bestaan, de duivel de schuld te geven van alles wat slecht was en elke extra peso aan de kerk te schenken. De kerk, de kerk, de kerk... koken voor de kerk, werken voor de renovatie van de kerk, het schilderen van de kerk, de schoonmaak van de kerk.

'Je vader ergerde zich altijd omdat ik zo vaak klaagde over de manier waarop we leefden, en hij vond het niet prettig als ik naar een andere man keek. Hij beklaagde zich bij je moeder, en zij was slim. Zij was de schouder waarop hij zijn arme, bezorgde hoofd liet rusten. Ik wist wat ze in haar schild voerde. Mij hield ze niet voor de gek.

'"O," zei ze klaaglijk, "ik wilde je niet kwetsen, Isabela. Ik wilde je minnaar niet van je afpakken. Het ging vanzelf."'

Ze lachte.

'Het ging vanzelf? Alsof ze allebei door de bliksem getroffen werden? De ene dag kon hij niet zonder mij leven, kon hij niet ademen als ik niet van hem hield, en de volgende dag hield hij van je moeder? En ze beschuldigden mij ervan dat ik een flirt was, een losbandige meid? O, ja, je moeder, mijn zus, was altijd het brave kind, en ik altijd het slechte, maar zíj ging met je vader naar bed voordat ze getrouwd waren, niet ik. Zo gemakkelijk gaf ik het niet weg, wat de mensen ook zeiden of dachten.

'Kijk niet zo geschokt, Delia. Je moeder was allesbehalve de heilige die ze pretendeerde te zijn. Ze wilde dezelfde dingen als ik, maar zij huichelde. Ik zag geen reden om me anders voor te doen dan ik was.

'Ja, ik vond het leuk om mannen om mijn vinger te winden, ze te verleiden, hun hoop te geven, maar ik was niet stom, Delia. Ik weet niet of jij het bent of bent geweest, maar ik zal je één ding zeggen, als je eenmaal je geheim weggeeft, ben je voorgoed aan hun genade overgeleverd.

'Vergeet al dat gezever over gelijkheid van de seksen. Mannen spelen nog steeds de baas over de vrouwen, zelf als ze verondersteld worden zo vrijdenkend zijn. En die vrouwen, als stomme *burros*, leggen zich erbij neer. Geloof me, ik liet mijn man smeken en me alles geven voordat hij zijn genot bij me mocht vinden.

'Op haar manier was je moeder net zo gehaaid. Ik weet dat je dat niet wilt geloven, maar ze was het. Toen zij en je vader naar me toekwamen en me hun liefde voor elkaar opbiechtten, lachte ik ze in hun gezicht uit. Daarna ging ik op zoek naar een man die me zo ver daarvandaan zou brengen en me zo hoog boven hen zou verheffen dat ze mijn voetzolen niet konden zien.'

Ze zweeg even en nam me aandachtig op.

'Je doet me aan mijzelf denken, meer dan je op je achterbakse moeder lijkt.'

Ik schudde mijn hoofd. 'Dat is niet waar. Zo was mama niet. Ze was niet achterbaks en gehaaid.'

'Geloof maar wat je wilt.' Ze zwaaide met haar hand door de lucht, alsof mijn woorden vliegen waren die ze wilde verjagen. 'Ik zou je vader beslist meer kinderen hebben gegeven. Misschien heb ik achteraf gezien geboft. Het doet me nu niets meer.'

Ze concentreerde zich weer op mij.

‘Weet alleen dat ik je vanbinnen en vanbuiten ken. Goed,’ ging ze verder. ‘Gedane zaken nemen geen keer. Je hebt Edward snel ingepalmd.’

‘Hij weet dat ik niet lieg. Señor Baker liegt.’

‘Het kan me niet schelen. Ik weet niet wat er tussen jou en Baker is voorgevallen, en ik wil het ook niet weten. Ik zal ervoor zorgen dat je op de openbare school wordt toegelaten. Ik ben absoluut niet van plan voor een particuliere school te betalen, wat Edward ook wil.

‘Je kunt voorlopig in deze kamer blijven. Ik denk dat ik zal moeten toegeven wie je bent als mijn zoon erop staat het in de hele gemeenschap rond te bazuinen. Ik zal voor je noodzakelijke behoeften zorgen, maar verder ben je op jezelf aangewezen, en je moet blijven helpen in de huishouding. Je zult de kost moeten verdienen. Verder wens ik niet te gaan.’

Ze liep naar de deur en draaide zich daar nog een keer om.

‘Ik zal je laten inschrijven voor die school. De eerste de beste keer dat je me te schande maakt, stuur ik je terug. Je moet hier blijven onder mijn voogdijschap voor je een Amerikaans staatsburger kunt worden, en als ik de rol niet vervul, word je in vodden op een ezel naar huis gestuurd.’

Ze glimlachte.

‘We zullen gauw genoeg weten of je hier hoort bij ons of daar... met hen. Denk niet dat ik in het Spaans tegen je zal praten, tenzij het absoluut noodzakelijk is. Als je me iets wilt vragen, doe je dat in het Engels. Leer de woorden. Ik was bereid je privéles te laten geven. Je kon niet met meneer Baker omgaan, oké. Nu sta je op eigen benen.

‘Het is zwemmen of verzuipen,’ besloot ze en liep de kamer uit.

Misschien sta je niet zo ver boven ons als je denkt, tía Isabela, dacht ik. Misschien ben je allang geleden verdronken in je eigen ellende en kan al je rijkdom je niet redden.

Misschien heb je me hiernaartoe laten komen om jezelf te bewijzen dat je zoveel beter bent dan wij, en voorlopig zal ik je dat gevoel geven en je helpen erin te geloven, maar ik zweer je op de ziel van mijn gestorven ouders dat je op een dag bij me zult komen en me om vergiffenis zult smeken.

Je zult in de kerk huilen om jezelf en om genade smeken.
Je zult smeken om te mogen terugkeren naar je familie.
Ik weet dat dit waar is, zoals ik weet dat morgen de zon op zal gaan.
En toen dacht ik: Misschien is dat de reden waarom ik hier moest komen.

9

School

Hoewel mijn tante zo min mogelijk met me te maken wilde hebben, moest ze met me mee naar de openbare school om me in te schrijven. Ze liet mij voorin zitten bij señor Garman, terwijl zij zoals altijd achterin zat. Dit zou de eerste keer worden dat ze openlijk bekende dat ze mijn wettige voogd was. Ze had een paar officieel uitziende documenten met officiële stempels van de regering die haar advocaat haar had bezorgd.

Het was meer dan duidelijk dat ze dit sneller achter de rug wilde hebben dan een afspraak bij de tandarts. Toen we binnen waren, moest ik bijna hollen om haar bij te houden. Ze had tijdens de hele rit niets anders tegen me gezegd dan: 'Waag het niet me voor schut te zetten door iets stoms te doen op school, iets dat je in Mexico zou kunnen doen. We zijn hier niet in Mexico.' Dat zei ze vlak voordat we het huis uitgingen en ze liet het door señora Rosario vertalen. Dat was niet nodig geweest. Ik begreep het toen ik haar gezicht zag en de manier waarop ze haar vinger naar me schudde. Hoeveel dreigementen zou ze me nog naar het hoofd slingeren voordat ze één vriendelijk woord zei? En wat dacht ze eigenlijk wel wat er in Mexico gebeurde? Niet ieder meisje was zoals zij vroeger was.

We gingen rechtstreeks naar het kantoor. Ik kon zien dat de beheerders en de secretaresses wisten wie ze was, of liever gezegd, hoe rijk ze was. Ze sprongen in de houding en deden alles om haar ter wille te zijn. Ze leken haar te behandelen als een vorstin. In Amerika worden de rijken gekroond, dacht ik, maar zo ging het overal. Ook in en rond mijn dorp werden de rijken met meer respect behandeld.

'Ik heb haast,' zei ze, en een secretaresse bracht ons snel naar het kantoor van de schooldecaan.

De decaan, meneer Diaz, een lange man met donker haar en een vriendelijke glimlach, sprak tegen me in het Spaans. Ik zag onmiddellijk dat mijn tante zich daaraan ergerde.

'Ik heb liever niet dat u dat doet,' zei ze. 'Als iedereen Spaans tegen haar spreekt, leert ze geen Engels.'

'O, dat leert ze heus wel, mevrouw Dallas. Ik beloof het u. We hebben een uitstekende Engels-Spaanse leraar.'

Hij legde me in het Spaans uit dat mijn tante dacht dat ik te lui zou zijn om goed Engels te leren als hij Spaans tegen me bleef spreken. Ik wilde hem waarschuwen dat ze Spaans verstond. Omdat ze zich zo hooghartig gedroeg en geen woord Spaans gebruikte, nam hij aan dat ze de taal niet kende. Ik zag dat ze kwaad begon te worden.

'Het is heel goed mogelijk dat ze lui is,' zei ze op scherpe toon in het Spaans. 'Ik ken haar niet goed. Ze heeft haar leven lang in Mexico gewoond, waar het voornaamste woord voor alles is *mañana*. Ze is pas hier gekomen na de dood van mijn zuster en mijn zwager. Ik heb nog niet veel tijd met haar kunnen doorbrengen, maar ik weet zeker dat haar opleiding ver achterstaat bij het onderwijs hier.'

Ze zei er niet bij dat zij ook uit mijn dorp kwam.

Hij verstarde en keek alsof ze hem een klap in zijn gezicht had gegeven.

'O, ja, natuurlijk,' zei hij en rommelde wat in zijn papieren. 'Ik zal haar goed in het oog houden en voortdurend contact met u houden.'

'Doe wat u moet doen,' zei mijn tante weer in het Engels. 'Ik vraag geen speciale gunsten, en ik ben niet van plan een meisje van deze leeftijd te behandelen als een klein kind. Ik ga geen kindermeisje voor haar spelen. Het is zwemmen of verzuipen, en dat weet ze.'

'Natuurlijk, natuurlijk,' zei hij, nog steeds frutselend met zijn papieren, om haar woedende blikken te vermijden.

Hij liep samen met haar het kantoor uit en stond nog even met haar te praten in de gang. Toen hij terugkwam, leek hij geïntimideerd en blij dat ze weg was.

'Ik zal je nu naar je klas en je docent brengen,' zei hij.

Met angst en beven stond ik op. De school was groter dan enige school die ik ooit gezien had en er waren ontstellend veel leerlingen in de gangen en leslokalen.

'Je tante is een heel kordate vrouw!' zei señor Diaz toen we zijn kantoor verlieten. Aan de glinstering in zijn ogen kon ik zien dat het niet als een compliment bedoeld was. 'We kunnen haar maar beter niet teleurstellen, hè, Delia?'

Ik knikte. Ik durfde geen woord te zeggen, niet in het Spaans en niet in het Engels.

Hij bracht me naar een klas waar ik samen zou zijn met tien andere jongens en meisjes die net uit Mexico waren gekomen. De docent, señorita Holt, deed me een beetje denken aan señora Cuevas. Ze was veel mooier, met schouderlang roodbruin haar, en veel jonger dan señora Cuevas, maar ik zag onmiddellijk dat ze net zo serieus was en weinig geduld had met onoplettendheid en storingen.

Als onderdeel van de les van die dag werd ik in het Engels aan elke leerling voorgesteld. Señorita had elke leerling een lijst met vragen in het Engels gegeven, die we moesten stellen om meer over elkaar te weten te komen. Zolang we in de klas waren, eiste señorita Holt dat we alleen maar Engels zouden spreken. Als we een woord niet kenden, moesten we het vragen en dan nazeggen. Ik ontdekte dat de andere leerlingen in leeftijd varieerden van twaalf tot zeventien. De oudste was een jongen die Ignacio Davila heette en wiens vader nu een eigen tuinbedrijf bezat.

Ik hoorde dat Ignacio's vader naar Amerika was gekomen om er te werken, en ten slotte zijn eigen tuinbedrijf had opgezet. Daarna liet hij zijn vrouw en vier kinderen overkomen. Ignacio was de oudste. Ik werd naast hem gezet in de klas. Ik vond Ignacio een norse en ongelukkige jongen, die er weinig voor scheen te voelen om goed Engels te leren spreken. Behalve het bijwonen van de lessen in de Engels-Spaanse klas had hij weinig met de school te maken omdat hij meestal in de zaak van zijn vader moest werken.

De ouders van alle andere leerlingen, op één na, werkten als tuinman of in de huishouding. Uitzondering was de dochter van een man die zong en gitaar speelde bij een groep mariachi's in een groot Mexicaans restaurant. Ze was twaalf en heette Amata, maar de anderen noemden haar gewoon Mata. Ze had schouderlang zwart haar en een poppengezichtje met gitzwarte ogen en een stralende, onschuldige glimlach. Haar zachte stemmetje en kleine handen wekten de neiging haar te omhelzen.

Señorita Holt verdeelde ons in drie groepen om te oefenen wat we leerden uit de boeken en van de bandjes die we moesten afspelen en waarnaar we luisterden met oortelefoons. Voor het eind van de les keken we naar een tv-programma waarin Engelse woorden werden gespeld en gearticuleerd. Met de woorden die ik al kende toen ik hier kwam en de woorden die ik had onthouden van mijn lessen met señor Baker, deed ik het goed genoeg om de eerste dag een complimentje te krijgen van mijn docent.

Nadat ze me op school had ingeschreven, had mijn tante me geld gegeven voor de bus, die me op bijna drie kilometer van het landhuis zou afzetten. Ze gaf me het adres, maar nam niet de tijd om me te vertellen hoe ik moest lopen.

Ignacio, die in de klas niet veel tegen me gezegd had, ging met dezelfde bus, maar veel verder. Bij de halte waar we moesten instappen, vroeg hij waarom ik bij mijn tante was komen wonen. Hij had gehoord van mijn dorp en wist dat het bevolkt werd door boeren en kleine ondernemers, en dat er bijna geen toeristen kwamen, maar hij was er nooit geweest. Toen hij hoorde wat er met mijn ouders gebeurd was, toonde hij zich minder onverschillig.

'Ik weet wie je tante is,' zei hij. 'We werken niet op haar landgoed, maar wél op een bij haar in de buurt. Ze is erg rijk. Waarom laat ze je niet halen en brengen? Als je de bus mist, moet je soms wel een uur wachten op de volgende. En het is altijd nog een flink stuk lopen vanaf de dichtstbijzijnde halte.'

'Ik hou van wandelen,' antwoordde ik.

'Wacht maar tot het flink heet wordt. Dan vind je het minder prettig. Dat weet je tante.'

Hoe moest ik hem uitleggen hoe mijn tante was?

'Zo wil ze het nu eenmaal,' zei ik. 'Zo erg is het niet. Ik heb nog nooit in zo'n lange bus gezeten met zulke gemakkelijke stoelen en airconditioning.'

De waarheid was dat ik nog nooit in mijn leven in een bus had gezeten.

Hij haalde zijn schouders op. 'Mijn vader heeft me beloofd dat ik volgend jaar misschien mijn eigen auto krijg. Ik moet minstens de helft zelf betalen met werken. In Mexico had ik de truck van mijn grootvader. Daar reed ik al in toen ik pas tien was.'

'Ik heb nog nooit gereden,' zei ik. 'We hadden alleen maar een pick-uptruck en die gebruikte mijn vader zelden voor iets anders dan om naar zijn werk te gaan. Je boft dat je je eigen auto krijgt.'

'Ik heb hem nog niet. Het is moeilijk om hier geld te sparen.'

Ik was blij dat hij tegen me praatte. Hij had heel mooie zwarte ogen, een soort ebbenhouten zwart dat ik nog nooit had gezien. Soms hadden ze een groene glans. Zijn haar was kortgeknipt als van een soldaat. Hij zag dat ik ernaar keek en legde uit dat zijn vader wilde dat zijn employés er schoon en netjes uitzagen. Hij stond niet toe dat er op het werk alcohol werd gedronken, zelfs geen flesje bier. Een man die voor iemand anders werkte was dronken geworden op het werk en had bijna zijn voet afgehakt. Nu was hij kreupel en werkte nauwelijks meer.

'Hij stuurt maar heel weinig geld naar zijn familie in Mexico. Hij is illegaal, heeft geen documenten en durft nooit te klagen, uit angst dat hij zal worden teruggestuurd en hij hun helemaal niets meer kan sturen.'

'Wat triest.'

'Ja. Soms heeft hij niets en bedelt hij op straat. Mijn vader zegt dat hij een schande is voor ons volk. Je weet dat mensen in Mexico nooit op die manier bedelen. Ze proberen eerst van alles te verkopen, snuisterijen, souvenirs, wat dan ook,' zei hij verbitterd, alsof deze man alle Mexicanen die hier woonden te schande maakte.

'Sí.' Ik durfde zelfs niet te suggereren dat ik het er niet mee eens was.

'Er werken vijf man voor mijn vader,' vertelde hij trots. 'En ze hebben legaal het recht hier te werken. Hij neemt geen illegale Mexicanen in dienst, en hij betaalt al zijn belastingen, en houdt ook loonbelasting in. Soms wilde ik dat hij dat niet deed. Dan zou ik meer verdienen en eerder een auto hebben.'

'Waarom is het zo moeilijk om geld te sparen?'

'Er is zoveel te kopen en te doen. Te veel verleidingen. Er is zelfs een bioscoop waar films in het Spaans worden vertoond. Ik bof dat mijn vader me voortdurend laat werken, maar op zondag, als ik naar het winkelcentrum ga, moet ik mijn hand op de knip houden.' Ik lachte.

'Echt waar,' hield hij vol. 'Mijn vrienden noemen me een vrek, maar dat kan me niet schelen. Ik wil mijn auto.'

'Ik hoop dat je hem krijgt,' zei ik. 'Ik weet het wel zeker!'

Dat beviel hem.

'Weet je hoe je van de bushalte naar de hacienda van je tante moet lopen?'

'Ik geloof het wel, maar ik weet het niet zeker.'

Hij legde het omstandig uit.

'Als ik een auto had, zou ik je elke dag naar huis rijden.'

Ik glimlachte, maar mijn glimlach scheen hem schrik aan te jagen, want hij wendde snel zijn hoofd af.

Een verlegen jongen uit Mexico, dacht ik. De eerste die ik leer kennen. Inwendig moest ik erom lachen.

Toen de bus bij mijn halte stopte, volgde hij me over het middenpad en herhaalde zijn routebeschrijving tot ik bijna bij de deur was. Ik bedankte hem en stapte uit. Hij keek me na door het raam, en ik zwaaide, maar hij zwaaide niet terug. Hij keek snel voor zich, alsof hij bang was dat iemand zou merken dat een meisje naar hem zwaaide. Ik zag de bus wegrijden en begon aan mijn wandeling naar de hacienda van mijn tante.

Feitelijk verzoenden mijn gesprek met Ignacio en het feit dat ik de dag had doorgebracht met andere leerlingen die kortgeleden uit Mexico waren gekomen, me met mijn verblijf hier.

'Als je bij je eigen mensen bent, mensen die je tradities, je taal en zelfs je herinneringen met je delen, bent je niet ver van huis,' had oma tegen me gezegd de avond voordat ik naar Amerika vertrok, 'al zou het nog zo lang duren voor je terugkomt.' Ik dacht dat ze me dat vertelde om te voorkomen dat ik bang zou worden, maar nu dacht ik dat ze gelijk had.

Alsof het de bedoeling was om tijdens mijn wandeling te benadrukken wat oma had gezegd, hoorde ik muziek uit een radio waar twee mannen naar luisterden terwijl ze bezig waren een garage te schilderen. Ik kende het lied, en even bleef ik ook staan luisteren met een flauwe glimlach op mijn gezicht. Als ik mijn ogen sloot, kon ik me gemakkelijk voorstellen dat ik op ons dorpsplein stond. Iedereen droeg zijn mooiste kleren en voelde zich gelukkig, sommigen omdat ze tequila dronken. In de koelte van de vroege avond, met het dansen en het eten, leek iedereen jonger. Het was allemaal zo simpel en toch zo magisch. Zou ik die magie hier ooit gewaarworden?

'Delia, Delia,' hoorde ik. Ik draaide me om en zag Edward in een rode open sportauto. Er waren maar twee stoelen. Hoeveel auto's had hij? De auto waarin hij me was komen zoeken was een sedan. 'Kom, stap in. Ik rij je naar huis,' riep hij.

Aarzelend liep ik naar de auto.

'Stap in,' zei hij. Hij wenkte en ik deed het portier van de auto open en ging zitten. 'Ik was bang dat ik je gemist had,' zei hij. Ik schudde mijn hoofd, want ik begreep het niet. Hij wees naar zijn hoofd. 'Ik dacht, jij *no acquí*, te laat.'

'O. Ja.'

Hij lachte. 'Met mijn gebarentaal en gebroken Spaans en jouw gebroken Engels, komen we een heel eind,' zei hij, en reed weg. 'Vond je het prettig op de *escuela*?'

'Ja. Ik vind *mi profesora* aardig.'

'Mooi,' zei hij. 'Leer maar gauw Engels, zodat je me meer kunt vertellen, *más* over jou.'

'*Yo?*'

'Ja, jij. *Yo?* Je lijkt Rocky wel. *Yo!*'

Ik lachte ook, al wist ik niet precies waarom, misschien alleen omdat hij zo aardig en vrolijk was. Met gebaren, zijn paar Spaanse woorden en het Engels dat ik begreep, verontschuldigde hij zich dat hij me niet elke ochtend naar school kon brengen. Zijn eigen school was precies de andere kant op, en hij had niet genoeg tijd om naar alletwee te rijden.

'Maar ik kan je wél naar de bushalte brengen,' zei hij.

Toen we over de oprijlaan reden, zagen we een andere sportauto voor het huis geparkeerd staan. Hij was blauw en net zo mooi en nieuw. Maar toen we dichterbij kwamen, zag ik dat er een flinke deuk in het rechtervoorspatbord zat. Edwards gezicht vertrok.

'Sophia's vriendje is er,' zei hij. 'Bradley Whitfield. Hij brengt haar thuis als ik het niet doe, meestal dus.' Hij keek naar mij, wees naar de auto en voegde eraan toe: 'Het vriendje van mijn zus. Vriendje.'

Hij sloeg zijn armen over elkaar, tuitte zijn lippen, sloot zijn ogen en rilde.

Ik lachte en zei: '*Muchacho amante*. Lover Boy.'

'Precies. *Muchacho amante*. Goed, zo zal ik hem noemen.'

Toen we binnenkwamen, hoorden we ze lachen in de zitkamer.

'Vertel me niet dat je haar hebt afgehaald van die openbare school,' riep Sophia uit toen ze ons zag.

'Wat ik wel en niet doe gaat je geen bliksem aan, Sophia,' zei Edward. 'Dat heb ik je gisteravond al gezegd, en ik meen het.'

Sophia lachte. 'Ik ben benieuwd waarom je zo poeslief tegen haar bent. Wat denk jij dat de reden is, Bradley?' vroeg ze aan de jongen naast haar.

Hij had lang blond haar, opvallend blauwe ogen en een sterke mond. Ik schatte dat hij minstens zo lang was als Edward en atletischer gebouwd, met brede schouders. Zijn lichtblauwe sportjasje lag opgevouwen op de leuning van de bank naast hem, en zijn witte hemd stond open aan de hals en liet een dikke gouden ketting zien. Zijn lichte haar en blauwe ogen werden benadrukt door het contrast met zijn donkere teint. Mijn eerste gedachte was: Waarom zou een jongen die eruitzag als een filmster iets met Sophia beginnen?

'Ze is je nichtje,' zei Bradley. Hij keek naar mij en vroeg in perfect Spaans: '*Sí? Usted es su prima?*'

'Schep niet zo op, Bradley,' snauwde Sophia.

‘Sí,’ zei ik en voegde eraan toe: ‘*Pero no es mi culpa*’, wat betekende *maar het is niet mijn schuld.*

Hij bulderde van het lachen.

‘Wat zei ze, Bradley?’ Ze gaf hem een harde duw, en hij veinsde een kreet van pijn.

Edward glimlachte, al begreep hij niet helemaal wat ik gezegd had.

‘Wat zei ze dat het niet is?’ vroeg hij aan Bradley.

‘Haar schuld.’

Hij begon net zo hard te lachen als Bradley.

Sophia kreeg een kleur. ‘Ze moet zich melden bij mevrouw Rosario zodra ze thuis is, Edward. Weet je nog? Moeder zegt dat ze in de gastenkamer mag blijven, maar dat ze wel haar taken in het huishouden moet doen. Mevrouw Rosario!’ krijste ze. ‘Delia is er om de wc’s schoon te maken.’

‘Hou je mond, Sophia,’ zei Edward.

‘Ze draagt mijn afdankertjes,’ zei ze tegen Bradley. Hij keek weer naar mij.

‘Is het heus? Afdankertjes? Zo slecht zien ze er niet uit. Misschien omdat zij ze aan heeft.’

‘Ga naar huis, Bradley. Ik heb genoeg van je.’ Ze stond op.

Hij lachte, maar keek toch een beetje angstig. ‘Kalm maar. We maken alleen wat gekheid.’

‘Ik vind het geen gekheid.’

Señora Rosario verscheen in de gang. Sophia sprong bijna op haar af.

‘Ze is terug, mevrouw Rosario. Hebt u niks voor haar te doen?’

Señora Rosario keek naar haar en toen naar mij. ‘*Venga*, Delia.’

‘Ik denk dat ze zich eerst zal moeten verkleden, mevrouw Rosario,’ zei Edward.

Ze knikte en zei dat ik daarna in de keuken moest komen. De badkamers moesten worden schoongemaakt en dan moest ik helpen met de voorbereidingen voor het eten. Ik hoorde dat ik niet langer met het personeel zou eten, maar met Edward en Sophia en mijn tante als ze thuis was. Edward had mijn tante op sommige punten weten te bewerken, maar op andere niet. Dat alles verbaasde me nog, maar zoals oma vaak zei: '*Hay que tomar lo bueno con lo malo*. Je moet het goede met het kwade nemen. Ik wist niet zeker of het eten aan tafel met mijn familie goed was.

Ik liep haastig naar de trap.

'Leuk je te hebben leren kennen,' riep Bradley me na.

'Wat ben je toch een eikel, Bradley,' zei Sophia.

Edward volgde me de trap op naar zijn eigen kamer. Ik verkleedde me en ging aan het werk onder de nieuwe regeling: elke dag karweitjes doen, eten met mijn zogenaamde familie, en dan Engels studeren tot ik te moe was om mijn ogen open te houden. Getrouw aan zijn woord bracht Edward me elke ochtend naar de bus. Meestal haalde Sophia's vriendje, Bradley, haar 's morgens af, maar soms kon of deed hij het niet. Op die ochtenden moest Sophia met Edward naar school, die dan niet met zijn sportauto kon. Dat vond ze vreselijk, en ze liet mij achterin zitten, terwijl ze onophoudelijk in haar mobiel zat te praten, voornamelijk om mij te kunnen negeren, dacht ik. Edward had altijd kritiek op haar, en zij was altijd hatelijk tegen hem.

Ook al zou iemand die ze hoorde misschien denken dat het gewoon iets was tussen broer en zus, toch drong het algauw tot me door dat Edward en Sophia elkaar niet mochten en vertrouwden. Hun ruzies waren niet simpel broer-zusgekibbel. Sophia klaagde tegen haar moeder meer over Edward dan Edward tegen haar over Sophia. Tussen hen in laveren was of je de grens overstak tussen twee landen die op het punt van oorlog stonden, maar beide bang waren te beginnen. Ik kon zien dat ze geheimen voor elkaar hadden en lang zo goed niet met elkaar konden opschieten als broer en zus hoorden te doen.

Maar het verbaasde me niet dat ze geheimen hadden. Dit was een huis vol geheimen en wantrouwen. De bedienden waren allesbehalve gesteld op de mensen voor wie ze werkten en waren achterdochtig en nerveus, verwachtten nooit een complimentje maar altijd kritiek. Het was of je rondliep terwijl de bliksem door de lucht kliefde – binnen of buiten. Je was altijd bang dat je verbrand of verschroeid of gewond zou worden door een woedende blik of een gemene opmerking. Ik bofte dat mijn tante zo in beslag werd genomen door haar sociale activiteiten en haar romantische avontuurtjes.

Ik had al snel door dat wie het mannelijke gezelschap van mijn tante ook was gedurende een week of zelfs maar een dag, de volgende keer niet meer zou worden teruggezien. Ze wisselde van mannen als van kleren. Niets maakte haar lang gelukkig. Sophia leek een kloon van haar moeder, verwend, egocentrisch en zonder enig respect voor iemand die ze beneden zich achtte. Ik hoorde absoluut bij die laatste groep.

In de loop van de week had ik een paar van de andere kleren onder handen genomen die señora Rosario op mijn bed had gegooid, en ik had geknipt en genaaid en gespeld tot alle kleren beter pasten. Ik kon zien dat ze teleurgesteld was en zich ergerde dat ik die kleren zo goed vermaakt had. Edward vertelde me dat de meeste kleren haar niet meer pasten omdat ze te dik was geworden. Toen ik haar kamer schoonmaakte, ontdekte ik waar ze haar snoep bewaarde. Ze moest een en ander ervan vergeten zijn, want dat was oud en beschimmeld en lokte mieren.

Ik leerde vlug genoeg Engels om de essentie te begrijpen van de meeste gesprekken die aan tafel gevoerd werden, al kende ik nog niet voldoende Engels om eraan deel te nemen. De meeste ruzies tussen Sophia en haar moeder gingen over haar gewicht of brieven van school waarin geklaagd werd over Sophia's gedrag in de klas. Edward plaagde Sophia er graag mee, en later in de week kwam hij terug op het commentaar van haar vriendje Bradley over de kleren die ik droeg. Hij vertelde het aan tafel.

'Bradley maakte geen gekheid. Die kleren hebben jou nooit goed gestaan, Sophia. Het was erg aardig van je om ze aan haar te geven.'

Haar ogen schoten vuur. Ze richtte haar pupillen op hem als twee pistolen en leek op het punt hem het ene scheldwoord na het andere naar zijn hoofd te slingeren, maar ze hield zich in. In plaats daarvan keek ze woedend naar mij, met een dreigende glimlach. Ze zon beslist op wraak. Ik wist niet waarom ze zo'n hekel aan me had, maar ik vermeed zelfs haar schaduw, vroeg haar niets en vermeed het haar aan te kijken aan tafel. Nu begreep ik wat señora Rosario bedoeld had toen ze zei dat ik uit Sophia's buurt moest blijven.

Edward daarentegen scheen het leuk te vinden mij te gebruiken om zout in de wonde te wrijven.

Mijn tante deed niet de minste moeite om haar kinderen te beletten ruzie te maken en vals tegen elkaar te zijn, maar leek zelfs verheugd. Ze schreeuwde alleen tegen ze als ze te hard praatten en haar ergerden. Toen ik señora Rosario daarnaar vroeg, grijnsde ze en zei: 'Señora Dallas vindt het beter een leeuw te zijn dan een konijn.'

'*Por qué?*'

'Waarom?' Ze haalde haar schouders op. 'Ze denkt dat we in oorlog zijn, en in oorlog is het beter een leeuw te zijn.'

'Wie is in oorlog?'

'*Todos nosotros,*' antwoordde ze.

'Wij allemaal? Maar waarom?'

'Als je erachter komt, laat het me dan weten,' zei ze en liep weg.

Het leven was zoveel eenvoudiger in Mexico, dacht ik. Het gaf me veel om over na te denken. Ondanks mijn werk in huis en op school, had ik daar tijd genoeg voor, zeker tijdens mijn wandelingen naar huis.

Twee keer in de week kon Edward me niet van de bus halen of me onderweg oppikken, omdat hij andere verplichtingen had. Eigenlijk vond ik het helemaal niet erg om te lopen. Het was nog steeds niet snikheet in Palm Springs, en ik vond het leuk om naar de huizen en de mensen te kijken. Er was een oudere man die altijd naar me zwaaide als hij bezig was de struiken en planten in zijn tuin te snoeien. Niet iedereen hier was zo rijk dat hij of zij personeel had.

Die eerste week schreef ik vier brieven aan *abuela* Anabela, zonder ook maar één onaangenaam voorval te vermelden. Ik was bang dat ze mijn overdreven woorden zou doorzien, maar stelde toch alles zo mooi mogelijk voor. Señora Rosario zorgde ervoor dat mijn brieven verstuurd werden. Ik moest er nog een terugkrijgen, maar ik keek er elke dag verlangend naar uit.

Ignacio vroeg vaak naar haar en naar nieuws uit Mexico. Ik kon merken dat hij ook heimwee had, ondanks alle mogelijkheden en de kans op betere verdiensten hier. Naarmate de tijd verstreek, begon hij minder verlegen te worden, en we praatten meer met elkaar in de bus en soms tijdens de lunch op school. Ik weet niet of het ter wille van mij was, of dat hij domweg besloten had beter Engels te leren, maar ik kon merken dat hij beter zijn best deed en harder werkte. We begonnen meer te oefenen, ook in de bus.

Engels was niet gemakkelijk te leren, maar als ik wat ontmoedigd raakte, dacht ik aan mijn tante toen ze zo oud was als ik en in Mexico woonde, en hoe vastberaden ze was zich aan de armoede en het harde leven te ontworstelen. Ik moest het haar nageven. Al vond ik haar nog zo gemeen, toch kon ik niet anders dan haar bewonderen om wat ze bereikt had. Ik zou nooit zo willen worden als zij, maar ik zou het niet erg vinden om net zo rijk te zijn. Wie niet?

Ik bedacht dat ik nu veel overeenkomsten had met Assepoester. Ik leefde in een welvarende wereld, maar werd behandeld als een dienstmeid. Ik was omringd door dure dingen – kunst, meubels, mooie auto's – en woonde op een landgoed dat kon concurreren met de landgoederen van presidenten, koningen en koninginnen. Maar toch maakte ik nog wc's schoon en droeg afdankertjes.

Maar in tegenstelling tot Assepoester had ik geen toverstok om me te veranderen in een prinses, al was het maar tot middernacht. Ik had geen glazen muiltje. Mijn neef Edward was de enige die echt aardig voor me was. Soms voelde ik dat hij het prachtig vond dat zijn vriendelijkheid voor mij zijn zus en moeder ergerde. Ik wist dat hij het niet goedkeurde hoe ze leefden en mensen behandelden, vooral het personeel. Al na korte tijd drong het tot me door dat ik in een huis woonde zonder enig teken van religie of geloof in iets anders dan wat met geld te koop was. Ik woonde in een huis zonder enig teken van liefde.

Als ik 's morgens in de bus stapte vroeg ik me vaak af wat er zou gebeuren als ik gewoon bleef zitten en niet uitstapte. Zou ik eindigen in Mexico? Mata had me verteld dat haar vader zei dat Mexico maar een paar uur rijden was. Natuurlijk zou het dagen duren om met de bus mijn dorp te bereiken, en natuurlijk zou ik de nodige papieren moeten hebben. Toch ging er geen ochtend of middag voorbij dat ik daar niet over droomde omdat ik zo'n heimwee had.

En dat was precies wat ik deed toen ik op een middag uit de bus stapte en afscheid nam van Ignacio, die voldoende moed had verzameld om terug te zwaaien als ik zwaaide. Ik ging als gewoonlijk op mijn gemak op weg. Zo erg verlangde ik er niet naar om terug te komen in de hacienda van mijn tante en aan mijn huishoudelijke karweitjes te beginnen. Het was weer een prachtige dag, en de vogels leken luider te zingen dan anders. Het deed me denken aan oma die me vertelde dat de vogels jaloers waren op de stem van mijn moeder. Wat zou ik haar graag weer horen. Misschien zong ze voor me via de mooie vogels die me van tak tot tak volgden in de bomen langs de straat. Ik zwaaide naar de oude heer, die terugzwaaide.

Toen ik de hoek omsloeg hoorde ik toeteren en ik deed een stap opzij, maar de auto reed niet langs. Ik nam aan dat het Edward was die me inhaalde, zoals hij weleens deed, maar het was Edward niet. Het was Sophia's vriendje, Bradley Whitfield.

'*Hola, señorita. Venga. Quiere un paseo?*'

Een lift? Waar was Sophia?

'*Venga*,' herhaalde hij. 'Kom, je hoeft niet bang te zijn,' ging hij verder toen ik aarzelde. 'Ik bijt niet.' Hij lachte om mijn verlegenheid.

Ik stapte in zijn sportwagen en hij reed weg.

'*Dónde está Sophia?*'

'*Con sus amigas que fuman el pote, yo estoy seguro.*'

Wist hij zeker dat ze hasj rookte met haar vriendinnen? Waarom zou hij me dat vertellen?

Hij lachte omdat ik geschokt keek.

Als hij wist waar Sophia was, waarom reed hij dan in deze buurt? vroeg ik.

'Om te zien of jij hier liep,' antwoordde hij glimlachend.

Toen sloeg hij linksaf in plaats van rechtdoor te rijden.

'Ik? Waarom?'

'Waarom niet?'

'*Dónde vamos?*' vroeg ik.

‘Waar we naartoe gaan?’ Hij dacht even na, glimlachte toen weer en zei: ‘Gewoon een eindje rijden. Laat de wind door je haren waaien in je karos, mylady.’ Hij lachte.

En even, heel even, vroeg ik me af of Assepoester haar prins gevonden had.

10

Bradley

Ik vroeg Bradley waar hij zo goed Spaans had geleerd, en hij vertelde me dat hij was grootgebracht door zijn nanny, Maria De Santas, die altijd Spaans tegen hem sprak.

'Ik kon Spaans spreken voordat ik Engels sprak.'

'Waarom ben je grootgebracht door een nanny? Waar was je moeder?'

'Ze heeft ons in de steek gelaten toen ik zes maanden was.'

'In de steek gelaten? Dat begrijp ik niet.'

'Ik ook niet,' zei hij. Hij zweeg even en ging toen verder. 'Ze is ervandoor gegaan met de manager van mijn vaders fabriek van autoonderdelen.'

'Waar gingen ze naartoe?'

Hij keek me aan alsof ik iets stoms vroeg.

'Ergens in Florida, denk ik. Mijn vader wist het door alle officiële documenten die daarna kwamen, maar hij praat er niet graag over.'

Hoe kon een moeder haar eigen kind in de steek laten? Waren alle vrouwen in Amerika zo egoïstisch als mijn tante Isabela? Waarom was familie hier niet zo belangrijk als in Mexico?

'Ik denk er niet meer aan,' vervolgde hij. Zijn stem klonk geërgerd. 'Voor mij is het alsof ze gestorven is. Mijn vader is uiteindelijk hertrouwd, en ik heb een klein zusje, Gayle. Ze is zes. Maria is nog steeds bij ons, dus Gayle spreekt ook goed Spaans. Het kan geen kwaad om hier Spaans te kunnen spreken, met al die Mexicanen.'

'Het kan ook geen kwaad om Engels te kunnen spreken,' zei ik. Hij moest lachen en keek me toen met een vreemde blik aan. Het was of hij me voor het eerst echt zag.

'Je bent een mooi meisje, Delia, maar ik denk dat je dat wel weet, hè?'

'Nee,' zei ik blozend. Ik wilde hem vertellen over het boze oog en dat het niet goed was om jezelf te bewonderen. Bovendien werd hij geacht Sophia's vriendje te zijn en hoorde hij dergelijke dingen niet te zeggen tegen andere meisjes. 'Vind je Sophia niet mooi?' vroeg ik.

'Ze kan er heel goed mee door,' zei hij snel. 'Ze moet afvallen, maar ik zal de laatste zijn om haar dat te vertellen. Ze zou me laten vermoorden.'

Het maakte me zenuwachtig met hem over haar te praten, ook al was ik het zelf die haar naam te berde had gebracht. Misschien was het mijn manier om hem eraan te herinneren wie zijn vriendin was, zodat hij niet zoveel aandacht aan mij zou besteden, al voelde ik me onwillekeurig gevleid door zijn complimentjes.

'Ik moet nu naar mijn tantes hacienda,' zei ik. 'Ik moet werken.'

'Wees maar niet bang. Lopend zou je nu nog lang niet thuis zijn.' Hij reed een zijstraat in. 'Mijn vader knapt een paar huizen in deze straat op om te verkopen. Hij doet veel verschillende zaken.' Hij maakte een scherpe bocht naar een oprit. 'Kijk, dit is er een van.' Het huis was niet groter dan het huis waarheen mijn tante me had gestuurd met señor Baker. Laten we eens zien hoe ver het werk gevorderd is.' Hij zette de motor af en stapte uit. 'Kom,' drong hij aan.

Ik keek naar het huis. Er werd niet gewerkt en er stond verder geen enkele auto voor het huis. In de straat achter ons was het heel stil. Niemand stond buiten een van de huizen en ik moest nog een andere auto voorbij zien rijden.

'Ik moet naar huis,' hield ik vol. 'Alsjeblieft.'

'Een paar minuten maar. Ik beloof je dat je toch nog eerder thuis zult zijn dan wanneer je had gelopen.'

Hij keek alsof hij niet van plan was weg te gaan voordat ik met hem mee was gegaan, dus stapte ik uit.

'Dit huis hoort bijna klaar te zijn,' zei hij. Hij ging me voor naar een deur aan de achterkant. Hij vond een sleutel onder een mat. Waarom gingen we door de achterdeur naar binnen?

De deur gaf toegang tot een kleine keuken. Ik zag wat gereedschap op een tafel en zaagsel op de grond, waar een kast was getimmerd voor een nieuwe vaatwasser. In ieder geval vertelde hij de waarheid wat de renovatie betrof, dacht ik, en ik ontspande me een beetje. Hij liep rond, inspecteerde het werk.

'Mijn vader heeft me aangesteld als assistent voor de verbouw van het huis. Ik ben verantwoordelijk voor wat hier gebeurt. Uiteindelijk zal ik het grootste gedeelte van zijn zaak overnemen, zie je. Hij wil dat ik bedrijfskunde ga studeren, maar ik weet niet of dat wel nodig is. We kopen deze huizen voor niks, investeren er wat in en verkopen ze dan voor een hoop geld.'

Ik volgde hem naar de woonkamer, waar een nieuwe houten vloer was gelegd en de open haard was gerestaureerd. Hij controleerde een raamlijst en schudde zijn hoofd.

'Dat kan beter,' zei hij. 'Die kieren zijn onnodig. Kom hier, dan zal ik je laten zien wat ik bedoel.'

Ik liep naar hem toe en zag wat hij aanwees.

'Zie je? Slordig werk. Het is wel een goedkoop huis, maar dat wil niet zeggen dat we zoiets door de vingers zien. Mijn reputatie staat op het spel. Snap je wat ik bedoel?'

'Ja.'

Hij keek naar me met dezelfde glimlach als in de auto. Alsof hij me met zijn ogen uitkleedde. Het maakte me zenuwachtig.

'Tjonge, je bent een knappe meid, Delia. Ik heb nog nooit zulke mooie ogen gezien. Heb je een hoop vriendjes in Mexico?'

'Nee. Ik heb nooit een vriendje gehad.'

'Wat? Zijn die jongens zo stom? Ik dacht dat meisjes als jij werden verslonden!'

Hij streek met zijn hand zachtjes over mijn haar en mijn wang, en boog zich toen naar me toe en zoende me. Ik wist dat hij het ging doen, maar in plaats van me snel terug te trekken, voelde ik me als verdoofd, verstard, hulpeloos. Hij vatte dat op als een teken dat ik had gewild dat hij me zou zoenen, dat hij meer zou doen. Hij trok me naar zich toe en zoende me hartstochtelijker, zoende mijn wang en mijn hals, en sloeg zijn armen zo stevig om me heen dat ik hem niet weg kon duwen.

Ik was zo geschokt dat ik niet wist wat ik moest zeggen of doen.

'Ik heb aan je gedacht sinds je met Edward die kamer binnenkwam,' zei hij. 'Ik ben twee keer door die straten gereden in de hoop je eerder te zien dan Edward.'

Waarom? dacht ik. En Sophia dan? Hij zoende me weer voor ik iets kon vragen, en deze keer liet hij zijn handen over mijn schouders en borsten dwalen, voor hij zijn armen om mijn middel sloeg en begon me op de grond te duwen.

Eindelijk vond ik de kracht om me te verzetten.

'Nee, alsjeblieft. Stop!'

'Vind je me niet aardig?' vroeg hij.

'Ja, maar...'

'Dat is het enige wat belangrijk is. Vergeet dat *maar*.' Hij duwde me nog harder omlaag, tot ik op de grond zat.

Voor ik nog een woord kon zeggen boog hij zich over me heen, zoende mijn gezicht, ging met zijn mond over mijn kin naar mijn hals, schoof zijn handen onder mijn blouse en duwde die omhoog, ondanks mijn zwakke tegenstand. Hij drukte zijn lippen tussen mijn borsten, frutselde aan de sluiting van mijn beha tot die los was en haalde hem weg, zodat zijn mond zich om mijn tepels kon sluiten, bewoog zijn lippen over en onder mijn borsten. Ik was geschokt en geschrokken van de opwinding die ik omlaag voelde gaan naar mijn dijen en die rondcirkelde in mijn buik met een warmte die me nog zwakker leek te maken dan ik al was. We lagen nu languit op de grond, hij boven op me.

Toen hij zijn handen op mijn dijen legde en mijn rok omhoogtrok, duwde ik hard tegen zijn borst.

'Rustig,' zei hij, pakte mijn hand en hield die tegen zijn borst geklemd. 'Rustig. Ik weet wat Baker met je heeft gedaan. Sophia heeft het me verteld. Dit wordt anders, ik beloof het je.'

Hij bukte zich om me weer te zoenen, en ik trok me terug.

'Nee!' gilde ik. De naam Baker spoorde me aan tot heviger verzet.

'Rustig,' zei Bradley zacht.

Ik draaide en kronkelde, schuurde met mijn schouder tegen de harde houten vloer, maar mijn weerstand ontmoedigde hem niet zoals ik had gehoopt. Bradley drukte me nog harder op de grond.

'Hé, je bent een plaaggeest. Je vindt me aardig. Je verlangt naar me. Ontspan je nou maar.'

'Nee. Ik wil dit niet. Alsjeblieft.'

'Toe nou, hou op met zo onschuldig doen. Ik ken meisjes van jouw leeftijd die het met een hoop jongens hebben gedaan in Mexico. Daarom hebben jullie zo jong zoveel kinderen.'

'Nee, dat is niet waar. Laat me gaan.'

Ik duwde zijn gezicht weg en er verscheen plotseling een woedende glinstering in zijn ogen.

'Wat is dit voor flauwekul? Waarom stapte je zo gauw in mijn auto, hè? Speel geen spelletje met me, Delia.'

'Dat doe ik niet. Alsjeblieft.' Ik bleef hem wegduwen, maar hij was te sterk. Het was of ik tegen een muur duwde.

Hij staarde op me neer, naar mijn blote borsten, en glimlachte toen.

'Blijf maar duwen,' zei hij. 'Dat vind ik wel leuk.'

Met zijn handen onder mijn rok trok hij mijn slipje omlaag. Ik greep zijn haar stevig vast en duwde zijn gezicht en lippen weg van mijn borsten. Zijn gezicht vertrok en hij slaakte een kreet, pakte mijn polsen beet, en een paar ogenblikken lang bleven we worstelen.

'Ik zal tegen Sophia zeggen dat je probeerde me te verleiden,' waarschuwde hij, terwijl hij mijn handen wegtrok uit zijn haar. 'En zij zal het aan je tante vertellen. Ik zal zeggen dat je me voorbij zag rijden en me wenkte en in mijn auto stapte en dat je me vroeg een eindje met je te gaan rijden en dat je probeerde me te verleiden. Denk je dat je tante dat zal geloven? Sophia heeft me verteld wat Baker over je gezegd heeft.'

Ik voelde mijn verzet verzwakken. 'Nee,' zei ik, 'dat waren leugens.'

'Hoe zal ze denken over een sletje uit Mexico dat in haar huis komt wonen en haar voor schut zet? Nou? Ik zal je vertellen wat ze zal denken. Ze zal het vreselijk vinden en woedend zijn, vooral als ik het mijn stiefmoeder vertel, die graag roddelt en in dezelfde kringen verkeert. Je tante zal je geboeid laten terugsturen, en iedereen in je dorp zal het verhaal horen.'

‘Doe dat niet! Alsjeblieft!’ riep ik uit.

‘Stil maar. Ik zeg niet dat het zeker is dat ik het doe.’ Zijn handen gingen weer naar mijn slipje. ‘Waarom zou ik? Ik vind je aardig.’

Ik begon zachtjes te snikken. Hij bewoog zich steeds sneller en ik wist niet wat ik moest doen. ‘Alsjeblieft,’ smeekte ik.

‘Goed zo. Dat vind ik ook wel leuk. Blijf dat maar zeggen. Alsjeblieft. Toe dan, zeg het nog eens. Alsjeblieft.’

Ik schudde wild met mijn hoofd toen ik voelde dat hij bij me binnendrong.

‘Alsjeblieft,’ bleef hij me na-apen. ‘Alsjeblieft.’

Ik deed mijn ogen dicht. Pijn en schaamte golfden door me heen. Ik had het gevoel dat ik aan mijn lichaam ontsnapte om niet te hoeven denken aan wat ermee gebeurde. Maar op een gegeven moment hoorde ik tijdens die verkrachting een stem in mijn hoofd die zei: Dit is niet wat Assepoester overkwam.

Toen hij was klaargekomen bleef hij zwaar ademend op me liggen.

‘Je was echt nog maagd,’ mompelde hij en liet zich omrollen om zijn broek omhoog te trekken.

Ik was nog te erg geschokt om iets te zeggen of zelfs maar te huilen.

‘Je kunt de badkamer gebruiken,’ zei hij met een gebaar in die richting. ‘Er liggen handdoeken voor de arbeiders en zo. Toe dan. We moeten weg, anders kom je toch nog te laat.’

Hij liep de kamer uit. Langzaam trok ik mijn kleren recht en stond op. Toen ik in de badkamer kwam, zag ik hoe rood mijn gezicht was en vuil van de tranen die ik niet gevoeld had. Ik maakte me zo goed mogelijk schoon, ging toen op de wc-bril zitten en probeerde wat te kalmeren. Hij klopte op de deur en zei dat ik meteen naar de auto moest komen.

‘Schiet op. Over een minuut ga ik weg, of je er bent of niet.’

Ik wilde niet met hem mee, maar ik voelde me als verdoofd. Hij praatte aan één stuk door tijdens de hele rit naar de hacienda, zo rustig en opgewekt alsof we echt vriendjes waren en er niets verschrikkelijks gebeurd was. Het maakte alles nog onwerkelijker voor me. Misschien was het niet gebeurd, dacht ik, maar mijn pijnlijke schouder en de schaafplekken op mijn achterste en onderrug vertelden een ander verhaal.

Toen hij stopte voor de hacienda, leunde hij glimlachend achterover.

'Ik zou maar geen verhalen ophangen over vanmiddag,' waarschuwde hij. 'Het is jouw woord tegen dat van mij, Delia, en dit zou de tweede keer zijn dat je sinds je komst hier moeilijkheden krijgt met een man. Niemand zal je geloven. Bovendien heb je er waarschijnlijk van genoten. Als je eerlijk bent, zul je dat moeten toegeven.'

Ik schudde mijn hoofd en deed het portier open. 'Je bent geen prins,' zei ik.

'Hè?'

'Je bent een schande voor je nanny. Je hebt gezondigd tegen iedereen die van je houdt.'

Zijn glimlach leek te bevriezen. Toen wees hij met zijn vinger naar me. 'Ik zou mijn mond maar houden als ik jou was, Delia. Ik waarschuw je.'

'Ik zal het niemand vertellen. God heeft gezien wat je hebt gedaan.'

Ik stapte uit en deed het portier dicht. Snel reed hij de oprijlaan af. Ik borstelde mijn kleren af en liep de trap op. Toen ik naar de deur keek, zag ik dat die open was. Sophia stond op de drempel en keek me woedend aan.

'Secreet! Baker had gelijk!' schreeuwde ze, draaide zich om en ging naar binnen.

Mijn hart sprong op en neer als een jojo. Ik voelde me als een dier in de val toen ik haar naar binnen volgde en haastig de trap opliep naar mijn kamer om mijn bebloede kleren uit te trekken en aan mijn werk te beginnen. Nu begreep ik wat Assepoester voelde toen de klok twaalf sloeg en ze terug was in haar wanhopige situatie. Alleen had ik in tegenstelling tot haar niemand die naar me op zoek was.

Later, toen ik aan het werk was, dacht ik aan de ironie van dit alles. Degenen die me het dorp hadden zien verlaten in een limousine, waren ervan overtuigd dat ik op weg ging naar het beloofde land. Ze dachten dat ik getroost zou worden in mijn verdriet. Ze dachten dat ik een soort genade zou ontvangen. Ze wisten niet dat het boze oog nog niet klaar was met me.

Ik zwoer dat ik mijn lach, mijn glimlach, mijn blijdschap, mocht ik die ooit weer beleven, diep in me zou wegsluiten. Ik zou het *ojo malvado* niet opnieuw tarten. Ik werkte die middag beter dan ooit, had nog nooit zo hard geboend of zo nauwkeurig schoongemaakt. Het werk belette dat ik huilde. Señora Rosario was onder de indruk en gaf me zelfs een compliment, maar ik bedankte haar niet. Ik zou zelfs geen complimentjes meer accepteren. Alles joeg me nu angst aan. Goed leidde alleen maar tot meer kwaad.

Later, toen ik me verkleed had voor het diner, kwam Edward naar mijn kamer, klopte aan en liep naar binnen.

'Heeft Bradley Whitfield je vandaag thuisgebracht?' vroeg hij.

Ik wendde mijn gezicht af toen ik antwoordde, zodat hij mijn gezicht niet zou zien.

'Ja.'

'Pas op voor hem,' waarschuwde hij. 'Hij is een gladjakker.'

'Gladjakker?' Ik keek hem niet-begrijpend aan.

'Ja, dat betekent dat hij sluw is, eh... bedrieglijk... oneerlijk.'

'Sí.' Ik knikte.

'Maar ik denk dat je dat al wist. Zie je aan tafel.' Hij liep de kamer uit en trok de deur achter zich dicht.

Ik wachtte tot ik zeker wist dat hij weg was en begon toen eindelijk te huilen.

Voor ik naar beneden ging nam ik een douche en zag de blauwe plekken en schaafwonden van mijn worsteling met Bradley. Sommige deden flink pijn en ik snakte even naar adem toen ze in aanraking kwamen met het water. Ik slikte mijn tranen in, droogde me voorzichtig af en kleedde me aan voor het eten.

Zodra ik plaatsnam in de eetkamer boog mijn tante zich naar me toe met ogen die me kil en beschuldigend aankeken.

'Sophia vertelde me dat Bradley Whitfield je thuis heeft gebracht. Hoe heb je dat gedaan gekregen?'

Ik draaide me bevend van haar af.

'Nou? Je begrijpt heel goed wat ik vraag. Doe maar niet net of je het niet begrijpt,' snauwde ze.

Ik draaide me weer naar haar om. Ze perste haar lippen op elkaar en keek me met een kwaadaardige uitdrukking aan.

'Ik heb niets gedaan, *tía* Isabela,' zei ik. 'Ik liep van de bus naar huis en hij reed langs in zijn auto en zei dat ik in moest stappen.'

'Zei hij dat?' vroeg Sophia meesmuilend. 'Dat betwijfel ik.'

'Waarom zou je daaraan twijfelen, Sophia? Het verbaast mij niks,' zei Edward. 'Denk je dat jij het enige meisje bent met wie hij omgaat? Vlei jezelf niet.'

'Hou jij je mond, Edward. Hij heeft tenminste een meisje.'

Edward kreeg een kleur, maar ontspande zich toen en glimlachte. 'Waarom vertel je moeder niet waarom je niet met Bradley naar huis ging en waarom hij alleen was?'

'Wat wil je daarmee zeggen?' vroeg tante Isabela.

'Laat Sophia het je maar vertellen.'

'Sophia?'

'Toe maar, Sophia. Vertel moeder waarom je vandaag niet bij Bradley was,' plaagde Edward.

'Het is niks. Ik was met een paar vriendinnen, dat is alles. Ik hoef Bradley niet de hele dag om me heen te hebben, maar ik wil ook niet dat een ander jacht op hem maakt, iemand die hier woont.' Ze keek nadrukkelijk naar mij. 'Vooral niet mijn lieve, onschuldige, arme, hulpeloze nichtje dat achteraf toch niet zo hulpeloos blijkt te zijn.'

Ik begreep het meeste van wat ze zei.

'Nee,' zei ik, naar mijn tante kijkend. 'Dat is niet zo... niet waar.'

'Natuurlijk niet. Hoe zou Delia jacht op hem kunnen maken?' vroeg Edward. 'Ze is niet bij ons op school. Wanneer had ze hem moeten zien?'

'Ze heeft hem hier gezien.'

'Eén keer, ja.'

'Jongens hoeven een meisje als zij maar één keer te zien om te weten wie en wat ze is.'

'Dat is shit, en dat weet je!' schreeuwde Edward.

'Je weet niet waar of hoe dit meisje is opgevoed, Edward,' zei tante Isabela. Ze leunde achterover en knikte naar mij. 'Ik wel. Sophia heeft niet helemaal ongelijk.'

'Ze heeft meer dan ongelijk, moeder, en jij ook.'

'Zo is het genoeg. Dit duld ik niet. Ik duld geen seksuele promiscuïteit in mijn huis.'

'Behalve die van jezelf,' mompelde Edward. Tante Isabela sloeg zo hard met haar hand op tafel dat borden en glazen rammelden.

'Ga uit mijn ogen!' gilde ze tegen hem en wees naar de deur.

'Ik denk dat ik recht heb op mijn diner,' zei Edward kalm en at door.

Tante Isabela wekte de indruk dat er elk moment rook uit haar oren kon komen. Ik keek zo snel van de een naar de ander dat het me duizelde. Hoe durfde Edward haar zo uit te dagen? Was het wat señora Rosario had gezegd, dat hij mede-erfgenaam was van het landgoed en alle rijkdom?

Tante Isabela staarde even voor zich uit, knikte toen en stond op, maar hield haar ogen neergeslagen.

'Dan blijf *ík* niet hier,' zei ze en liep de eetkamer uit.

'Goed gedaan, Edward,' zei Sophia. 'Je hebt moeder van haar eigen eettafel verjaagd om die slet uit Mexico te verdedigen.'

Hij gaf geen antwoord.

'Ik begrijp niet waarom je Delia zo hardnekkig verdedigt,' ging ze verder. 'Heb je het al met haar gedaan? Is dat het? Maakt ze het je gemakkelijk? Heb je eindelijk je maagdelijkheid verloren?'

Zonder enige waarschuwing, of een teken dat hij zelfs maar naar haar luisterde, hief Edward zijn glas op en gooide de inhoud, druivensap, over de tafel heen in haar gezicht. Het sap spetterde in haar gezicht en op haar kleren. Ze gilde, sprong overeind en holde huilend de kamer uit.

Edward bleef eten alsof er niets gebeurd was. Hij keek even naar mij.

'Kom, eet verder. In dit huis heb je al je kracht nodig.'

Ik had geen eetlust. Ik had het gevoel dat mijn ingewanden in de knoop zaten, maar ik was te bang om niet te eten. Althans op het ogenblik leek iedereen gek geworden.

'Ik heb een hoop huiswerk en ik moet nog een scriptie maken,' zei Edward toen hij uitgegeten was. 'Maak je niet ongerust, ik breng je morgenochtend naar de bus.'

Ik keek hem na toen hij wegging, en hielp Inez met afruimen en de keuken opruimen voor ik naar mijn kamer ging. Ik had niet veel zin om Engels te leren en ging aan het bureau zitten om een nieuwe brief aan oma te schrijven. Maar die kwam vol te staan met zelfmedelijden en was praktisch een smeekbede om me terug te laten komen, zodat ik hem verscheurde.

Het was moeilijk om in slaap te vallen en zelfs moeilijk om te bidden. Ik voelde dat God niet tevreden over me was, omdat ik niet hard genoeg gevochten had om Bradley van me af te houden en me in het begin gevleid voelde en zijn complimentjes en aandacht dankbaar had aanvaard. Ik stelde me voor hoe pastoor Martinez zijn hoofd naar me schudde. Ik zag me knielen in onze dorpskerk, maar mijn gebeden en gezang kaatsten af op de muren en het plafond en bereikten Gods oor niet.

De volgende ochtend bewoog ik me als verdoofd. Bradley kwam Sophia niet halen. Ik begreep genoeg van haar gesprek met tante Isabela aan tafel om te beseffen dat zij en Bradley de vorige avond hevige ruzie hadden gehad aan de telefoon. Ze wilde niet met Edward mee, maar haar moeder wilde señor Garman geen opdracht geven haar te brengen en weigerde absoluut om zelf te rijden. Mokkend als een kind van vier ging ze achter in Edwards auto zitten en zei geen woord tijdens de rit naar de bus.

'Wees maar niet bang,' zei Edward voor ik uitstapte. 'Ik wacht vandaag op je bij de bus.'

Ik knikte en deed het portier dicht. Sophia zat met gebogen hoofd en keek niet op toen ze wegreden. Bij de bushalte stond een aantal mensen te wachten, leerlingen van school en een paar volwassenen die naar hun werk gingen. Ik kende geen van de andere leerlingen, omdat ik nog in de Engels-Spaanse klas zat. Niemand lette trouwens op me. Ik was de laatste die in de bus stapte, maar Ignacio had een plaats voor me vrijgehouden. Hij lachte toen ik naar hem toekwam.

'Goedemorgen, Delia,' zei hij in het Engels. 'Hoe gaat het?'
'Goed,' zei ik slechts.
'Je ziet er niet goed uit,' zei hij, nu in het Spaans.
'Het gaat goed met me,' zei ik vinnig. Ik keek hem niet aan.
Hij keek achterom naar de halte, alsof de reden voor mijn gedrag daar te vinden was. Ik voelde zijn blik op me gericht.
'*Problemas on su familia?*'
Problemen met mijn familie? dacht ik, en moest bijna lachen.
'Ze zijn mijn familie niet,' antwoordde ik. 'Mijn familie is in Mexico. Ik wil naar huis. Ik wou dat ik geld had om een auto voor je te kopen zodat je me erheen kon rijden.'
Hij glimlachte. 'Als je dat wilt, doe ik het. Ik beloof het je, op een dag zal ik het echt doen.'
Ik knikte dankbaar.
Alles ging moeilijk die dag. Ik kon het gevoel niet van me afzetten dat ik vanbinnen en vanbuiten bezoedeld was. Het deprimeerde me en maakte dat ik niet oplette in de klas, wat señora Holt ergerde. Ik struikelde over woorden en zinnen die ik allang onder de knie had. In de lunchpauze vroeg ze me of ik ziek was. Ik was bang dat ze de school naar mijn tante zou laten bellen dat ik ziek was, dus zei ik nee. Ik zei dat ik de vorige avond buikpijn had gehad en slecht had geslapen. Liegen was iets dat me altijd slecht afging; ik wendde te snel mijn ogen af.
Señora Holt zei niets. Ze staarde me zwijgend aan.
'Ik kan je niet helpen je probleem op te lossen als je me niet vertelt wat het is,' zei ze.
Ik zweeg. Hoe kon ik het haar vertellen?
'Oké, ga maar lunchen, Delia,' zei ze en liep weg.
Nu voelde ik me nog schuldiger en waardelozer. Ik at nauwelijks iets van mijn lunch. Hoewel hij niets zei, voelde ik Ignacio's ogen op me gericht. Ik was zelfs onaardig tegen Mata, die vriendelijk tegen me wilde zijn. Toen ik terugkwam in de klas deed ik meer mijn best om op te letten en mijn werk goed te doen, maar toch bracht ik het er niet zo goed af als anders, en señora Holt liet het me weten en gaf herhaaldelijk blijk van haar ontevredenheid, die overging in erger-

nis en teleurstelling als ze me openlijk bekritiseerde. Ik was bijna in tranen toen eindelijk de bel het einde van de les aankondigde. Ik liep haastig het lokaal uit, voor ze me weer kon tegenhouden voor een preek of een ondervraging.

Ignacio liep vlak achter me toen ik het gebouw verliet. Maar op het ogenblik wilde ik ook niet met hem praten. Ik wist zeker dat hij ook meer zou willen weten. Ik wilde alleen maar terug naar de hacienda en me verdiepen in het huishoudelijke werk. Als ik heel hard werkte en heel erg moe werd, zou ik die nacht misschien beter slapen.

Maar op weg naar de bus haalde Ignacio me in.

'Dat ging niet zo goed vandaag, hè?' zei hij. 'Ik weet dat señora Holt je de beste leerling van de klas vindt.'

'Nee, ik ben niet de beste.'

'Ik vind dat jij de beste bent,' hield hij vol. 'Alleen al door naar je te luisteren leer ik veel.'

Ik keek hem even aan. Waarom wilde iedereen me nu complimentjes geven? Het boze oog had niet alleen ogen, maar ook oren. Als om het te bewijzen, bleef het *ojo malvado* zijn wraak voortzetten.

Ik hoorde mijn naam roepen. Ignacio en ik bleven staan en zagen Bradley in zijn sportwagen. Hij stond geparkeerd bij het trottoir.

'Stap in,' beval hij.

Ik schudde mijn hoofd.

'Wie is dat?' vroeg Ignacio.

'Je hebt voor ruzie gezorgd tussen mij en Sophia!' schreeuwde Bradley. 'Mijn vader heeft het al gehoord van mijn stiefmoeder. Stap in,' zei hij weer.

Ik aarzelde nog steeds. Ik voelde dat Ignacio beschermend naast me kwam staan.

'Verdwijn,' zei hij tegen Bradley.

'Hou je erbuiten, José, anders geef ik je aan bij de veiligheidsdienst.'

'Mijn naam is niet José en ik ben niet bang voor de veiligheidsdienst. Ik ben hier legaal.'

'Ja, goed hoor. Delia, stap in of ik rij naar je huis en ga nu met je tante praten. Nou?'

'Wat zegt hij? Wie is die jongen?' vroeg Ignacio.

'Het is in orde,' antwoordde ik.

'Dat lijkt me niet,' antwoordde Ignacio en hij keek kwaad naar Bradley.

Ik haalde diep adem, boog mijn hoofd en liep naar de auto.

'Eindelijk verstandig,' zei Bradley.

Ik stapte in en kreeg nauwelijks de kans het portier te sluiten voor hij wegschoot, zodat ik achteroverviel. Ik draaide me om en keek naar Ignacio die verward, kwaad en bezorgd bleef staan.

Zie je nou, Delia, dacht ik, iedereen met wie je in aanraking komt krijgt het zwaar te verduren.

11

Het ene verdriet verdrijft het andere

‘Oké, wat heb je precies tegen Sophia gezegd, hè? En geen leugens, want ik kan gemakkelijk achter de waarheid komen. Vertel!’ brulde hij.

‘Ze zag dat je mij naar huis reed en schold me uit. Het enige wat ik haar verteld heb is dat je zei dat ik in je auto moest stappen en dat ik je niet gevraagd had me een lift te geven.’

‘Edward was niet erg vriendelijk vandaag. Weet je zeker dat dat het enige is wat je haar verteld hebt?’

‘Ja, dat is alles.’

Hij ontspande zich en knikte. ‘Oké, Sophia liegt dus. Ze zei dat jij gezegd had dat ik je vriendje wilde zijn, wat me niks verbaast.’ Hij glimlachte. ‘Je tante is niet zo blij met je, hè? Er zijn problemen tussen haar en Edward om jou. Dat is toch zo?’

‘Ja,’ gaf ik toe.

Hij glimlachte. ‘Dat kunnen we natuurlijk niet hebben, hè? Misschien zal ik de hele kwestie voor je regelen. Dat kan ik, weet je. Ik zal ze vertellen dat we gewoon een onschuldig ritje gingen maken en dat je heel beleefd en aardig was, en dat er niets gebeurd is. Dat heb ik ook tegen Sophia gezegd. Ze wilde me niet geloven, maar wat zij gelooft is minder belangrijk dan wat je tante gelooft, en zij zal mij wél geloven. Wil je dat ik dat doe, je help?’

Ik keek hem aan om te zien of hij het meende.

‘Ik lieg niet tegen je. Het is voor mij ook niet zo best als Edward kwaad op me is,’ ging hij verder. ‘Ik wil je graag horen zeggen: “Help me alsjeblieft.”’

Ik zweeg. Ik kon zijn woede voelen.

‘Wil je of wil je niet dat ik je help met je tante, Delia? Ik hoef het niet te doen.’

Hij glimlachte toen ik bleef zwijgen, maar ik was bang om iets te doen of iets te zeggen.

'Oké, dan ga ik naar je tante om te jammeren dat je probeerde me zover te krijgen dat ik je minnaar werd,' dreigde hij. 'Ik zal mijn vader vragen om mee te gaan, en dan zal je tante geen andere keus hebben dan je met schande overladen terug te sturen. Misschien komt het ook in de krant. Verdomme, je bezorgt me een hoop ellende. Ik zou erg kwaad op je moeten zijn.'

Ik begon te huilen.

'Maar je hebt geluk, ik ben niet zo kwaad. Doe gewoon wat ik vraag, dan zullen we het uitstekend met elkaar kunnen vinden en blijft alles als vanouds.'

'Wat vraag je dan?'

Hij glimlachte. 'Niks bijzonders. Niet voor jou.' Hij ging langzamer rijden en stopte naast een andere auto waarin twee jongens zaten te roken. De bestuurder leunde uit het raam zodra we stilstonden.

'Hoi, Bradley.'

'Dit zijn Jack en onze vriend Reuben,' zei Bradley. 'Zeg maar hallo.'

Ik staarde naar de twee jongens.

'Ja, hoi, Maria,' zei de bestuurder.

'Ze heet Delia, niet Maria, Jack.'

'O, ja, Delia. Wat is de deal, Delia?' vroeg hij. Ze lachten.

'Dit zijn goede vrienden van me,' zei Bradley. 'Zeg hallo. Wees aardig.'

'Hallo,' zei ik en wendde snel mijn blik af.

'Ik wil dat je iets meer doet dan dat, Delia,' zei Bradley. 'Dit is wat ik verlang voor mijn hulp.'

'Wat?' Ik keek naar de jongens en weer naar hem. 'Wat bedoel je met iets meer?'

'Alles wat je hoeft te doen is een ritje met ze maken, en dan komt alles in orde tussen ons. Ik zal het met je tante regelen. Toe dan. Ga op de achterbank van hun auto zitten,' beval hij.

Ik schudde mijn hoofd. Angst schoot als een bliksemschicht door me heen.

Hij boog zich naar me toe. 'Ik maak geen gekheid. Anders ga ik nu meteen naar het huis van je tante en vertel haar een verhaal dat haar ogen zal doen uitpuilen. Misschien laat ze je wel arresteren of zo. Dan kom je in de gevangenis met andere illegale Mexicanen. Soms zetten ze de mannen en vrouwen bij elkaar in een cel. Ze zullen je terugsturen in een kooi.'

'Ga een ritje met ons maken, Delia,' zei Jack. 'Wij zijn veel aardiger dan Bradley.'

'Nou?' zei Bradley.

Langzaam deed ik het portier open. De jongen die Reuben heette, stapte tegelijkertijd uit en opende het portier aan de achterkant van hun auto voor me. Ik staarde ernaar en keek toen naar Bradley, die me wenkte dat ik op moest schieten. Ik keek naar Reuben, wiens glimlach me deed denken aan een coyote die zijn lippen omhoogtrok en zijn tanden liet zien. Toen draaide ik me om en holde zo hard ik kon de straat door, terug naar de school. Ik keek niet achterom, maar ik hoorde Bradley vloeken en het gepiep van zijn banden toen hij een scherpe U-bocht maakte en achter me aankwam. Hij reed voorbij, wachtte tot het verkeer gepasseerd was en draaide toen weer om, stopte naast het trottoir en stapte uit.

Ik bleef hijgend staan met mijn hand tegen mijn zij, snakkend naar adem.

'Je zet me voor gek, Delia,' zei hij. 'Ik had die jongens beloofd dat je een ritje met ze zou gaan maken.'

Hij liep naar me toe. Mijn ogen waren troebel van de tranen en ik kon niet veel zien. Maar voordat hij bij me was, hoorde ik hem een gil geven en zag dat Ignacio hem omdraaide. Beide jongens waren even lang. Bradley had bredere schouders, maar Ignacio had een soepelere kracht en was leniger, want toen Bradley hem achteruit wilde duwen, pakte Ignacio zijn pols beet en draaide zijn arm zo hard en gemakkelijk om, dat Bradley op één knie viel.

'Stop, of ik breek je arm,' zei Ignacio tegen hem en sleurde hem naar de auto voordat hij hem losliet.

Bradley keek van hem naar mij. 'Daar zul je spijt van hebben, loeder!' schreeuwde hij, wijzend naar mij.

Ignacio deed een stap naar hem toe, en Bradley sprong praktisch in de auto. Hij vloekte Ignacio uit en reed toen weg, bijna over me heen.

Zodra hij weg was kwam Ignacio naar me toe. 'Gaat het een beetje? Wat heeft hij je gedaan?' vroeg hij. 'Wie is hij?'

Ik begon weer te huilen. Ignacio legde zijn arm om mijn schouders en hielp me naar het trottoir. Sommige automobilisten keken naar ons toen ze voorbijreden, en sommige leerlingen die op weg waren naar de bushalte en alles hadden gezien, bleven naar ons staan kijken.

Ignacio bracht me naar een bank in een klein plantsoen en liet me zitten. Hij bleef staan wachten tot ik weer normaal kon ademhalen en ophield met huilen.

'Wie is hij?' vroeg Ignacio.

'Hij is de vriend van mijn nichtje Sophia,' vertelde ik hem. 'Hij heet Bradley Whitfield.'

'Als hij de vriend van je nichtje is, waarom zit hij dan achter jou aan? Wat heeft hij tegen je gezegd, dat je in zijn auto bent gestapt, en waarom liep je voor hem weg?'

'Hij wilde dat ik bij jongens in een andere auto zou gaan zitten.'

'Wát?'

'Hij wilde dat ik een eindje met ze zou gaan rijden.'

Ignacio keek in de richting waarin Bradley was verdwenen. Hij keek alsof hij hem woedend achterna wilde gaan.

'Omdat je een Mexicaanse bent, denkt hij dat hij misbruik van je kan maken.'

Ik wendde mijn blik af. Ik schaamde me te veel om hem de rest te vertellen.

'Ja,' zei ik. 'Ik denk dat je gelijk hebt.'

'Dergelijke dingen zijn andere Mexicaanse meisjes die ik ken ook overkomen; sommigen waren zelfs nog jonger dan jij, maar omdat hun ouders niet altijd legaal hier zijn, doen ze er niet veel aan.'

'Ik weet zeker dat hij woest is. Ik ben bang voor wat er nu gaat gebeuren, als hij naar mijn tante gaat en haar leugens op de mouw speldt.'

'Jij moet het eerst tegen je tante zeggen. Je moet haar vertellen dat hij je aan zijn vrienden heeft aangeboden.'

'Ze gelooft me toch niet.'

'Waarom niet?'

'Het is erg gecompliceerd... mijn familiegeschiedenis. Ze wil me niet geloven,' voegde ik eraan toe.

'Wat bedoel je met je familiegeschiedenis?' vroeg hij achterdochtig.

'Niemand heeft de naam van onze familie te schande gemaakt.'

'Wat bedoel je dan met je familiegeschiedenis?'

'Zij en mijn grootouders konden nooit met elkaar overweg. Mijn grootvader wilde haar niet meer kennen toen ze met señor Dallas trouwde. Hij was veel ouder dan zij. Ze liep weg en trouwde toch met hem. Mijn ouders, mijn grootouders, niemand heeft nog contact met haar gehad of zij met ons, tot nu toe.'

'Waarom wil ze je dan hier hebben? Waarom heeft ze je laten halen en je reis betaald?'

'Dat weet ik niet.'

Hij nam me verward op. 'Je moet hierover met mijn vader en moeder praten. Zij zullen wel weten wat je moet doen.'

'Dat kan ik niet. Ik moet naar huis om in het huishouden te helpen, anders wordt ze nog kwader.'

'Kom zaterdag dan naar mijn huis. Ik zal papa vragen of ik de pick-uptruck mag gebruiken en dan haal ik je af. We vieren de verjaardag van mijn zusje Rosalind, die zeven wordt. We geven een schitterend fiesta.'

'Ik zal het proberen.' Ik veegde de tranen van mijn gezicht.

'Goed. Kom, dan lopen we naar de bus. We hebben hem nog niet gemist, maar we moeten snel doorlopen, oké?'

Ik knikte.

Hij pakte mijn hand en we liepen over het trottoir in de richting van de halte. Ik was erg zenuwachtig, verwachtte dat Bradley terug zou komen met zijn vrienden, maar dat gebeurde niet, en een paar minuten voordat de bus arriveerde waren we bij de halte. Toen de bus er was, wilde Ignacio uitstappen en me naar de hacienda van mijn tante brengen.

'Het is in orde,' zei ik, toen ik Edward in de auto zag wachten. 'Dat is mijn neef Edward. Hij is aardig voor me. Het gaat nu weer goed met me.'

Ignacio keek achterdochtig. 'Weet je het zeker?'

'Ja, heel zeker.'

'Denk aan zaterdag!'

'Dank je, Ignacio.' Ik boog me voorover toen ik was opgestaan en gaf hem een zoen op zijn wang.

Toen stapte ik haastig uit en liep naar Edward die zat te wachten in zijn auto.

Toen ik instapte startte hij de motor niet en reed niet weg. Hij keek me strak aan en keek toen achterom naar de bus. 'Wie is die jongen die je zoende?' vroeg hij.

Ik was verbaasd dat hij gezien had dat ik Ignacio een zoen had gegeven.

Voor ik kon reageren, ging hij verder. 'Je hebt wel gauw een vriendje gevonden.'

'Nee, hij is mijn vriendje niet.'

'Waarom zoende je hem dan?' Edwards ogen leken nu op die van zijn moeder, donker, argwanend. Ze gaven me een schuldig gevoel, al had ik niets slechts gedaan.

'Hij heeft me geholpen,' zei ik.

'Geholpen? Waarmee?'

Voor ik kon antwoorden, rolden de tranen over mijn wangen. De beschuldigende, achterdochtige blik verdween uit zijn ogen.

'Wat is er gebeurd, Delia? Je ziet er slecht uit, nu ik je goed bekijk. Je ziet er *enferma* uit. Ben je ziek?'

Ik knikte. *Ziek* leek het juiste woord om mij en alles wat er gebeurd was te beschrijven.

'Bradley *vino a mi escuela*,' zei ik.

'Hij kwam naar je school? Wanneer?'

'Vandaag.'

'Vandaag? Waarom? *Por qué?*'

Hoe moest ik dat uitleggen met mijn elementaire kennis van het Engels aan iemand die heel weinig Spaans kende?

'Hij mij meenemen naar andere jongens.'

'Waarvoor?'

Ik staarde hem aan. Er waren geen woorden voor nodig, in welke taal ook, om het antwoord tot hem te laten doordringen. Hij sperde zijn ogen open.

'Wat een schoft!!' zei hij.

Hij startte de auto. Toen staarde hij even voor zich uit en zette de motor weer af. Mijn hart was al gaan bonzen nog voordat hij zich weer naar me omdraaide. Er lag nu meer dan woede in zijn ogen. Angst...

'Bradley,' zei hij. 'Gisteren. Heeft hij je meteen naar huis gebracht? Gingen jullie rechtstreeks naar *mi* hacienda?' vroeg hij naar de weg gebarend.

Ik wist wat hij bedoelde, maar ik aarzelde, deed net of ik het niet begreep, zodat ik tijd zou hebben om over mijn antwoord na te denken.

'Nee, hè?' gaf hij zelf al het antwoord. 'Waar heeft hij je naartoe gebracht? Wat heeft hij gedaan?'

Ik begon weer te huilen.

Edward sperde zijn ogen open, knikte en leunde achterover, staarde voor zich uit. Zwijgend startte hij de motor weer en reed weg. Hij zei verder geen woord en vroeg niets meer tot we bij de hacienda waren.

'Wees maar niet bang,' zei hij toen. 'Hij zal je niet meer lastigvallen. Bradley, *no más*.'

Ik zei niets. Hij stapte niet met me uit. Zodra ik de auto uit was, reed hij weer weg. Ik zag zijn auto in volle vaart over de oprijlaan rijden en zo snel de bocht nemen, dat de banden piepten. Een angstig gevoel overviel me. Het was alsof er donkere wolken voor de zon waren geschoven. De lucht was nog steeds strakblauw, maar toch voelde ik donkere schaduwen om me heen, schaduwen die me naar binnen volgden.

Mijn droefheid en ongerustheid verdwenen zodra ik de brief zag van *mi abuela* Anabela, die op de marmeren tafel in de hal op me lag te wachten. Ik herkende onmiddellijk haar handschrift en sprong erop af. Toen holde ik de trap op om hem in de privacy van mijn kamer te gaan lezen.

Ik legde de envelop op mijn bed en keek ernaar alsof hij een kostbaar juweel was dat je moest bewonderen maar niet aanraken. De postzegel, het papier en haar handschrift voerden me terug naar mijn kleine dorp.

Opnieuw liep ik naar school met mijn vriendinnen, zwaaide naar de winkeliers die bezig waren hun winkels en *cantinas* te openen, zag de boerenknechten achter op de trucks zitten, op weg naar de akkers. Sommige jongere mannen riepen naar ons en wij giechelden. Het dorp maakte zijn eigen muziek, muziek die we hoorden door alleen maar te luisteren naar de geluiden van onze mensen als ze wakker werden en zich aankleedden en ontbeten, om zich voor te bereiden op de komende dag. Thuis was oma bezig haar tortilla's te bereiden en naar de radio te luisteren.

In de verte verspreidde de zon zijn licht over de bergen en wekte de vogels. Op ochtenden als deze opende het leven zich als de knop van een prachtige bloem. Als kind vertrouwden we op de toekomst, verheugden ons op fiesta's en vakanties, en voelden de opwinding van het volwassen worden. Onze poppen zouden plaatsmaken voor echte baby's, onze gespeelde bruiloften zouden echte bruiloften worden, met feestvierende families, moeders die huilden van vreugde en van verdriet omdat ze hun kleine meisjes kwijtraakten, en al onze fantasieën zouden tot rust komen als een zachte regen, stralen met bescheiden ambities. Het leek allemaal zo simpel en juist. We waren er ons zelfs niet van bewust hoe arm we waren. Was het allemaal één grote leugen?

Ik ging op het bed zitten en maakte de envelop open. Voor ik de brief las, hield ik de lege envelop onder mijn neus en probeerde iets te ruiken van een wonderbaarlijk aroma, dat ik associeerde met ons kleine *casa*, *mi abuela*'s kookkunst, of domweg de geur van wilde bloemen achter het huis, alles wat me ook maar een secondelang thuis kon doen voelen. Ik rook niets. Ik zuchtte en begon te lezen.

Mijn liefste Delia. Vergeef me mijn spelling en grammatica.
Ik heb je brieven gelezen met geluk in mijn hart. Gelezen over de schitterende hacienda waarin je woont, de hartelijkheid waarmee je nicht en neef je welkom hebben geheten en te bedenken dat je tante er al aan gedacht had een privéleraar aan te nemen om je te helpen met je Engels... wat heerlijk allemaal.

Elke avond lees en herlees ik je brieven. Iedereen vraagt natuurlijk naar je, en nu kan ik ze dingen vertellen, voorlezen. Ik kan zien hoe erg ze onder de indruk zijn. Ik weet dat je, als je terugkomt, een echte dame zult zijn, ontwikkeld en nog mooier dan toen je wegging.

Je moet je geen zorgen maken over mij. Met mij gaat het goed. Ik heb een paar nieuwe klanten en nu en dan bak ik iets voor señor Lopez, die erop staat me ervoor te betalen. Dus gaat het me goed.

Ik weet dat je het druk hebt met je nieuwe leven, maar schrijf me wanneer je kunt. Je brieven troosten me tijdens je afwezigheid.

Ik ga dagelijks naar de kerk om voor je te bidden, en pastoor Martinez heeft speciale gebeden geschreven voor jou.

Ik weet zeker dat je ouders trots op je zullen zijn en op wat je presteert in je nieuwe leven.

Denk eraan dat we van je houden.

Abuela Anabela

Ik voelde me zo diepbedroefd, dat ik ervan overtuigd was dat mijn hart zou breken en ik op dit bed dood zou gaan. Niemand hier zou zoveel tranen voor me vergieten, als iemand al ooit één traan zou laten. Sinds ik hier was gekomen, had ik alleen maar moeilijkheden veroorzaakt; het deed er niet toe wiens schuld het was. Niets van dit alles zou zijn gebeurd als ik niet was gekomen.

Maar het was tante Isabela die me hierheen had gehaald. Ik begreep nog steeds niet waarom. Ze had niet nog meer huispersoneel nodig, en als ze naar me keek, werd ze alleen maar herinnerd aan haar ongelukkige tijd in Mexico. Er moest íéts goeds zijn in haar, íéts in haar dat sterk genoeg was om haar woede en haat te overwinnen. Een deel van haar moest toch zeker verlangen haar familie terug te krijgen, en misschien was dat de reden waarom ik hier was.

Ik moest geduld oefenen, dacht ik. Ik moest vertrouwen hebben, zelfs in dit huis waar niemand enig vertrouwen had. Ik knielde naast mijn bed en met de brief van *mi abuela* in mijn hand bad ik voor iedereen, zelfs voor Sophia, die verteerd werd door egoïsme, jaloezie en wrok.

Langzaam stond ik op, haalde diep adem en vouwde oma's brief op om hem terug te stoppen in de envelop. Ik stopte hem onder mijn kussen; ik zou hem weer lezen voor ik ging slapen, elke avond, tot ik een nieuwe brief van haar kreeg. Het zou mijn manier zijn om dicht bij haar te blijven.

Ik verkleedde me en ging naar beneden om te werken. Toen ik bezig was een van de wc's beneden schoon te maken, hoorde ik een gil en toen het geluid van voetstappen in de gang. Ik liep naar buiten en zag señor Garman haastig langs de keuken lopen naar de voordeur. Ook señora Rosario en Inez holden door de gang. Langzaam liep ik de gang op en zag tante Isabela snel de trap aflopen.

'Wat is er?' vroeg ik aan Inez.

'Señor Edward heeft een auto-ongeluk gehad. Hij wordt met een ambulance naar het ziekenhuis gebracht.'

'Ziekenhuis?'

Ik verkilde en mijn hart begon wild te kloppen.

'De auto staat voor, mevrouw Dallas,' zei señor Garman en hield de deur voor haar open.

Ik zag hoe tante Isabela door de voordeur naar buiten holde. Señor Herrera verscheen achter ons, en señora Rosario legde de reden uit van de opschudding. Hij schudde zijn hoofd en ging terug naar de keuken.

'Waar is Sophia?' vroeg ik, achteromkijkend naar de trap. 'Is ze nog niet thuis?'

'Vergeet juffrouw Sophia en maak je werk af,' zei señora Rosario. 'Dat is het enige wat we kunnen doen.'

Mijn handen beefden zo hevig dat ik niet dacht dat ik iets voor elkaar zou kunnen krijgen, maar ik ging terug naar de wc en dweilde de tegelvloer. Uren gingen voorbij zonder dat we iets hoorden. Sophia kwam niet thuis. Ik douchte en verkleedde me zoals gewoonlijk voor het eten en ging toen naar beneden naar de keuken, waar señor Herrera, Inez en señora Rosario rond de tafel zaten te praten. Er was niets klaargemaakt.

'Wat gebeurt er?' vroeg ik, zo zacht en gesmoord, dat het mijn angst verried voor het antwoord.

'Señor Garman heeft gebeld om te zeggen dat señor Edward ernstig gewond is en nog steeds bewusteloos,' zei señora Rosario.

'Misschien gaat hij dood,' zei Inez.

Niemand sprak haar tegen.

'Señora Dallas komt niet thuis eten. Je moet zelf wat klaarmaken,' zei señora Rosario. Ze keek me aan, maar eigenlijk dwars door me heen naar de tragedie die zich afspeelde.

'Ik heb geen honger,' zei ik. 'Dank u.'

'We hebben geen van allen honger,' zei Inez.

'Wat moeten we doen?' vroeg ik.

'We kunnen alleen maar afwachten,' antwoordde señora Rosario.

Ik dacht er even over bij hen te gaan zitten, maar ging toen terug naar mijn kamer, waar ik kon bidden voor Edward. Daarna ging ik op bed liggen, staarde naar het plafond en luisterde naar de geluiden om me heen, naar het tikken van de klok, het gemompel van stemmen beneden en het gebonk van mijn eigen angstige hart. Bijna twee uur later hoorde ik iemand de trap ophollen. Mijn hart stond even stil. Ik ging rechtop zitten toen de deur van mijn kamer openvloog.

Sophia stond op de drempel en keek me woedend aan.

'Wat heb je Edward nu weer verteld?' vroeg ze met haar handen op haar heupen. Haar haren waren verward, haar ogen schoten vuur en haar neusgaten waren opengesperd.

'Hoe gaat het met hem?' vroeg ik, in plaats van haar antwoord te geven.

'Wat heb je tegen Edward gezegd?' schreeuwde ze.

Ik hoorde nog meer voetstappen in de gang. Señora Rosario kwam naast haar staan.

'Wat is er aan de hand? vroeg ze aan mij.

Ik schudde mijn hoofd.

'Vraag haar wat ze tegen mijn broer heeft gezegd,' beval Sophia. 'Toe dan, vraag het haar! Doe het!' schreeuwde ze toen señora Rosario aarzelde.

Toen vroeg señora Rosario in het Spaans: 'Wat heb je tegen haar broer gezegd?'

'Ik weet wat ze wil. Ik begrijp het. Maar vertel me eerst hoe het nu met hem gaat,' hield ik vol.

Ze vroeg het aan Sophia, die haar antwoord opratelde. Aan señora Rosario's gezicht kon ik zien dat het nieuws heel slecht was.

'Hij reed veel te snel, raakte van de weg en vloog tegen een stenen muur. De airbag explodeerde in zijn gezicht, en het schijnt dat zijn gezichtsvermogen ernstig is aangetast.'

'Zijn gezichtsvermogen?' Ik raakte mijn gezicht aan onder mijn ogen, en Sophia werd bijna hysterisch.

'Precies, idioot, Edward is blind!' gilde ze. 'Blind!'

'Ze weten nog niet of hij lang blind zal blijven, señorita Sophia,' zei señora Rosario.

'Ik heb de dokter gehoord, u niet. Hij klonk erg pessimistisch. Nou?' krijste ze tegen mij. Ze keek naar señora Rosario. 'U vertaalt, dus ze heeft geen excuus, señora Rosario. Vertaal alles, woord voor woord.'

Ze richtte zich weer tot mij.

'Wat heb je tegen hem gezegd? Je moet alles vertellen. Wat jij tegen hem gezegd hebt, heeft hem op Bradley afgestuurd. Ze hadden hevige ruzie, en Bradley liep bij hem vandaan en reed toen snel weg. Edward ging hem achterna, en toen kreeg hij dat ongeluk. Bradley zei dat je leugens hebt verzonnen en die aan Edward hebt verteld. Wat heb je tegen Edward gezegd?' Ik begreep het meeste ervan, maar señora Rosario vertaalde alles.

'Ik heb geen leugens verzonnen,' zei ik ferm. 'Geen leugens. Het kan me niet schelen of je me gelooft of niet.'

Sophia ontspande zich een beetje en deed een stap naar me toe. 'Oké, wat heb je hem dus verteld?'

Ik keek naar señora Rosario.

'Señora, dit is...'

'Dwing haar het me te vertellen. Mama is erg van streek.'

Señora Rosario keek naar mij. 'Wil je het haar vertellen?'

Ik knikte. 'Edward wachtte op me bij de bushalte,' begon ik. 'Toen ik instapte, zag hij dat ik erg ontdaan was en hij wist dat er iets ergs was gebeurd.'

'Wát?' vroeg Sophia. 'Vertel op, of ik zweer je...'

'Bradley kwam naar me toe bij de school.' Ik sprak nu snel in het Spaans en señora Rosario vertaalde zo snel ze kon, zonder commentaar. 'Hij zei dat als ik niet instapte, hij naar je moeder zou gaan en allerlei verhalen op zou hangen, en dan zou ze me laten arresteren en in ongenade terugsturen naar Mexico.'

Sophia grijnslachte, maar de sceptische uitdrukking op haar gezicht verzwakte. 'Ga door,' beval ze.

'Ik stapte in zijn auto en hij bracht me naar een andere auto, waarin twee jongens zaten.'

'Welke twee jongens?'

'De een heette Jack en de andere Reuben,' zei ik, en toen verdween de sceptische uitdrukking volledig.

'Jack Sawyer en Reuben Bennet?'

'Ik ken hun achternamen niet.'

'En?'

'Hij wilde dat ik bij ze in de auto zou stappen en een ritje met ze zou maken, maar het zou meer zijn dan een ritje. Zij zouden ook slechte dingen met me doen.'

Señora Rosario sperde haar ogen open terwijl ze het vertaalde. Ik was te zenuwachtig om een van de Engelse woorden te gebruiken die ik had geleerd.

'Wat heb je gedaan?'

'Ik stapte uit zijn auto en holde de straat door, terug naar school. Bradley kwam achter me aan, maar mijn vriend, Ignacio Davila, een jongen uit mijn Engels-Spaanse klas, joeg hem weg.'

Sophia keek nu bedachtzaam en zweeg even. Señora Rosario keek hoofdschuddend naar mij.

'En dat heb je allemaal aan Edward verteld?' vroeg Sophia.

'Sí, en ook wat Bradley de vorige dag met mij had gedaan.'

'De vorige dag had gedaan? Ik dacht dat je zei dat hij je alleen maar thuis had gebracht. Dat vertelde je mama aan tafel.'

'Ik schaamde me,' zei ik.

'Waar ging je met hem naartoe?'

'Hij bracht me naar een huis dat zijn vader aan het verbouwen is. Er werkte helemaal niemand, maar hij zei dat hij wilde zien hoever ze gevorderd waren.'

'Hij bracht je naar dat huis?' Haar mond viel open. 'Daar heeft hij geprobeerd... Wat gebeurde er toen jullie daar waren?'

'Hij drong zich aan me op.'

Señora Rosario vertaalde het niet. Ze staarde me slechts aan en vroeg toen: 'El *le violó*?'

'Ja, hij verkrachtte me.' Ik begon te huilen.

'Wat zei ze? Wat heeft ze net gezegd?'

Met tegenzin vertaalde señora Rosario het.

'Die schoft, die leugenaar. Ik wíst het!'

Sophia schudde haar hoofd en keek naar señora Rosario. Toen liep ze snel en mompelend mijn kamer uit en smeet de deur achter zich dicht. Het leek of er een voetzoeker afging.

Señora Rosario keek haar na en draaide zich toen weer om naar mij. Ze keek nog steeds verbijsterd en geschokt.

'Het spijt me dat ik het moet zeggen, maar misschien kun je beter terug naar Mexico, Delia. Misschien zou dat nu het beste voor je zijn.'

'Het hoeft u niet te spijten. Ik wil niets liever, señora.' Ik keek naar mijn kussen, waaronder *abuela* Anabela's brief lag. 'Niets liever.'

12

Ziekenhuisbezoek

Oma had een vast gezegde als iemand steeds weer door een of andere ramp getroffen werd. *Un clavo saca otro clavo.* Eén spijker verdrijft een andere – het ene verdriet verdrijft het andere. Toen begreep ik dat niet, maar nu dacht ik het wel te begrijpen, want na te hebben gehoord wat er met Edward was gebeurd, dacht ik niet meer aan wat er gebeurd was met Bradley. Dit verdriet verminderde dat van mijzelf. Het werd er niet door opgelost, maar ik kon het van me afzetten, ophouden met te denken 'arme ik' en in plaats daarvan te denken 'arme Edward', gevangen in duisternis, zijn mooie, veelbelovende leven misschien in de knop gebroken, zoals papa zou zeggen.

Ik dacht dat het nu wel zeker was dat mijn tante me terug zou sturen naar Mexico. Ik bleef in mijn kamer, verwachtend dat ze elk moment binnen zou komen. Een tijdje na middernacht hoorde ik beneden mensen met elkaar praten en toen hoorde ik voetstappen voor mijn deur. Ik zat met gebogen hoofd op mijn bed en mijn handen op mijn schoot, toen ze de deur opendeed en binnenkwam. Zonder enige pretentie, zonder enige superioriteit in haar houding. Ze zag er moe uit, maar, wat belangrijker was, als iemand die met een schok op de aarde was teruggekomen, te midden van andere stervelingen. De tragedie had haar teruggevoerd naar haar oorsprong. Als om dit te onderstrepen, sprak ze Spaans alsof ze nooit Engels had geleerd.

'Je hebt gehoord wat er met Edward is gebeurd?'

'Ja. Ik vind het zo verschrikkelijk. Hoe gaat het met hem? Is het waar dat hij blind is?'

'Het netvlies van beide ogen is beschadigd door de airbag. Ze moeten geopereerd worden, en de dokter kan niets garanderen. Dat kunnen ze nooit!' zei ze sarcastisch. 'Het netvlies van allebei zijn ogen is gescheurd.'

'O, mijn god, wat vreselijk!'

'Ja, nou ja, in plaats van zich bezorgd te maken over zichzelf, staat hij erop dat ik je morgenochtend vroeg naar het ziekenhuis breng, dus je gaat niet naar school.'

'Ik?'

Ze kneep haar ogen samen toen ze me aanstaarde. 'Ja, jij. Hij wilde me niet vertellen waarom hij op die manier achter Bradley aanzat en zo roekeloos reed, en Sophia heeft zich in haar kamer opgesloten. Sommige mensen zijn gezegend met kinderen, ik ben ermee gestraft.'

Ik wilde zeggen dat je onmogelijk gestraft kon zijn met kinderen, maar ik herinnerde me hoe mama de gevoelens van haar vader jegens Isabela had beschreven. Hij moest zich ook gestraft hebben gevoeld. Hij was erg bitter, en toen ze was weggegaan en hij haar als dood beschouwde, rechtvaardigde hij het door te zeggen: '*Cuando el perro se muere, se va la rabia.*' Als de hond sterft, is de hondsdolheid verdwenen.

Het zou te wreed zijn haar aan dat alles te herinneren, dacht ik, al lag het op het puntje van mijn tong om te zeggen: *Zo gij zaait, zult gij oogsten.*

'Zorg ervoor dat je meteen na het ontbijt erheen kunt,' zei ze. Toen draaide ze zich om en ging weg.

Ik had nooit gedacht dat ik dat ooit zou doen, maar op dat moment had ik medelijden met haar. Die avond bad ik voor Edward en zelfs voor tante Isabela. De emotionele uitputting van die dag en avond was voldoende om me in een diepe slaap te storten, waarin afgrijselijke beelden van rampspoed en verschrikking door mijn nachtmerries flitsten. Ik werd met een schok wakker, voelde me alsof ik uit een poel van inkt hijgend omhoogkwam. Mijn hoofd voelde aan als een zware steen op mijn nek.

Omdat ik de avond ervoor niets gegeten had, kon ik een kleinigheid naar binnen krijgen, al leek mijn maag op een bijenkorf vol bijen. Sophia kwam, zoals gewoonlijk, niet beneden om te ontbijten, en Inez, die weer de taak op zich had genomen om haar ontbijt boven te brengen, meldde dat Sophia nog sliep toen ze aanklopte. Ze wilde niets hebben en ze kwam niet uit bed. Tante Isabela ging naar boven om met haar te praten, maar kwam onverrichter zake terug.

'Dat kind grijpt elk excuus aan om niet naar school te gaan,' mopperde ze tegen señora Rosario. 'Ik heb vandaag geen tijd voor haar.' Tegen mij zei ze dat ik over vijf minuten buiten moest staan.

Haar Rolls-Royce werd voorgereden en señor Garman keek me afkeurend aan toen hij het portier voor haar opendeed. Ik verwachtte dat ik voorin zou moeten zitten, maar ze bleef het portier openhouden, dus stapte ik na haar in. Ik keek haar even aan en dacht bij mezelf dat ze nooit informeel gekleed was, bij welke gelegenheid dan ook. Zelfs als ze naar het ziekenhuis ging om haar gewonde zoon te bezoeken, kleedde ze zich alsof ze naar een groot feest ging.

Aan al haar vingers droeg ze kostbare ringen en om haar hals een platina ketting met diamanten, waarbij ze bijpassende diamanten oorhangers droeg. Met haar chique hoed en olijfgroene jurk en schoenen zag ze eruit als een vorstin. Ik kon alleen maar ontzag hebben voor de superioriteit die ze uitstraalde. Opnieuw leek ze onaantastbaar en ver boven de gewone mensen en dingen in deze wereld verheven. Nu ze haar kracht had hervonden, kon zelfs een familietragedie haar niet van haar stuk brengen. Hoe zouden haar dromen zijn? Was ze zo sterk dat zelfs nachtmerries het niet waagden haar slaap binnen te dringen?

Veel van tante Isabela verachtte ik, maar er was ook veel dat ik in haar bewonderde. Was dat verkeerd?

Tijdens het rijden zat ze te frutselen aan haar met juwelen bezette tas. Ik wilde niet naar haar staren, maar ik bleef nu en dan naar haar kijken, in de verwachting dat ze iets tegen me zou zeggen. Maar ze zei geen woord, tot we bij het ziekenhuis waren.

'Volg me en haal die deprimerende uitdrukking van arm-Mexicaans-meisje van je gezicht,' zei ze, toen señor Garman het portier voor haar opende.

Hoe kon ze zo'n intense hekel hebben aan wat ons allebei tot Mexicaanse maakte?

Ze draafde weg, kennelijk om me duidelijk te maken dat ik achter haar en niet naast haar moest lopen. Ik deed het, maar met neergeslagen ogen en afgewend gezicht.

In de lift wreef ze even zacht over haar hoofd, haalde diep adem en liet die pas ontsnappen toen de liftdeuren opengingen op Edwards verdieping. Het leek haast of ze onder water verdween. Weer vroeg ik me af of ik iets kon leren van de manier waarop ze omging met verdriet en tegenslag.

Edward lag in een privékamer met een privéverpleegster. Toen we dichterbij kwamen voelde ik me steeds zenuwachtiger worden, en toen we in de kamer stonden en ik Edwards hoofd zag met de verbonden ogen, snakte ik naar adem en beet op mijn lip. Zijn wangen zagen bont en blauw, net als zijn neus en kin. De huid leek er hier en daar te zijn afgepeld.

Zijn verpleegster, die in de buurt van het bed in een tijdschrift zat te bladeren, sprong bijna overeind toen mijn tante binnenkwam. Edward voelde dat ze er was. Per slot, voor wie anders zou een verpleegster zo opspringen?

'Moeder?'

'Ja, Edward, ik ben hier,' zei ze. 'Hoe gaat het met hem?' vroeg ze aan de verpleegster.

'De vitale organen functioneren goed. Hij heeft wat geslapen,' antwoordde ze.

'Is de dokter vanmorgen geweest?'

'Nee, mevrouw Dallas, nog niet. Ik denk dat hij er binnen een uur zal zijn.'

'Heb je Delia meegebracht?' vroeg Edward zodra ze ophielden met praten.

'Ze is hier, Edward.'

'Ik wil alleen zijn met haar,' zei hij.

'Wat is de reden voor die intrige, Edward? Het...'

'Gaat je niks aan, moeder,' maakte hij haar zin af.

Ze verstarde en keek van de verpleegster naar mij.

'Goed. We laten ze alleen,' zei ze tegen de verpleegster en ze verlieten de kamer.

'Delia, kom dichterbij,' zei Edward.

Ik liep naar het bed. Hij stak zijn hand op en ik pakte die vast.

'Ik vind het zo erg van je,' zei ik. Hij wilde lachen, maar gaf een kreet van pijn.

'Het doet pijn als ik lach,' zei hij. 'Je bedoelt niet dat je het erg vindt van mij, je vindt het erg wat er met me gebeurd is.'

'Ja.'

'Ik wilde dat je meteen hier zou komen,' ging hij verder. 'Laat niemand jou iets verwijten. Begrijp je? Dit is niet jouw schuld. Ik ken je al goed genoeg om te weten dat je jezelf de schuld geeft.'

Ik zei niets. Hij had gelijk. Diep in mijn hart vond ik dat ik schuldig was. Als ik niet bij hem en zijn zus en moeder was komen wonen, zou hij nu niet in dit ziekenhuis liggen en zou hij niet een riskante oogoperatie krijgen.

'Je gaat niet terug naar Mexico,' ging hij verder, alsof hij mijn gedachten kon lezen. 'Laat je niet door moeder terugsturen.'

'Hoe kan ik haar dat beletten?'

'Dat kun je. Moeder heeft alleen respect voor kracht. Ze legt haar wil op, tot iemand tegengas geeft. Begrijp je?'

Ik begreep het, maar ik kon me niet voorstellen da ik opgewassen zou zijn tegen *tía* Isabela.

'Ik heb je nodig om me te helpen beter te worden. Oké?'

Ik hield nog steeds zijn hand vast. 'Ja, maar hoe?'

'Dat zul je wel zien. Ik was bang dat ze je al teruggestuurd hadden. Daarom wilde ik dat je meteen zou komen. Begrijp je wat ik wil zeggen, Delia?'

'Ja.'

'Goed. *Muy bueno*. Nu zal ik tijd genoeg hebben om me door jou Spaans te laten leren.'

Ik glimlachte en hield nog steeds zijn hand vast toen mijn tante terugkwam met de arts.

'Je zult een eind moeten maken aan dit tête-à-tête, Edward. Dr. Morris is er.'

Edward liet mijn hand los. 'Delia gaat me helpen met mijn genezing,' zei hij. 'We hebben het net afgesproken. Ze komt me voorlezen.'

'Ze kent geen Engels, Edward.'

'Het lukt haar wel. Ik wil trouwens toch beter Spaans leren.'

'Daar zullen we het later nog wel over hebben, Edward. Dit is niet het juiste moment. Laten we niet te ver op de dingen vooruitlopen,' zei mijn tante.

'Ik wil het,' zei hij bits.

De dokter legde zijn hand op tante Isabela's arm, om mogelijke ruzie en onaangenaamheden te voorkomen. Ze keek me woedend aan, draaide zich met een ruk om en trok zich terug in een hoek van de kamer.

'Ga naar de foyer voor bezoekers en wacht daar,' zei ze tegen mij in het Spaans.

Edward verdroeg de pijn en glimlachte. 'Heb je een hele tijd geen Spaans horen spreken, moeder,' zei hij.

'Ga,' zei ze tegen mij, en ik verliet het vertrek. Ik had geen idee waar die foyer was, maar ik hield in de gang een verpleegster aan en vroeg: 'Waar kan ik wachten?'

'De foyer? O, die deur door en dan naar rechts,' zei ze, wijzend naar het andere eind van de gang.

'*Gracias*. Dank u,' zei ik en liep in de aangewezen richting.

Bij de deur van Edwards kamer stond een jongen van ongeveer Edwards leeftijd, in spijkerbroek, een strak zwart T-shirt en een koningsblauw sportjasje. Hij had heel dik lichtbruin haar dat, al was het niet zo lang als dat van Edward, tot onderaan zijn hals viel en over zijn oren. Hij had het weggeborsteld uit zijn ogen, die indigoblauw waren. Ik vond dat hij een heel vriendelijke, bijna engelachtige glimlach had.

'Hoi,' zei hij. 'Jij bent Delia, hè?'

'Sí, ja.'

'Ik ben een vriend van Edward, Edwards *amigo*, Jesse Butler.' Hij stak zijn hand uit. Die was net zo glad en slank als die van mij, met smalle vingers. Aan zijn pink droeg hij een onyxring met een kleine diamant in het midden. '*Cómo está* Edward?'

Ik begon het hem in het Spaans uit te leggen.

'Ho! Sorry. Ik ken maar heel weinig Spaans, *un poco español*.'

'Zijn ogen,' zei ik en streek met mijn handen over mijn ogen om het verband te verklaren. 'Kneuzingen,' ging ik verder en ging met mijn vingers over mijn wang, neus en kin.

Hij keek door het raam in de deur en knikte.

'De dokter is binnen. Dokter?'

'Ja,' zei ik, 'en *mi tía* Isabela.'

'O, ja. Oké, ik wacht samen met je,' zei hij en knikte in de richting van de foyer.

We liepen erheen. Ik vond het heel sympathiek dat een vriend van Edward hem meteen kwam opzoeken. Hij had nooit iets over Jesse gezegd, maar hij had überhaupt heel weinig verteld over zijn leven, zijn vrienden, of zelfs waar zijn grootste belangstelling naar uitging.

Er waren maar een paar andere mensen in de foyer, maar een van hen was een vrouw met een klein meisje dat niet ouder leek dan drie of vier. Ze sprak Spaans tegen het meisje, dat haar prachtige zwarte ogen op mij richtte en glimlachte toen ik glimlachte. Ik begon in het Spaans tegen haar te praten, en haar moeder vroeg wie ik hier kwam bezoeken. Ik legde uit dat mijn neef een auto-ongeluk had gehad, en zij vertelde dat de man van haar zuster van een steiger was gevallen toen hij de kozijnen van een kantoorgebouw schilderde. Haar zuster was nu bij haar man, en zij paste op hun dochtertje. Ik vroeg haar of ze Engels sprak; een heel klein beetje, antwoordde ze. Maar zij en haar zuster en haar zwager kwamen niet uit Mexico, ze kwamen uit Costa Rica.

Toen ik haar vroeg hoe lang ze in Amerika was, werd ze zenuwachtig en mompelde een antwoord. Maar alsof ze de dingen recht wilde zetten, vertelde ze dat het dochtertje, Drina, hier was geboren. Jesse, die zei dat hij heel weinig Spaans sprak, luisterde aandachtig naar ons gesprek.

Hij boog zich naar me toe en fluisterde in mijn oor. 'Ik denk dat ze illegaal is. De ouders misschien ook.'

Ik vertelde hem dat Drina in Amerika was geboren.

'Ze is een ankerbaby,' zei Jesse.
'Dat begrijp ik niet,' merkte ik op.
'Baby geboren *acquí*?'
'Sí.'
'Illegale ouders kunnen zich in Amerika vestigen als de baby hier geboren is. Ken je het woord *anker*?'
Ik schudde ontkennend mijn hoofd.
'Verankerd, zoals een boot voor anker gaat,' legde hij uit, gebarend met zijn handen.
'O. Ze kunnen hier blijven vanwege de *niña*.'
'Zo is het.'
Drina's *tía* zag dat we over hen praatten en werd nog zenuwachtiger. Ze stond en liep met Drina de gang op.
Even later kwam mijn tante de foyer binnen. 'Je kunt weer naar Edward,' zei ze tegen me, en keek naar Jesse.
'Hallo, mevrouw Dallas. Wat vreselijk dat Edward zo'n ernstig ongeluk heeft gehad.'
'Ja, dat is zo, Jesse,' zei ze koel. 'Je kunt naar hem toe, maar blijf niet langer dan een kwartier. Breng haar alsjeblieft naar de cafetaria,' ging ze verder met een knikje naar mij. 'Ik ga een kop koffie en iets eetbaars halen. Ik heb vandaag nog niet veel gegeten, zoals je je kunt voorstellen.'
'Ik zal het doen,' zei Jesse.
Hij liep met me de foyer uit naar Edwards kamer.
'Zo, stommerd,' zei Jesse toen we binnenkwamen.
'Wat doe jij hier?'
'Ik dacht dat ik jou als excuus kon gebruiken om Kasofsky's popquiz te ontlopen. Wat denk je dat ik hier doe?'
Edward stak zijn hand uit en Jesse pakte hem. Ze hielden elkaar stevig vast.
'Je ziet er duivels slecht uit.'
'Jij hoort te weten hoe de duivel eruitziet.'
Jesse lachte.
'Is Delia bij je?'
'Vlak naast me. Dus, wat is er gebeurd?'

'Ik heb je verteld wat ik vermoedde van die schoft van een Whitfield.'

'Ja.'

'Nou, ik had gelijk. Ze heeft het me verteld,' zei hij. Jesse keek naar mij. Door de uitdrukking op zijn gezicht en de paar woorden die ik had opgevangen, begreep ik wat ze bedoelden. Een golf van schaamte ging door me heen en ik kreeg een vuurrode kleur.

'Ben je hem achternagegaan?'

'Nou, en óf.'

'Wat zou je hebben gedaan als je hem te pakken had gekregen, Edward? Het is net als honden die blaffend achter een truck aan gaan. Wat als ze die truck inhalen? Wat dan?'

Hij keek naar mij, maar ik schudde mijn hoofd. Hij sprak te snel en zei dingen die ik niet begreep.

'Ik zou een manier gevonden hebben om zijn gezicht in elkaar te timmeren.'

'Het lijkt me dat je een manier hebt gevonden om dat van jezelf in elkaar te timmeren,' zei Jesse.

Edward zweeg.

Ik zag dat ze nog steeds elkaars hand vasthielden.

'Pas op haar, zorg dat het goed met haar gaat,' zei Edward ten slotte, met een knikje in mijn richting. 'Het is niet te voorzien wat moeder zal doen naar aanleiding hiervan, en het is absoluut niet Delia's schuld.'

'Ik zal haar in de gaten houden,' beloofde Jesse.

'Mooi.'

'Ik denk dat ik sowieso vaker langs zal moeten komen. Ik zie je niet zo gauw weer heen en weer draven.'

'Dank je.'

'Wat gaan ze doen?'

'Morgen gaan ze mijn ogen opereren.'

Jesse keek ongerust; zijn ogen waren vochtig.

'Wees maar niet bang,' zei Edward, alsof hij Jesses gevoelens kon peilen via zijn hand. 'Moeder zal niet toestaan dat de operatie mislukt.'

Jesse lachte. 'Ik moet Delia nu naar de cafetaria brengen, naar je moeder. Ik kom vanavond terug.'

'Fijn.'

Jesse keek even naar mij, boog zich toen voorover en gaf Edward een zoen op zijn wang. Het zien van twee jongemannen die zo'n genegenheid voor elkaar toonden, verbaasde me. Jesse glimlachte naar me.

'Beschrijf me hoe ze kijkt,' zei Edward.

'Een kruising tussen geëlektrocuteerd worden en een pot met goud vinden.'

Edward lachte en kreunde toen van pijn. 'Hé, Delia,' zei hij en stak zijn hand naar me uit.

Snel pakte ik zijn hand vast.

'Je blijft daar tot ik thuiskom, oké? Alles komt in orde. Hoe zeg je dat alles in orde komt in het Spaans?'

'*Todo será bien*,' zei ik. Hij herhaalde het lachend.

'Au! Het doet te veel pijn als ik lach. Ga weg, jij, zodat ik medelijden kan hebben met mezelf,' zei hij tegen Jesse.

'Oké. Tot ziens.'

'*Hasta la vista*, zul je bedoelen.'

'*Sí*,' zei Jesse. Hij raakte zijn hand aan, knikte naar mij, en we liepen de kamer uit.

Hij keek me met een lieve glimlach aan toen we naar de lift liepen. 'Edward en ik mogen elkaar heel erg,' zei hij toen de deuren dichtgingen en we de enigen waren die in de lift stonden. 'Begrijp je?'

'Ja.'

'Vind je dat oké?' vroeg hij. 'Oké?'

'Ja.'

'Het is ons geheim. *Secreto*. Oké?'

'Ja,' zei ik. Ik was nog niet helemaal over de schok heen, en het was het enige wat ik uit kon brengen.

Ik volgde hem de gang door naar de cafetaria, waar mijn tante in haar eentje aan een tafeltje zat en neerbuigend naar het ziekenhuispersoneel, artsen en verpleegsters keek, alsof zij de leiding had van alles en niet erg tevreden was over de gang van zaken.

'O, Jesse,' zei ze toen we dichterbij kwamen. 'Wil je iets voor me doen?'

'Natuurlijk, mevrouw Dallas.'

'Breng Delia naar haar school. Ik heb een afspraak met mijn kapper die ik niet kan missen. Mijn stylist is erger dan een dokter als het om afspraken gaat.'

'Geen probleem. Ik zal haar graag brengen,' zei Jesse.

'Goed. Bedankt. Ga met hem mee en zorg dat je niet weer in moeilijkheden komt vandaag,' zei ze tegen mij in het Spaans.

'Ik kom niet in moeilijkheden,' antwoordde ik, denkend aan Edwards advies om tegengas te geven. Ik wilde nog meer zeggen, maar perste mijn lippen op elkaar om de felle woorden te bedwingen. Ze scheen het te voelen. Ik meende bijna een glimlach van waardering op haar gezicht te zien, maar misschien hoopte en droomde ik te veel, dacht ik. Snel liep ik weg met Jesse.

Al was het geen sportwagen, hij reed wel in een heel duur uitziende auto. Hij zag dat ik ernaar keek en vertelde dat het een Mercedes was.

'Het was de auto van mijn oudste broer, maar toen hij naar de universiteit ging, heb ik zijn auto geërfd,' legde hij uit. 'Van mijn oudste broer... nu van mij.'

Ik knikte. 'Ik begrijp het.'

'Je hebt al een hoop Engelse woorden opgepikt.'

'Ik kende al wat Engels voor ik hier kwam. *Poco*. Toen heb ik snel meer geleerd, en nu heb ik een uitstekende leraar.'

'Jij zult sneller Engels leren dan Amerikanen Spaans. Absoluut,' zei hij. Hij praatte door, heel langzaam, bijna alsof hij in zijn slaap sprak. 'Edward en ik kennen elkaar al een hele tijd, maar we zijn pas ongeveer een jaar geleden intieme vrienden geworden. Snap je?'

'Ja.'

'Niemand weet precies hoe intiem we zijn. De meesten denken het of vermoeden het, maar niemand weet het zeker.'

Ik knikte. '*Secreto*,' zei ik, en hij glimlachte.

'Ja, voorlopig is dat het beste. Zijn moeder!' zei hij met wijd opengesperde ogen.

Ik lachte. Hij hoefde verder niets te zeggen. Ik kon me gemakkelijk voorstellen wat voor gezicht mijn tante zou trekken als ze had gezien hoe die twee elkaar zoenden.

'Je bent een slimme meid, Delia, en erg mooi. Ik hoop dat de omstandigheden hier voor je zullen verbeteren.'

'*Gracias.*'

Toen hij bij de school stopte, bedankte ik hem voor de lift. Ik wilde uitstappen, maar hij pakte mijn arm beet.

'Edward probeerde altijd vroeg weg te gaan om jou van de bus te halen, hè? Naar huis van de bus?'

'Sí.'

'Ik zal je van de bus halen en thuisbrengen,' zei hij. 'Wacht op me als ik iets te laat ben. Snap je?'

'Ja, dank je.'

'Prettige dag,' zei hij toen ik uitstapte. Ik keek hem na toen hij wegreed en liep toen haastig naar binnen en naar mijn klas.

Señorita Holt zweeg midden in een verhaal tegen de andere leerlingen, toen ik binnenkwam.

'Waarom ben je te laat?' vroeg ze. 'In het Engels. Geef antwoord in het Engels.'

Ik keek naar de anderen, die me allemaal aanstaarden. Ignacio keek ongerust.

'Mijn neef Edward,' begon ik, 'is met zijn auto tegen een boom gereden en ligt in het ziekenhuis met verband...' Ik maakte een gebaar rond mijn hoofd. 'Slecht met zijn ogen.'

'Niet slecht met zijn ogen. Zeg het behoorlijk,' beval ze.

Ik dacht na. Iedereen was zo stil, dat het leek of ze hun adem voor me inhielden.

'Bezeerde zijn ogen. Nu is hij blind.'

Sommige leerlingen slaakten een zachte kreet.

'Misschien niet voorgoed,' ging ik verder, trots dat ik het Engelse woord *voorgoed* had onthouden.

'Oké. Ga zitten. We zijn bezig te oefenen hoe we eten moeten bestellen in een restaurant. Hoofdstuk zeven. Heb je hoofdstuk zeven gisteravond gelezen?'

'Nee, señorita Holt. Mijn neef...'

'Waar zijn je boeken en schriften?'

'Ik was in het ziekenhuis en...'

'Laat maar. We hebben al genoeg tijd verspild. Ga zitten en volg de les zo goed mogelijk. Wie was er aan de beurt?' Marta stak gretig haar hand op.

Ignacio's ogen volgden me naar mijn plaats. Hij durfde niets te zeggen, maar schoof zijn stoel en lessenaar dichter naar me toe, zodat ik zijn boek samen met hem kon gebruiken. Ik keek even naar señorita Holt om te zien of het haar zou ergeren, maar ze zei niets. Het was moeilijk om me op mijn werk te concentreren, maar ik deed mijn best en ik dacht dat ik haar vragen goed beantwoordde, ook al had ik het hoofdstuk niet gelezen.

Later, tijdens de lunchpauze, vertelde ik Ignacio alles wat er gebeurd was, natuurlijk niet over de relatie tussen Edward en Jesse.

'Wat erg van dat ongeluk,' zei Ignacio. 'Kun je zaterdag toch op het fiesta bij mij thuis komen?'

'Ik weet het niet. Ik heb het nog niet aan mijn tante gevraagd. Het is geen goed moment om over een feest te beginnen.'

'Nee, natuurlijk niet,' zei hij teleurgesteld.

'Maar we zullen afwachten,' voegde ik eraan toe, en hij keek weer wat opgewekter.

'Je zult het gevoel hebben dat je thuiskomt,' beloofde hij. 'Dat zul je zien.'

Ik moest het er die middag nog beter hebben afgebracht, want na de les nam señorita Holt me terzijde en zei dat ze blij was met mijn snelle vorderingen en hoopte dat ik me door niets zou laten afleiden.

'Ik hoop dat je sneller dan iemand verwacht had naar een normale klas bevorderd zult worden,' zei ze.

Ik bedankte haar en liep haastig naar de bushalte. Ignacio had een plaats voor me bezet gehouden. Toen ik hem enthousiast vertelde wat señorita Holt had gezegd, keek hij niet erg vrolijk.

'Je zult een *gringa* worden voor je het weet,' zei hij. 'En mij vergeten.'

'Ik zal nooit een *gringa* worden,' zei ik lachend. Toen werd ik weer serieus en voegde eraan toe: 'Ik zal altijd blijven wie ik ben en ik zal je nooit vergeten.'

Hij keek weer opgewekt en praatte voornamelijk over het komende fiesta ter ere van de verjaardag van zijn zusje. Hij vertelde me over familieleden die dicht genoeg in de buurt woonden om op het feest te kunnen komen en al het eten en gebak dat werd klaargemaakt. Hij voegde eraan toe dat hij een beetje gitaar speelde en iets ten beste zou geven.

'Ik ben er niet erg goed in, maar ik doe het voor mijn zusje en mijn moeder.'

Toen we aankwamen bij de bushalte, zag ik dat Jesse al geparkeerd stond en wachtte. Ik legde snel uit wie hij was, zodat Ignacio niet zou denken dat ik een vriendje had. Maar toch keek hij nog achterdochtig. Zijn trots als latino stond niet toe om me na te kijken toen ik uitstapte en naar Jesses auto liep. Ik zag dat hij star voor zich uit bleef kijken zonder één blik in mijn richting.

'Hoi,' zei Jesse. Hij stapte uit en liep om de auto heen om het portier voor me open te doen. '*Cómo está?*'

'*Bien*,' zei ik en stapte in.

'Je nicht Sophia?' zei hij toen hij weer achter het stuur zat.

'Ja?'

'Ze kwam vanmiddag op school... kwam naar de *escuela*.'

'O?'

'Om tegen Bradley tekeer te gaan. Het was een hele heisa.'

'Heisa?'

'Ruzie, vechten... hoop gedoe. Ze vertelt iedereen dat je verkracht bent.'

Ik kon hem alleen maar aanstaren.

'Ken je dat woord?'

'Ja. *Violado*.'

Hij knikte. 'Ja, dat vertelt ze rond.' Hij startte de motor en reed naar de hacienda van mijn tante.

Ze vertelde iedereen dat ik verkracht was? Mijn tante wist nog steeds niet wat er precies met me gebeurd was. Wat zou ze nu zeggen of doen?

'Als er iemand is die je niet als vijand wilt hebben, dan is het Sophia Dallas,' zei Jesse glimlachend. Hij wendde zijn blik even af en keek me toen weer aan. 'Gaat het goed met je, Delia?'

Even was ik niet in staat om iets te zeggen. Mijn keel leek dichtgeknepen.

Ik hoefde niet lang te wachten om erachter te komen wat dit voor mij zou betekenen. Zodra Jesse me bij het huis afzette en ik de trap opliep naar de voordeur, vloog die open.

Tante Isabela stond op de drempel en keek me aan.

'Je hebt niet veel tijd nodig om van de een naar de ander te gaan, hè?' vroeg ze, starend naar Jesses verdwijnende auto.

Ik stond verward naar haar te kijken.

'Maar u hebt gezegd dat hij me naar school moest brengen.'

'Ja, maar niet om je thuis te brengen. Laat maar. Kom mee naar mijn werkkamer. Jij en ik hebben een hoop met elkaar te bespreken.'

Ze draaide zich om en liet de deur voor me open.

Ik keek achterom naar het hek en dacht: Ren, Delia, ren.

Steek de grens weer over.

Ga naar huis.

Precies zoals señora Rosario heeft gesuggereerd.

Maar tot mijn verbazing leek een deel van me omhoog te kruipen langs mijn ruggengraat, alsof de slapende trots van mijn latino voorouders was ontwaakt en paraat stond.

Met opgeheven hoofd liep ik het huis van mijn tante binnen en volgde het geluid van haar voetstappen door de lange marmeren gang naar wat ik wist dat een ander slagveld zou zijn.

Edwards woorden galmden door mijn hoofd: 'Moeder heeft alleen respect voor kracht. Ze legt haar wil op, tot iemand tegengas geeft. Begrijp je?'

Ik begreep het.

Maar was dat voldoende?

13

In vertrouwen

Ik had tante Isabela's kantoor nog nooit gezien. Ik nam aan dat het oorspronkelijk het kantoor van haar man was geweest. De muren hadden panelen van donker hout en er lag een leistenen vloer met een kostbaar uitziend robijnrood ovaal kleed onder en rond het bureau. Aan één kant van de kamer bevond zich een boekenkast van de grond tot het plafond, en elke plank stond vol naslagwerken en romans. Aan de muur achter het bureau hing een groot portret van *tía* Isabela en haar man, beiden in avondkleding, staande voor de open haard in de zitkamer. Het leek een staatsieportret van een vorstenpaar. Alleen de kronen en scepters ontbraken.

Op het schilderij zag *tía* Isabela er veel jonger uit en leek ze veel meer op mama. Ik was er nu van overtuigd dat ze bij een plastisch chirurg was geweest en vooral haar neus had laten veranderen, al was ze daarvoor ook al heel aantrekkelijk geweest.

Ze stond met over elkaar geslagen armen achter het grote bureau van donker kersenhout en knikte naar de bruine leren stoel tegenover haar.

'Ga zitten,' zei ze, en ik liep haastig naar de stoel.

Ze keek omhoog naar het portret alsof ze steun zocht bij haar man. Ik vroeg me af hoe ze erin geslaagd was al die jaren na zijn dood de zaken te behartigen. Voor zover ik wist had ze nooit een hogere opleiding gevolgd. Ze trouwde toen ze serveerster was in een hotel en had zelfs de middelbare school niet afgemaakt. Ik wist zeker dat ze absoluut geen verstand had gehad van zaken. Mama zei altijd dat het geld als zand door haar vingers gleed.

Had haar man haar alles geleerd wat ze moest weten, of had ze heel goede mensen die voor haar werkten? Ondanks de manier waarop ze me had behandeld toen ik hier aankwam, en me nog steeds behandelde, was ik toch in haar geïnteresseerd. Je kon je moeilijk voorstellen dat ze uit hetzelfde kleine dorp kwam, haar basisopleiding had gekregen aan dezelfde kleine school, door dezelfde straten had gelopen als ik, en had deelgenomen aan de simpele fiesta's en activiteiten in ons kleine dorp, om te komen waar ze nu was. Van wie had ze die eerzucht, hoe kwam ze daaraan? Was het alleen maar geworteld in haat voor alles wat ze was en had, of had iemand haar geïnspireerd?

Weer keek ze me onderzoekend en achterdochtig, met samengeknepen ogen aan. Ik voelde me onzeker onder haar blik. Ik durfde geen vinger te bewegen of zelfs maar diep adem te halen. Haar blik was als een fel, verblindend licht in een politiebureau dat op het gezicht van een verdachte werd gericht.

Waarschijnlijk omdat ze zo van streek was door Edwards ongeluk en zo weinig geduld had met mijn beperkte kennis van het Engels, sprak ze weer in *español* tegen me.

'Waarom heb je me niet verteld wat Bradley Whitfield met je gedaan had? Waarom liet je me in de waan dat hij je alleen maar had thuisgebracht? Ik heb het moeten horen van een vriendin wier dochter met het verhaal uit school kwam. Dankzij Sophia natuurlijk. Mijn dochter met haar grote mond. Hoe dúrfde je dat voor me geheim te houden? Nou?' snauwde ze voor ik een woord kon uitbrengen.

'Ik schaamde me.'

'Je schaamde je?' Ze lachte en trok abrupt de bureaustoel naar zich toe. Toen ze zat, ging ze verder. 'Als hij zich met geweld aan je heeft opgedrongen, waarom zou jij dan degene zijn die zich schaamt?'

'Ik was te naïef om te beseffen wat hij van plan was. Ik heb me niet...'

'Genoeg verzet?' Ze lachte sarcastisch.

'Ja.'

'Misschien wilde je je niet verzetten.'

Ik schudde mijn hoofd.

'Misschien hoopte je dat hij zou doen wat hij heeft gedaan. Misschien heb je hem uitgelokt en aangemoedigd, zoals je señor Baker aanmoedigde.'

'O, nee, *tía* Isabela. Ik heb niemand ooit aangemoedigd, en zeker señor Baker niet.'

'Goed, je hebt niets gedaan,' zei ze knikkend. 'Niet alleen lijk je nu op je moeder, maar je klinkt ook net zoals zij. Geen vrouw is ooit zo onschuldig, Delia. Zelfs je moeder niet.'

'Ik bén het. Ik wás het.'

'O, alsjeblieft, zeg. Natuurlijk wist je wat Bradley Whitfield wilde toen je in zijn auto stapte. Een vrouw weet zoiets instinctief. Je kunt hun geilheid bijna ruiken.'

'Nee, *tía* Isabela. Ik lieg niet. Ik vermoedde niets. Hij was de vriend van Sophia, dus dacht ik geen moment...'

'Aha. Hoe vaak ben je op die manier met jongens in Mexico omgegaan? Hoe vaak heb je je niet genoeg verzet?'

'Nooit.'

'Dus je wilt beweren dat je zo onschuldig en puur bent als pas gevallen sneeuw?'

'Ik begrijp u niet.'

'Jij en je moeder, de heilige engelen.' Ze leunde achterover met een sarcastisch, kil lachje. 'Iedereen weet dat jullie, latino's, heter zijn dan wij.'

'Dan wij? Bent u dan geen latino?'

'Laat mij erbuiten,' snauwde ze. 'Ik ben niet degene die schande over dit huis heeft gebracht.' Ze boog zich naar voren. 'En ik verzeker je dat ik dit soort aanstellerij niet duld in mijn huis.'

'Aanstellerij?'

'Die zogenaamde onschuld. Het gaat je zo goed af, net als je moeder, en nu heb je Edward zover gekregen dat hij als een nobele ridder ging vechten voor je eer. Alleen heeft hij zich daarbij ernstig verwond. Er bestaat een heel grote kans dat hij nooit meer goed zal kunnen zien.'

De tranen sprongen in mijn ogen, mijn keel voelde dichtgeknepen. 'Dat heb ik hem niet gevraagd.'

'Hou toch op. We weten allemaal hoe jonge meisjes jongens vragen dingen voor en met ze te doen. Ze hoeven het niet met zoveel woorden te zeggen. Je gezicht, je ogen, je gekwetste blik, dat is voldoende om hun hart in vuur en vlam te zetten. Edward is altijd opvallend kwetsbaar geweest voor zoiets. Ik denk dat hij daarom al zolang geen vriendinnetje heeft gehad. Hij verliest zijn hart te gemakkelijk en fladdert rond. Ik heb geprobeerd hem wat advies te geven, hem te leiden, hem te waarschuwen, maar hij is...'

'Zoals u toen u jonger was,' waagde ik te opperen.

Ze staarde me even aan en glimlachte toen weer, maar dit leek meer een waarderende dan een sarcastische glimlach.

'Precies, ja. Daarom wist ik dat hij in moeilijkheden kon komen als hij niet voorzichtig was.' Zwijgend bleef ze me aankijken. Ik kon zien dat ze overwoog wat ze verder nog zou zeggen, of ze me al dan niet iets zou vertellen. Het maakte me onrustig. Ik schoof heen en weer op mijn stoel. Haar stiltes waren als speldenprikken.

'Wat vond je van Jesse?'

'Jesse? Edwards vriend?'

'Ken je een andere Jesse?'

'Ik vond hem heel aardig, vriendelijk. Hij maakte zich erg ongerust over Edward.'

'Erg. Hoe was hun gedrag ten opzichte van elkaar?'

'Gedrag?' Ik bloosde bij de herinnering aan de manier waarop Jesse Edward gekust had.

Ik zag dat ze me nog intenser aankeek.

'Misschien ben je te veel geïsoleerd geweest in dat krot dat ze hun "thuis" noemden. Vertel eens, hebben ze je geleerd je hoofd om te draaien als je twee mensen iets zag doen wat onrein, verboden, zondig was? Nou?'

'Ja,' zei ik.

Ze wendde haar blik af en staarde uit het raam. Toen keek ze weer naar het portret, alsof ze luisterde naar de stem van haar man.

'Ik zou je meteen terug moeten sturen,' zei ze ten slotte. Ze zei het alsof ze hardop dacht.

'Ik zou het begrijpen,' zei ik, iets te snel.

Verbaasd draaide ze zich weer naar me om. 'O, ja, zou je dat? Je zou het begrijpen en je zou je neerleggen bij je droevige lot? Zelfs naar de kerk gaan om dank te zeggen?'

'Ja, dat zou ik.'

Ze sloeg op het bureau en boog zich naar voren. 'Verdomme, zie je dan niet dat dat een nederlaag zou zijn, een aftocht? Heb je dan helemaal geen lef? Vloeit er dan geen druppel bloed van mij door die simpele hersens van je? Waar is je eerzucht, je hoop voor jezelf? Zie je dan niet wat voor kansen je hier hebt? Zo stom kun je toch niet zijn?'

'Ik ben niet stom.'

'Nee. Je lerares vindt je eerlijk gezegd nogal intelligent. Dat is me al verteld.' Ze leunde weer achterover. 'Ik stuur je niet terug,' ging ze na een ogenlik verder. 'Om te beginnen zou Edward erg ontdaan zijn, en ik wil niets doen om zijn mogelijke genezing te belemmeren. Als je enig gevoel had, zou je daar ook aan denken.'

'Dat doe ik ook. Ik wil blijven om hem te helpen.'

'Hem helpen,' mompelde ze. Ze keek weer uit het raam, dacht een paar ogenblikken na en draaide zich toen weer naar me om. 'Oké, ik zal je laten blijven, en ik zal meer doen om je aan je omgeving te laten aanpassen. Ik zal een betere garderobe voor je kopen, niet alleen die afdankertjes van Sophia. Geen bussen meer en geen lift meer van jongens. Je hoeft geen huishoudelijk werk meer te doen.

'Iedereen weet nu dat je mijn nichtje bent, dus heeft het geen zin iets anders voor te wenden, maar dat betekent dat je nóg verantwoordelijker bent voor het beschermen van mijn goede naam en reputatie. Als je je goed gedraagt en helpt, zul je goed verzorgd worden, vooral als je de universiteit haalt. Kortom, ik zal een *norteamericana* van je maken. En ik zal periodiek iets naar je grootmoeder sturen om te voorkomen dat ze van honger omkomt en op straat in de modder sterft.'

Voor ik zelfs maar iets van dank kon prevelen, voegde ze er nog iets aan toe.

'Maar ik wil dat je iets voor me doet.'

'Wat, *tía* Isabela? Wat zou ik voor u kunnen doen?'

'Niet zozeer voor mij als wel voor Edward,' zei ze.

'Edward?'

'Ik wil dat je me vertelt of zijn vriendschap met die Jesse meer is dan een gewone vriendschap. Ik maak me zorgen over hem.'

Even staarde ik haar verbijsterd aan. 'U bedoelt dat u wilt dat ik Edward bespioneer?'

'En Sophia ook. Laat me weten of ze iets verkeerds doet. We kunnen net zo goed gebruikmaken van die schijnheilige onschuld van je.'

Ik wist niet wat ik hierop moest zeggen. Ik had me verbaasd over Edward en Jesse, maar ze verraden, Edward verraden, en dan ook nog Sophia verklikken? Haatte ze me niet al genoeg?

'Ik wil liever niet...'

'Doe niet of je het zo erg vindt, Delia. Ik heb gezien hoe je keek toen ik vroeg naar Edward en Jesse. Je hebt iets gezien of je voelde iets. Nou?'

'Ze zijn vrienden. Ze...'

'Ik heb verder niets te zeggen.' Ze stond op. 'Je weet wat ik wil, en je weet dat ik je zal belonen. Wees gewoon wat je in werkelijkheid bent, net als ieder ander, net als je moeder en ik, egoïstisch, en het zal prima gaan. Ik heb nog meer te doen', en met die woorden liep ze naar de deur van de werkkamer. Daar bleef ze staan. 'Dit weekend gaan we kleren kopen.'

'Dit weekend!'

'Ja, dit weekend. Moet ik alles twee keer zeggen?'

'Ik ben... uitgenodigd voor een fiesta, een verjaardagsfeest dat de ouders van mijn vriend Ignacio geven voor zijn zusje. Ik zou er zaterdagavond graag bij zijn.'

'Waarom?' Ze deed een stap naar me toe. 'Waarom wil je nog iets te maken hebben met uitschot? Wil je niet omgaan met de betere klasse, met rijke mensen?'

'Het zijn mensen van mijn volk. Geen uitschot.'

Ze staarde me aan.

Ik had het gevoel dat ik veeleisender kon zijn nu ze zo openhartig was geweest en me zoiets onbegrijpelijks had gevraagd.

'Ik wil erheen,' zei ik vastberaden.

'Ga maar,' zei ze, zwaaiend met haar hand. 'Wentel je maar in de arme immigrantenmodder. Misschien kan ik achteraf gezien toch niets voor je doen. Misschien ben je de dochter van je moeder.'

Ze ging weg. Haar woorden dreunden door mijn hoofd.

'Ik wil niets liever dan mama's dochter zijn,' zei ik zachtjes voor me uit.

Natuurlijk hoorde ze me niet. Dat zou ze nooit, dacht ik.

Het gesprek met haar had me overrompeld en verbijsterd. Het duizelde me, want wat ze had gezegd was vol dreigementen en ook beloftes. Ze keek op me neer, en toch gaf ze met tegenzin haar bewondering te kennen voor mijn intelligentie. Maakte ik deel uit van wat ze haatte, of was ik op de een of andere manier haar privéobject, iemand die ze wilde redden? Moest ik haar haten of bewonderen?

In een bijna verdoofde toestand liep ik naar mijn kamer. Ik begon me te verkleden om naar beneden te gaan en te helpen met de voorbereidingen voor het diner, toen ik me herinnerde dat tante Isabela had gezegd dat ik geen huishoudelijk werk meer hoefde te doen. Nooit in mijn leven was er een dag voorbijgegaan dat ik niet op een of andere manier in huis had geholpen. Ook dat bracht me in de war. Nu zou ik een van degenen zijn die bediend en verzorgd werden? In gedachten verzonken ging ik op bed zitten. Wat moest ik doen?

Mijn deur ging open en Sophia kwam binnen. Ze deed hem achter zich dicht en bleef even naar me staan kijken.

'Hoe ging het met mijn broer?' vroeg ze. Ze sprak langzaam en luid, alsof ik doof was. 'Ik heb gehoord dat je beter Engels spreekt, althans genoeg om het meeste te begrijpen,' ging ze verder toen ik niet snel genoeg reageerde.

'Iets beter,' antwoordde ik.

'Wat? Was hij iets beter of spreek je iets beter Engels?'

'Hij is gewond,' zei ik.

'Ik weet dat hij gewond is, koe! Jemig.'

Ze liep naar de toilettafel en wriemelde met mijn haarborstel.

'Ik wil het weten van Bradley,' zei ze, zich naar me omdraaiend.

‘Heb je hem laten weten dat je hem aardig vond? Is dat wat er is gebeurd?’

‘Nee. Ik vind hem niet aardig.’

‘Hij is een engerd,’ zei ze. Ze kwam dichterbij tot ze vlak voor me stond. ‘Heeft hij je vastgepind?’

‘Vastgepind?’

‘Jee! Is hij op je afgesprongen, heeft hij je op de grond geduwd, of wat? Ik wil de details weten.’

‘Ik begrijp het niet. Gesprongen?’

‘O, mijn hemel! Je Engels is nog lang niet goed genoeg. Hoe moet ik in vredesnaam met je praten.’ Ze dacht even na en zei toen: ‘Oké, je weet wat voorwenden is?’

‘Ja, voorwenden, doen alsof.’

‘Goed. Doe alsof ik Bradley ben, oké?’ zei ze, en toen sprong ze op me af, pakte mijn bovenarmen beet en duwde me op de grond. Voor ik me kon verzetten, lag ze boven op me. Ik wist niet wat ik moest doen. Ze was zwaar en drukte hard op mijn armen. ‘Is het op deze manier gebeurd?’

Ik schudde mijn hoofd en knikte toen snel.

‘Ja of nee? Vergeet het maar.’ Ze liet zich op haar rug rollen naast me en staarde naar het plafond. Ik durfde me niet te verroeren. Toen draaide ze zich naar me om en steunde op haar elleboog. ‘Zal ik je eens wat vertellen?’

‘Vertellen? Ja.’

‘Ik heb het nooit met Bradley gedaan. Iedereen denkt van wel, maar het is niet zo. Niet dat hij het niet geprobeerd heeft. Maar ik wilde het nog niet toelaten, en toen kwam jij en liet jij het wel toe.’

‘Nee. Dat is niet waar!’

‘Ik weet niet of ik je moet geloven of niet, maar ik heb hem er toch van beschuldigd. Je was geen maagd meer, hè? Je hebt het al eerder gedaan, hè?’

‘Nee.’

Ze staarde even peinzend voor zich uit. Steunend op haar elleboog bleef ze naast me liggen. ‘Maar vond je het prettig? Ik bedoel, toen je het hem niet kon beletten, was het...’

'Nee!' zei ik heftig. 'Ik vond het niet prettig, wilde hem niet. Absoluut niet!'

'Ik weet niet of ik je kan geloven. Weet je,' ging ze verder met een valse blik in haar kraalogen, 'in sommige streken in het Midden-Oosten, kun je, als je verkracht bent, door je eigen familie worden gedood. Je begrijpt misschien niet elk woord dat ik zeg, maar je snapt het best.' Ze stond op, keek me kwaad aan en liep te ijsberen door de kamer.

'Bradley verspreidt het verhaal onder mijn vrienden dat hij het met jou heeft gedaan omdat hij zich gefrustreerd voelde door mij. Hij scheldt me uit voor opgeilster. Ik heb nu de pest aan hem. We zouden hem moeten laten arresteren. Moeder zou dat moeten doen. Jij gaat naar de politie en komt voor de rechter en dan gaat hij naar de gevangenis. Zeg tegen moeder dat ze dat moet doen. Dat zal hem de mond snoeren.'

'Politie?' Ik schudde mijn hoofd.

'Je móét!' schreeuwde ze tegen me. 'Anders ben je een leugenaarster.'

'Ik ben geen leugenaarster.'

'Dan doe je het. Afgesproken dus.' Ze liep naar de deur. 'We zullen het moeder aan tafel vertellen. Ik doe het woord wel. Ik zal zeggen dat jij me hebt gevraagd het woord voor je te doen.' Ze wees met haar wijsvinger naar me. 'Knik gewoon wanneer ik knik, begrepen? Knik.'

Met die woorden liep ze de deur uit.

Later, nog nabevend van de dingen die Sophia had gedaan en gezegd, ging ik naar beneden naar de eetkamer. Ik vond het heel vreemd om te gaan zitten zonder iets in de keuken te doen, maar señora Rosario en Inez gedroegen zich alsof het nooit anders geweest was.

'Ga je na het eten mee naar het ziekenhuis om Edward te bezoeken, Sophia?' vroeg tante Isabela.

'Ik haat ziekenhuizen,' antwoordde ze. 'Ik ga na de operatie. Misschien.'

Tante Isabela keek even naar mij, maar vroeg niet of ik met haar meeging.

'Garman zal Delia elke ochtend naar school brengen,' zei ze tegen Sophia, 'en haar voortaan aan het eind van de dag weer ophalen.'

'Hoe moet ik dan naar school? Edward kan me niet brengen, en ik wil niet dezelfde lucht inademen als Bradley Whitfield.'

'Voorlopig zal ik je door Casto met de stationcar laten brengen,' zei tante Isabela.

'Een Mexicaanse arbeider brengt me naar school in die ouwe rammelkast die we gebruiken voor leveranties en afval?'

'Als je wat meer je best had gedaan om je rijbewijs te halen, Sophia, had je zelf kunnen rijden.'

'Nou, waarom laat je háár niet door Casto brengen en mij door Garman? Ze zouden samen Spaans kunnen spreken. Dat zou gemakkelijker voor haar zijn.'

'Ik wil dat Garman op haar past. Als hij in de buurt is, zal Bradley of een andere gek zelfs niet naar haar durven kijken.'

'Maar...'

'Dit is definitief.'

'Ik ga niet naar school. Ik blijf thuis.'

'Je gaat, anders ontneem ik je alle privileges die je hebt. Stel me niet op de proef,' waarschuwde tante Isabela.

Sophia keek woedend naar mij, toen naar haar bord en vouwde haar handen terwijl ze diep ademhaalde. 'Oké, moeder, maar wat ga je doen aan Delia's situatie?'

'Wat voor situatie?'

'Haar verkrachting, moeder. Ze kwam vlak voor het eten naar mijn kamer en vroeg me jou te vragen naar de politie te gaan.'

'Wát?' Tante Isabela keek naar mij.

'Heb je me niet gevraagd het haar te vragen?' vroeg Sophia voordat tante Isabela iets kon zeggen. Ze knikte om me te beduiden dat ik ook moest knikken, maar voordat ik dat kon doen, draaide tante Isabela zich met een ruk om naar Sophia.

'Ik ben niet van plan deze familie en onze reputatie in een of ander walgelijk rechtbankdrama te verwikkelen. Ben je helemaal gek geworden? Wil je onze naam in alle kranten zien? Wil je dat ik door iedereen word gemeden?'

'Hij hoort dit niet ongestraft te kunnen doen,' gilde Sophia. 'Zij wil dat je het doet.'

Tante Isabela richtte zich tot mij en vroeg me in het Spaans of ik dat aan Sophia had gevraagd. Ik keek naar Sophia. Ze knikte naar me om me aan te sporen. Ik deed wat ik kon om de situatie op een diplomatieke manier te redden. Ik vertelde tante Isabela slechts dat we erover hadden gesproken, maar zei niet dat ik het haar gevraagd had.

'Er is geen sprake van,' zei ze tegen Sophia. 'Je zult op een andere manier wraak moeten nemen, Sophia.'

Sophia mompelde iets en bleef de rest van de maaltijd mokkend kijken. Zodra we klaar waren met eten stond ze op en liep de kamer uit.

Tante Isabela keek naar mij. 'Edward wordt morgenochtend geopereerd,' zei ze. Ik vroeg me af waarom ze het Sophia niet verteld had. 'Hij krijgt de beste oogchirurg in deze staat.'

'Ik zal voor hem bidden,' zei ik. 'Ik zou met u naar de kerk willen om te bidden, *tía* Isabela.'

'Met mij naar de kerk? Laten we niet overdrijven, Delia. Je staat er hier nu goed voor. Je hoeft alleen maar te doen wat ik je gevraagd heb.'

Ze stond op en ik volgde haar voorbeeld.

'Zaterdagochtend ga ik met je naar de kledingzaak waar ik een vaste klant ben en kopen we vast een paar van de kleren die ik je beloofd heb. Je zult iets moois kunnen aantrekken voor dat... fiesta,' zei ze, alsof het iets weerzinwekkends was. 'Ik weet zeker dat jij het best gekleed zult zijn.'

Ze keek naar de deur en toen weer naar mij.

'Ik wil weten of die dochter van mij aan de drugs is, ook al is het maar marihuana. Laat het me onmiddellijk weten,' zei ze en liep weg.

Inez kwam binnen om de tafel af te ruimen. Uit macht der gewoonte begon ik te helpen, maar señora Rosario verscheen in de deuropening en hield me tegen.

'Dat hoeft niet meer,' zei ze. 'Profiteer van haar edelmoedigheid zolang je kunt. Geloof me,' ging ze verder, 'het zal niet lang duren.'

Hoe kwam het dat ik niet het gevoel had dat er sprake was van enige edelmoedigheid?

Misschien gaf een van oma's uitdrukkingen het antwoord. Ik opperde het tegen señora Rosario.

'*No es el que puede dar pero el que quiere dar*. Het is niet degene die kán geven maar degene die wíl geven.'

Señora Rosario lachte.

Vreemd, dacht ik, maar dit was de eerste keer dat ze lachte om iets dat ik had gezegd of gedaan.

Zelfs Inez glimlachte.

Ik ging naar mijn kamer om mijn huiswerk te maken.

Ik was nog niet binnen, of Sophia kwam achter me aan en deed de deur dicht.

'Je hebt niet erg geholpen met moeder,' zei ze. 'Je hebt niet geknikt', ging ze verder, om het goed tot me te laten doordringen. 'Geeft niet. Ik verzin wel iets om het Bradley betaald te zetten. Je wilt toch dat hij zal lijden, hè? Dat wil je toch? Begrijp je? Bradley laten lijden. Ken je het woord lijden?'

'Ja, maar God zal hem laten lijden,' zei ik.

'Dat weet ik, maar er is geen reden waarom we God niet een handje zouden helpen, toch? Hij zal het op prijs stellen. Hoor eens,' zei ze glimlachend, 'het spijt me dat ik onaardig tegen je was toen je kwam. Je bent mijn nichtje... wat is *nicht* in het Spaans?'

'*Prima*.'

'Precies. Jij bent mijn *prima*. We moeten voor elkaar zorgen, elkaar helpen, oké? *Sí*?'

'Ja.'

'Goed. We kunnen goeie maatjes worden. Je kunt zaterdagavond met me uitgaan.'

'Zaterdagavond?'

'Ja. Er is een party. Bradley komt ook, en...'

'Nee, zaterdag ga ik naar een fiesta.'

'Een fiesta? Waar?'

'*Mi amigo* Ignacio... *el cumpleaños de su hermana*.'

'Wat is dat? In het Engels alsjeblieft.'

'Zijn zusje, een verjaardag.'

'Ignacio? Was hij niet die jongen die Bradley een aframmeling heeft gegeven?'

'Ja.'

'Hij vindt je aardig, hè?' zei ze lachend. 'Weet je dat?' Ze tuitte haar lippen tot een kus.

Ik bloosde. '*Quizás*. Misschien.'

'Ja, misschien. Ik weet zeker dat hij je vriendje wil zijn.'

'*Quizás*.'

'*Quizás, quizás*. Ik weet het wel zeker, anders zou hij je niet uitnodigen voor een fiesta.' Ze dacht even na. 'Weet hij wat er met je gebeurd is? Alles? Weet hij álles?'

'Nee, niet alles.'

'Wat dan, alleen wat Bradley probeerde je te laten doen met die andere jongens?'

'*Sí*.'

'Maar hij was erg kwaad, razend, toen hij dat hoorde, toch?'

'Kwaad, ja. Hij keek alsof... alsof *él le mataría*.'

'Wat? Engels. Zeg het in het Engels.'

'Vermoorden... hem zou vermoorden als hij hem vond.'

'Goed. Vertel me waar je fiesta wordt gehouden. *Dónde* fiesta, oké?'

'*Por qué*... waarom?'

'Laat dat maar aan mij over. Ik sta aan jouw kant, weet je nog? Ik ben je *prima*.' Ze lachte. 'Hier,' zei ze en deed haar prachtige met diamanten bezette gouden armband af. Ze pakte mijn arm en bevestigde de armband om mijn pols. 'Je moet er nu goed uitzien. Je bent mijn *prima*.' Ze maakte de sluiting vast. 'Zie je? Mooi, hè?'

'Ja, maar hij is van jou.'

'Nu niet meer. Nu is hij van jou. Denk eraan. *Dónde* fiesta?' Lachend liep ze de kamer uit.

Ik staarde naar de fraaie armband. Ik wist genoeg van juwelen om te weten dat hij *mucho dinero* waard was. De prijs ervan zou oma een jaar, misschien zelfs wel twee, van voedsel en de eerste levensbehoeften voorzien. Ik staarde ernaar, denkend aan al het werk, al het *mole* dat ze zou moeten doen om zoveel geld te verdienen. In een oogwenk, bijna zonder erbij na te denken, had Sophia hem aan mij gegeven. Ze had geen idee wat dat bedrag betekende in Mexico, dat een deel van haar erfgoed was, ook al had tante Isabela haar ervan weerhouden zo te denken. Het waren niet alleen nationale grenzen die ons hadden gescheiden. Ik had heel wat meer overschreden dan een grens toen ik naar Amerika ging en in dit huis en in deze familie belandde.

Als ik wel eens klaagde dat ik mijn andere familie nooit zag, glimlachte oma en vertelde me wat haar grootmoeder altijd zei: *Más vale amigos cercanos que parientes lejanos.* Beter een naaste vriend dan een verre verwant.

Terwijl ik bleef staren naar de armband, gefascineerd door de schoonheid en waarde ervan, vroeg ik me af of ze gelijk had gehad. Misschien had ik mijn familie op verre afstand moeten houden.

Maar natuurlijk had ik geen keus gehad.

Ik liep naar het raam en keek uit over het fraaie landgoed, dat nu baadde in het zilveren maanlicht; het leek bijna iets uit een droom, en ik dacht eraan hoe simpel, hoe gemakkelijk het zou zijn geweest om hier niet te zijn.

Als papa die ochtend maar iets langer had getreuzeld en wat later op weg was gegaan. Als mama nog maar één ding had moeten doen voor ze het huis verliet. Als een andere auto ze maar had vertraagd of als papa onderweg had moeten stoppen omdat hij iets vergeten was. Als die dronken chauffeur maar iets langzamer had gereden.

Waarover hadden mijn ouders gepraat vlak voor het ongeluk? Over mijn feest, mijn verjaardag, hoe snel de tijd voorbijging en hoe snel ik was opgegroeid? Waren ze er blij om of triest? Dachten ze aan mijn toekomst, maakten ze plannen om nog meer voor me te doen? Waren ze net zo hoopvol als altijd, lieten ze hun fantasie de vrije loop? Lachten ze? Boog mama zich naar hem toe om hem een zoen te geven?

Riepen ze om me op dat afschuwelijke moment toen ze wisten wat hen wachtte?

Ik kon ze nu horen. Ik kon hun stemmen horen.

Naar welk oord waren ze overgestoken? Waar het ook was, dachten ze evenveel aan mij als ik aan hen?

Ik keek op de klok. Oma zou nu in Mexico liggen slapen. Haar kennende had ze mijn lege bed waarschijnlijk welterusten gewenst.

'*Buenos noches, abuela* Anabela,' fluisterde ik.

En toen knielde ik bij mijn bed en bad voor Edward en, zoals ik zeker wist dat *mi abuela* Anabela gewild zou hebben, ook voor *tía* Isabela en voor Sophia en natuurlijk voor *abuela* Anabela, voordat ik voor mezelf bad.

Ik ging slapen met de armband nog om mijn pols. Ik voelde me schuldig omdat ik hem had aangenomen, maar ook veilig door de waarde ervan.

Voorlopig, besefte ik, als ik morgen wegging, terug zou vluchten naar Mexico, zou ik met iets meer thuiskomen dan alleen mijn naam.

Wat ik bij die uitwisseling had verloren en wat ik nog meer zou kunnen verliezen, was de tol die ik moest betalen voor het overschrijden van mogelijk verboden grenzen.

14

Een waarschuwing

Toen ik buiten kwam om naar school te gaan, kon ik zien dat señor Garman niet blij was met de opdracht bij de auto op me te wachten. Hij leunde tegen de Rolls-Royce met over elkaar geslagen armen, zijn handen om zijn ellebogen. Hij keek me kwaad aan toen ik dichterbij kwam. Het licht van de ochtendzon, ongehinderd door ook maar één wolkje, danste over het glimmend gepoetste metaal om hem heen. Hij had tante Isabela naar het ziekenhuis gebracht om de uitslag van Edwards operatie af te wachten en was toen teruggereden.

Iedereen in huis wist nu wat er gaande was, wist dat dit de ochtend was van Edwards kritieke oogoperatie. Sophia was razend dat haar moeder het haar de vorige dag niet had verteld. Toen ze vroeg of ik het wist, knikte ik, wat haar nog kwader maakte.

'Dus nu ben ik de lijfwacht van een Mexicaanse tiener,' mopperde señor Garman. 'Hoe heb je mevrouw Dallas weten over te halen?' vroeg hij. Ik wist niet precies wat hij zei, dus gaf ik geen antwoord. Hij bromde wat en opende het portier.

Een paar dagen geleden moest ik een eind naar de bus lopen om naar school te gaan, en nu werd ik gebracht door een chauffeur in een auto die misschien net zoveel waard was als alle auto's bij elkaar in mijn dorp. Ik zat stijf rechtop te wachten tot hij was ingestapt en weg zou rijden. Voor het zover was, zag ik Casto Flores voorrijden in de dofbruine stationcar. In het achterspatbord zat een flinke deuk en de auto zag eruit of hij eens goed schoongemaakt moest worden.

Sophia kwam naar buiten en keek naar de Rolls-Royce en toen naar de stationcar voordat ze verontwaardigd de trap afliep om in te stappen. Ze keek alsof ze haar neus dichtkneep. Het scheen señor Garman te amuseren.

'Jij zit hierin en de prinses daarin. Vertel me je geheim,' zei hij.

Mijn geheim, dacht ik, is om het vertrouwen te winnen van mijn neef en nicht, en dan hun geheimen te verraden.

Bij het zien van de goudkleurige Rolls-Royce met een chauffeur die een arm Mexicaans meisje naar de openbare school bracht, werden niet alleen de wenkbrauwen opgetrokken, maar stopten ook de gesprekken en alle activiteit op het parkeerterrein en het schoolplein. Ik geneerde me toen señor Garman om de auto heenliep en het portier voor me openhield. Ik stapte uit met mijn schoolboeken onder mijn arm geklemd en hield mijn ogen neergeslagen. Hij vroeg hoe laat ik uit school kwam aan het eind van de dag en ik vertelde het hem zo haastig, dat hij het me liet herhalen. Toen haastte ik me naar de ingang. Ik wist zeker dat ik liep als een Japanse geisha. Ik hoorde wat honend gelach, maar negeerde het.

Maar het nieuws van mijn luxueuze vervoer naar school ging me bliksemsnel vooruit en ik hoorde leerlingen aan elkaar vragen wie ik was. Daarvóór was ik nooit meer geweest dan een voorbijvliegende schaduw, een van de vele Mexicaanse leerlingen, die de moeite niet waard waren. Niemand had zelfs maar mijn naam gevraagd of me meer dan een vluchtige blik gegund. Ik had me onzichtbaar gevoeld. Nu was ik het middelpunt van de aandacht.

De ramen van het lokaal Engels keken uit op het parkeerterrein, dus hadden de leerlingen die er al eerder waren, gezien dat ik in de Rolls-Royce van mijn tante naar school werd gebracht. Ignacio's gezicht was één groot vraagteken en señorita Holt keek me met een merkwaardige blik aan, bijna alsof ik haar op de een of andere manier had bedrogen. Ik ging gauw zitten en ze maande de klas tot rust. Ondanks al het werk dat we opkregen, voelde ik nieuwsgierige blikken op me gericht.

Pas in de middagpauze kon ik met iemand praten, maar alleen Ignacio had enig idee waarom ik op deze manier naar school werd gebracht. Maar híj dacht dat het iets te maken had met Edwards ongeluk. Ik vertelde hem dat mijn tante mij en haarzelf op deze manier mogelijke verdere schande wilde besparen. Ik vertelde hem meer over Edwards verwondingen.

'Het is goed van hem dat hij je tegen die jongens wilde beschermen. Ik maak me zorgen om mijn zusje, ik ben bang dat haar op een dag iets dergelijks kan overkomen. Daarom kunnen we beter bij onze eigen mensen blijven.'

Ik suste hem, en hij was blij toen ik hem vertelde dat mijn tante toestemming had gegeven om naar het fiesta voor de verjaardag van zijn zusje Rosalind te gaan.

'Ik kom je zaterdag om drie uur van de hacienda van je tante halen om je erheen te brengen,' zei hij, en zag toen plotseling de armband die Sophia me gegeven had. 'Waar heb je zo'n kostbaar sieraad vandaan?'

'Die heb ik gekregen van mijn nichtje Sophia. Ze wil nu vrienden met me zijn.'

Hij glimlachte sceptisch. Ik herinnerde me wat Sophia wilde weten.

'Waar woon je precies?'

Hij gaf me het adres en voegde er snel aan toe: 'Ik moet je iets vertellen over *mi abuela* die bij ons woont. Ze komt oorspronkelijk uit San Cristóbal de las Casas en gelooft nog in dingen die je misschien vreemd zult vinden. Ze vergeet tegenwoordig waar ze is. Ze kan je misschien vragen welk dier je spirituele dubbel is.'

'Wat betekent dat?'

'Een grappig geloof. Het geloof dat je je lot deelt met een dier.'

'Als er een dier is dat mijn lot deelt, heb ik medelijden met dat arme dier.'

Hij lachte. 'Vertel haar dat je dubbel een margay is. Dat hoort ze graag.'

'Een margay? Die lijkt op een gevlekte kat. Doe ik je denken aan een kat?'

'Ze is dol op katten en vooral op margays. Weet je iets over San Cristóbal? Het ligt in de staat Chiapas, en alle stammen spreken talen die ontleend zijn aan de Maya's.'

'Ik moet tot mijn schande bekennen dat ik niets over ze weet of zoveel van de Mexicaanse geschiedenis als ik zou horen te weten.'

'Daar hoef je je niet voor te schamen. Ik weet het ook alleen maar van mijn oma. Maar laat niemand je een schaamtegevoel geven. Luister maar eens naar de *gringo's* als ze het over hun eigen geschiedenis hebben. Ze weten er zo weinig van. Ze zijn rijker, machtiger dan wij, maar niet beter.'

'Dat heb ik nooit beweerd, Ignacio.'

Hij knikte en ik dacht dat dit het was wat hem dwarszat, die onderliggende woede, die hem onwillig maakte om Engels te leren.

'Misschien kunnen wij ze helpen,' zei ik lachend, 'door hun wat van onze rijke cultuur te geven. Wij zijn ouder.'

Eindelijk moest hij even lachen.

'Ik verheug me zo op het fiesta. Ik mis de fiesta's waar ik thuis zo van genoot,' zei ik.

Zijn ogen begonnen te glanzen, en we gingen terug naar de klas. Aan het eind van de dag stond señor Garman te wachten met de Rolls-Royce. Hij stond op dezelfde manier, turend naar alles en iedereen toen de leerlingen uit de school naar buiten kwamen. Ignacio, die met me mee was gelopen, bekeek hem achterdochtig.

'Hij ziet er inderdaad uit als een lijfwacht,' zei hij. 'Ik dacht dat je tante niet erg welwillend stond tegenover je problemen hier. Waarom wil ze je nu zo graag beschermen? Zijn er nog meer bedreigingen geweest?'

'Nee, nee. Ze wil zichzelf beschermen,' zei ik.

Hij keek me verward aan. 'Zichzelf?'

'Haar goede naam.'

'O, ja, ik begrijp het.' Hij dacht even na en zei toen: 'Ik hoop dat ze zich niet zal ergeren als ik kom aanrijden in de oude truck van papa.'

'Dat zal ze niet, ze zal haar ogen bedekken,' antwoordde ik, en hij lachte weer. 'Tot morgen.'

Haastig liep ik naar de auto.

'Hoe gaat het met Edward, señor Garman? Zijn oogoperatie. Is die gelukt?'

'Niemand vertelt me iets,' zei hij, terwijl hij het portier opende.

Ik stapte snel in. Ignacio stond nog op dezelfde plaats en keek naar ons. Hij boog zijn hoofd en liep weg vlak voordat señor Garman de motor startte. Achter ons zag ik een paar leerlingen die lachend over me stonden te praten.

Ik had medelijden met mijn spirituele dier.

Sophia was al thuis toen ik kwam. Ze zat in de zitkamer tegenover tante Isabela, die een glas witte wijn dronk. Ik zag dat er weer een brief van oma Isabela voor me lag op het tafeltje in de hal en pakte die snel op. Toen liep ik naar de zitkamer.

'Hoe gaat het met Edward?' vroeg ik.

'Ik ben emotioneel uitgeput door dit alles,' zei tante Isabela in plaats van antwoord te geven. 'Ik drink even een glas wijn om bij te komen.'

Ik bleef staan wachten. Ze keek naar Sophia, die sarcastisch lachte en aan haar rok frutselde.

'Je hebt gezegd dat ik moest gaan zitten, en dan zou je me alles vertellen, zodra Delia thuiskwam, moeder. Ik zit, en ze is hier, dus vertel.'

'Realiseer je je wel eens hoe onhebbelijk je kunt zijn, Sophia? Denk je ooit wel eens aan de indruk die je maakt op anderen?'

'O, alsjeblieft, niet weer zo'n stomme preek.'

'Nee, dat heeft geen zin. Je hebt gelijk. Ga jij ook op de bank zitten, Delia,' ging ze verder. Ik gehoorzaamde en nam plaats naast Sophia.

'Edwards chirurg is niet optimistisch over Edwards rechteroog. Hij heeft wel hoop dat het linker bijna volledig zal genezen.'

'Wat is optimistisch?' vroeg ik.

'Dat er geen goede vooruitzichten zijn dat het oog zal genezen,' legde tante Isabela uit.

'Wat wil dat zeggen? Dat hij een van die zwarte lapjes moet dragen zoals een piraat of zo?' vroeg Sophia.

'Dat is nu nog niet te zeggen, Sophia. Alles wat er gedaan kan worden, wordt gedaan.' Tante Isabela zweeg even en keek naar mij. 'Is dat jouw armband die ze draagt?'

'Ja,' zei Sophia zo vriendelijk als in haar vermogen lag. 'Ik heb hem aan haar gegeven als een verlaat welkomstcadeau, vooral na die afschuwelijke dingen die haar zijn overkomen.'

'O, ja? Die armband was een van je speciale verjaardagscadeaus verleden jaar, Sophia. Heb je enig idee wat die kost?'

'Ach, hij blijft in de familie, moeder. Toch? Ze is de dochter van je zus.'

Tante Isabela keek haar kwaad aan.

'Wat is er?' vroeg Sophia, die bestand was tegen onderzoekende blikken.

'Je voert iets in je schild, Sophia. Iets dat niet deugt. De laatste keer dat je aardig was voor iemand was toen je nog in de wieg lag.'

'Leuk hoor, moeder. Zijn we klaar hier? Ik moet huiswerk maken.'

'Ja, we zijn klaar,' zei tante Isabela, en Sophia stond op.

'Nog één ding.'

'Ja?'

'Je broer komt overmorgen thuis. Hij hoeft niet in het ziekenhuis te blijven om te herstellen. Als hij thuis is, wil ik niet dat je hem ergert, hem plaagt, of ook maar iets doet wat spanning bij hem veroorzaakt, begrepen?'

'Dat zou ik nooit doen, moeder. Ik vind het vreselijk wat hem is overkomen.'

'Ja, vast wel.'

'Het ís zo,' riep ze uit. Haar gezicht vertrok en ze dreigde in tranen uit te barsten.

'Ga nu maar je huiswerk maken, Sophia. Ik ben te moe voor die aanstellerij van je.' Tante Isabela nam nog een slok wijn.

Sophia keek even naar mij met tranen in haar ogen en holde de kamer uit naar de trap. Misschien, diep in haar hart, hield ze echt van haar broer, dacht ik. Ik voelde me bedroefd voor haar en door de manier waarop tante Isabela haar bejegende. Hoe kon ze ooit goed worden als er telkens wanneer ze probeerde goed te zijn, aan haar getwijfeld werd?

Ik wilde opstaan.

'Ga nog niet weg,' zei tante Isabela, en ik ging weer zitten. 'Wat heeft ze je gevraagd te doen voordat ze je die armband gaf? Waarvoor betaalt ze je?'

'Niets,' zei ik. Ze had me niet gevraagd iets voor haar te doen.

'Het bevalt me niet. Ik ruik rottigheid. Vertrouw haar niet,' zei ze.

Hoe kon een moeder zo geringschattend denken over haar eigen dochter? Gewoonlijk waren moeders erom berucht dat ze blind waren voor de zwakheden en fouten van hun kinderen.

'Denk eraan,' ging ze verder. Met één slok dronk ze de rest van haar wijn, en stond op. 'Ik heb je gewaarschuwd.'

Ze draaide zich om en liep de kamer uit. Ik bleef zitten en vroeg me af of ik niet van de regen in de drup was gekomen. Na een ogenblik stond ik op en ging naar boven naar mijn kamer. Ik wilde meteen de brief van *abuela* Anabela lezen, maar ik was nog geen minuut binnen of Sophia verscheen. Ze deed de deur zachtjes achter zich dicht. Ik stopte de brief in mijn schoolboek en keek op.

'Heb je dat gehoord?' vroeg ze, terwijl ze haar ogen afveegde met een zakdoekje. 'Heb je gehoord wat er met mijn broer Edward is gebeurd? Hij raakt een van zijn ogen kwijt!' Ze legde haar hand op haar rechteroog om het te benadrukken.

'Ja, dat is heel droevig,' zei ik.

'Het is meer dan droevig. Het is afgrijselijk.' Ze smeet het zakdoekje op de grond. 'En het is allemaal de schuld van Bradley Whitfield. Ik haat hem. Ik haat de lucht die hij inademt.' Ze draaide zich snel naar me om. 'En jij? Haat jij hem niet?'

'Ik wil hem nooit meer zien,' antwoordde ik. Het kwam het dichtst bij zeggen dat ik hem haatte.

'Je bent te goed,' zei ze. Het klonk als een beschuldiging. 'Je komt toch niet met gezeik dat we moeten vergeven, hè? Ik weet dat je veel geloviger bent dan ik, maar dat kun je niet maken. Dat kún je gewoon niet, niet nu mijn broer in het ziekenhuis ligt en een oog kwijtraakt. Een oog!'

'Ik heb gehoord dat vergeven goed is, maar ze hebben ook gezegd *perdonar a una persona mala es de permitirlo a ser malo*.'

'Wat betekent dat in godsnaam, Delia? Je weet dat ik niet verder kom dan *buenas noches*.'

'Het betekent dat een slecht mens vergeven is dat je toestaat dat hij slecht is.'

Ze glimlachte. 'Ja, dat lijkt er meer op. We kunnen hem niet vergeven. Ik ben het helemaal met je eens. We mogen niet toestaan dat Bradley slecht is. Precies. Ik wist wel dat je oké was.' Ze staarde even naar de grond en perste haar lippen zo stevig op elkaar dat het leek of haar bolle wangen elk moment konden exploderen. 'Hoe zit het met het fiesta voor Ignacio's zusje? Waar is het?' Ze keek onderzoekend naar me op.

Ik vertelde haar het adres

'Dat lijkt op Little Tijuana. Goed. Ga erheen.'

'Waarom wilde je dat weten?'

'Doet er niet toe. Maak je geen zorgen. Ik zal voortaan beter voor je zorgen en niemand meer van je laten profiteren. Ik beloof het je.' Ze lachte en omhelsde me plotseling. 'Arme Edward,' zei ze. Ze wiste weer een traan weg en zei: 'Ik spreek je later nog.' Haastig ging ze weg, alsof ze iets belangrijks vergeten was.

Verward en geamuseerd keek ik haar na. Sophia had me omhelsd en gezegd dat ze voor me zou zorgen, maar had tante Isabela gelijk dat ik haar niet moest vertrouwen? Waarom was alles hier zo gecompliceerd? Het leek of ik op een toneel stond. Iedereen speelde een rol, en je wist nooit wie iemand in werkelijkheid was. Het bracht me in herinnering hoe simpel het leven in Mexico was geweest. Gretig opende ik oma's brief. Deze was korter en haar handschrift was moeilijker te lezen.

Mijn lieve Delia,

Je zult wel heel prettige dingen doen daar, en zoals ik had gehoopt, heb je het hart van je tante Isabela veroverd. Vandaag kreeg ik weer een cheque van haar advocaat in Californië. Ik heb hem bij de andere gelegd, en zodra ik kan, ga ik naar de bank, of misschien kan señor Cortez het voor me doen. Je weet dat hij graag wat verantwoordelijkheid draagt.

Je moet je geen zorgen maken over mij. Ik ben blij dat je zo gauw Engels leert. Je vader en moeder zouden erg trots en gelukkig zijn.

Señor Cortez heeft naar je geïnformeerd en was heel blij het goede nieuws te horen.

Met heel mijn hart,
Abuela Anabela

Ik las haar brief snel door. Dit korte contact met haar was nog pijnlijker dan helemaal geen contact, dacht ik, want het wekte alleen maar een hevig verlangen om haar stem te horen, haar gezicht te zien en haar in mijn armen te houden. In ieder geval vertelde mijn tante de waarheid. Ze stuurde haar geld. Mijn komst hier had tenminste iets goeds verricht.

Ik las en herlas de brief vijf keer voor ik hem opvouwde en bij de andere brief borg. Ik streelde allebei met een teder gebaar, alsof ik oma's arm streelde en haar zag glimlachen. Ik sloot mijn ogen en kon zelfs haar kus op mijn voorhoofd voelen. Ik kon horen hoe ze tegen me fluisterde dat ze van me hield. Heimwee was als een dolksteek in mijn hart.

Het duurde even voor ik me op mijn huiswerk kon concentreren. Ik was mijn meeste klasgenoten inmiddels ver vooruit. Het laatste wat señorita Holt tegen me had gezegd voor ik na de les de klas uitging, was dat ik aanleg had voor talen. Ze gaf me ook een complimentje voor mijn uitspraak. Ze was zo zuinig met lof voor haar leerlingen dat een compliment als dit bemoedigend was. Het was het hoogtepunt van mijn verder moeizame dag.

Tijden het eten vroeg tante Isabela aan Sophia en mij of we met haar mee wilden om Edward te bezoeken. Sophia beweerde dat ze te veel huiswerk en een repetitie had. Tante Isabela keek naar mij en glimlachte, alsof ze wilde zeggen: Heb je ooit een grotere leugen gehoord? Ik zei dat ik meeging.

Opnieuw zaten we naast elkaar achter in de Rolls-Royce. Maar deze keer praatte tante Isabela in *español* tegen me tijdens de hele rit naar het ziekenhuis – señor Garman kon ons niet afluisteren, dacht ik.

'Sophia denkt graag dat ze een sterke, onafhankelijke vrouw is, maar ze is erg zwak als het op belangrijke dingen aankomt. Ze is niet opgewassen tegen moeilijkheden en tegenslag, en ze heeft een heel lage tolerantie voor pijn en ongemak. Ze haat verantwoordelijkheid. Het is de schuld van haar vader. Hij heeft haar door en door verwend tot aan de dag waarop hij stierf,' zei ze.

'Wanneer is hij gestorven?' vroeg ik. Ik durfde mijn mond bijna niet open te doen, bang dat ze niet verder zou praten als ik het waagde een vraag te stellen.

'Iets meer dan tien jaar geleden. Zij was vijf en Edward was zeven. Ik moet bekennen dat hij meer tijd met ze doorbracht dan ik, maar ik moest mijn tijd benutten om te leren een *norteamericana* te worden. Ik moest mezelf opvoeden om me sociaal te ontwikkelen, kundig te zijn op het gebied van kunst en kleren en eten. Ik had minder tijd voor Edward en Sophia dan mijn man. Bovendien waren de kinderen belangrijker voor hem.'

Hoe was het mogelijk dat kinderen niet belangrijker waren voor de moeder? Ik wilde het vragen maar had het lef niet.

'Door zijn ziekte was hij meer als een grootvader dan een vader voor ze.'

'Wat voor ziekte had hij?'

'Hij had zijn leven lang veel gerookt en had longemfyseem, zoals dat heet. Toen hij erachter kwam, waren zijn longen al ernstig aangetast. Het was deprimerend om hem te zien rondlopen met een draagbare zuurstoftank aan zijn lichaam gebonden en met die vreselijke dingen in zijn neus. Ten slotte kon hij de trap niet meer op. Hij moest in een logeerkamer beneden slapen. Niet dat ik hem nog in mijn slaapkamer duldde met al dat gesnuif en gehijg. Uiteindelijk duwde Edward hem overal naartoe in een rolstoel. In een paar weken werd hij jaren ouder.

'En zal ik eens wat stoms vertellen? Hij bleef tot aan zijn dood toe roken. Vertel dat maar aan je Mexicaanse vrienden die al op hun zesde beginnen met roken. Ontken het maar niet. Ik weet dat ik het heb gedaan toen ik daar woonde, en mijn vriendinnen ook, maar ik heb het altijd een smerige gewoonte gevonden. Je krijgt er gele tanden van.'

'Niet alleen Mexicaanse kinderen doen dat,' zei ik, maar ze negeerde me en bleef voortrazen over Sophia, die haar vader achteruit had zien gaan toen ze opgroeide, en die toch wegsloop om sigaretten te gappen of nog erger.

'Tot nu toe heb ik haar nog niet kunnen betrappen, ook niet op marihuana, maar ik weet dat ze het gebruikt. Het beste wat je voor haar kunt doen is haar ermee betrappen. Zodra je een van die joints ziet of hoe je ze ook noemt, kom je het me vertellen, begrepen? Je staat bij me in de schuld, en dit is hoe je die schuld kunt aflossen.

'Ze is te slim voor haar eigen bestwil. Niemand heeft zo'n slinkse, bedrieglijke dochter als ik. Ze zal ongetwijfeld iets ergs doen om haar familie te schande te maken. Dat moeten we voorkomen. We moeten onze familienaam beschermen, Delia,' zei ze, met de implicatie dat ik nu deel uitmaakte van de familie die beschermd moest worden. 'Als je íéts begrijpt van wat ik zeg, hoor je dit te begrijpen.

'Ik heb haar vaak genoeg gewaarschuwd. Ik heb haar verteld dat ik haar naar een opvoedingskamp zou sturen, waar ze zou worden opgesloten als ze op drugs betrapt werd, en dat zal ik doen ook. In het geheim natuurlijk. Ik duld niet dat mijn reputatie in deze gemeenschap onderuit wordt gehaald.

'Luister je naar me?' vroeg ze plotseling luid en nadrukkelijk.

'Ja, *tía* Isabela.'

'Dat zou ik maar doen, want ik kan jou ook elk moment wegsturen. Je zou kunnen eindigen in een federaal detentiekamp,' waarschuwde ze. 'O, ik heb het gevoel dat ik met mijn vinger in een gat van de dijk sta. Als hij wist dat hij niet lang meer te leven had, waarom moest hij ze dan zo verwennen en mij achterlaten met die puinhoop?'

Ze vroeg het niet aan mij. Vroeg ze het aan God? Waarom was nergens in huis een kruis of een religieus symbool te bekennen? Ik wist dat señor Dallas niet katholiek was, maar had hij dan helemaal geen religie? Durfde ik haar dat te vragen?

Ze staarde even uit het raam en draaide zich toen weer naar me om. 'Ik kan gewoon niet geloven dat ze je die armband zomaar heeft gegeven. Het enige wat Sophia weggeeft is verdriet en narigheid.'

Ik legde mijn hand op de armband. Misschien kon ik die beter niet dragen als ik bij tante Isabela was, dacht ik. Het maakte haar alleen maar kwaad en ongelukkig.

'Hoe komt het dat ik zit te wachten tot er weer een ramp gebeurt?' mompelde ze.

Weer voelde ik meer medelijden met haar dan met mijzelf.

Toen we bij het ziekenhuis kwamen, ging ze langzamer lopen en stond ze toe dat ik naast haar liep. Het personeel van het ziekenhuis dat ons zag begroette ons en wenste haar het beste met Edward. Hij lag nog steeds in een privékamer met een privéverpleegster, maar toen we door de gang liepen, zagen we haar in de zusterkamer lachen en praten met de andere verpleegsters.

'Prettig dat ik haar zoveel geld betaal om op Edward te letten,' zei tante Isabela nijdig.

Zodra Edwards verpleegster haar zag, kwam ze naar ons toe.

'Zijn vriend Jesse is bij hem,' vertelde ze. Ze gedroeg zich als iemand die de kantjes eraf loopt. 'Het zijn jongens, dus ik dacht dat ze graag even alleen zouden zijn om met elkaar te praten. Hij is nog niet helemaal bijgekomen, maar de misselijkheid is over.'

Tante Isabela gaf geen antwoord. Ze keek even naar mij, knikte alsof we een groot geheim deelden en liep naar Edwards kamer. Ik ging samen met haar naar binnen.

Jesse zat naast het bed en hield Edwards hand vast. Zodra we binnenkwamen, liet hij zijn hand los en stond op.

'Hallo, mevrouw Dallas,' zei hij.

Tante Isabela staarde hem zwijgend aan. Ik wist wat ze dacht – twee jongens hand in hand.

Jesse praatte door, struikelde zenuwachtig over zijn woorden. 'Hij is niet misselijk meer, maar hij is nog niet helemaal bij. Ik heb hem geholpen om wat te drinken. Dat vroeg de zuster. Hij heeft geen pijn, maar...'

'Hallo, moeder,' zei Edward.

'Edward.'

'Wie is er bij je?'

'Alleen Delia. Sophia maakte zich zorgen over haar huiswerk.'

'Mooi. Misschien wordt ze een betere leerling als ze mij blijft vermijden,' zei Edward. Jesse lachte. '*Hola*, Delia,' ging Edward glimlachend verder. '*Cómo está?*'

'*Bien*, Edward, en jij?'

'In optima forma, hè, Jesse?'

Jesse gaf geen antwoord

'Ik heb gehoord dat je hebt geregeld dat Delia naar school wordt gebracht en gehaald. Brengt Garman haar en haalt hij haar ook weer af?'

'Ja, Edward.'

'Dat is heel attent van je, moeder. Hoe vindt Sophia dat? Zij moet nu zeker met de bus.'

'Doe niet zo belachelijk, Edward. Casto brengt haar naar school.'

'Casto? En ze heeft geen trammelant gemaakt?'

'Dat heb ik niet gezegd,' merkte tante Isabela op. Edward lachte.

'Ik wil graag even alleen zijn met mijn zoon,' zei tante Isabela, 'om over zijn operatie te praten.'

'O, goed,' zei Jesse, en stond snel op.

'Waarom alleen?'

'Omdat ik dat graag wil, Edward.'

'Hé, ik hoor iets onheilspellends in je stem, moeder.'

Tante Isabela keek naar Jesse, die haastig in de richting van de deur liep.

'Ik zal even een flesje fris halen,' zei Jesse. 'Delia, wil jij ook wat?'

'Wat is het woord voor frisdrank, Delia?' vroeg Edward.

'Edward, vind je het goed als we het over wat serieuzere onderwerpen hebben? Ik heb nog een en ander te doen,' zei tante Isabela.

'Ik vind het niet erg als ze blijven om het nieuws te horen, moeder,' zei Edward. 'Ik meen het. Eerlijk gezegd, zou ik graag willen dat ze erbij zijn, als je het niet erg vindt.'

'Goed, als je daarop staat.' Ze liep dichter naar zijn bed toe. 'Voor het merendeel is je operatie goed verlopen, Edward, maar dr. Fryman is niet erg optimistisch over het herstel van je rechteroog.'

'Hoort dat niet oftalmistisch te zijn of zo?' vroeg Edward.

'Dit is geen grap, Edward. Je gedrag, je roekeloosheid, heeft een ernstig letsel tot gevolg gehad. Ik hoop dat je er iets van hebt geleerd. Om te beginnen was het niet aan jou om als een soort verontruste burger op Bradley Whitfield af te stormen om hem te straffen.'

'Hoezo? Zou jij er iets aan gedaan hebben, moeder? Trok je het je wel voldoende aan wat hij met Delia heeft uitgehaald?'

'Ik vrees dat ik niet zoveel informatie kreeg als jij, en als ik die informatie wél had gekregen, zou ik er beslist niet als een krankzinnige op af zijn gegaan. Er is een manier om iets te doen en een manier om iets niet te doen, maar helaas gaat het daar op het ogenblik niet om.'

'Maar dat is precies waar het om gaat. Dat hoort het te zijn. Delia is nu lid van de familie, van onze familie. Ze woont in ons huis. Ze heeft recht op onze bescherming. Het enige wat ik probeerde was daarvoor te zorgen.'

'O, alsjeblieft. Doe niet zo belachelijk en dramatisch, Edward. Je bent behoorlijk achteropgeraakt met je opleiding, je toekomst, je...'

'Je reputatie,' maakt Edward haar zin af.

Tante Isabela trok haar schouders naar achteren. 'Ik ben hier niet gekomen om ruzie met je te maken, Edward. We moeten ons nu concentreren op alles wat we kunnen doen om je te helpen. Ik ben bezig maatregelen te treffen om je thuis les te laten geven. Voorlopig kun je niet naar school.'

'Ik hoef thuis geen les te hebben. Jesse brengt me elke dag het huiswerk en werkt me bij.'

'Dat is nauwelijks –'

'Dat is wat ik wil, moeder. En ik verwacht dat Delia me nu Spaanse les zal geven. *El español*, Delia, *sí*?'

'Sí,' zei ik glimlachend.

'Onder de indruk, moeder? Jesse heeft wat Spaans voor me geleerd. We zijn allebei tot de conclusie gekomen dat we een elementaire kennis van die taal horen te hebben. Ik heb trouwens nooit begrepen waarom je dat belet hebt.'

'Dat is genoeg onzin,' zei tante Isabela. 'Ik ga nu met je artsen en verpleegkundigen praten en horen wat de plannen zijn voor je ontslag uit het ziekenhuis, welke medicijnen en instructies dr. Fryman zal geven. Ik verwacht dat je overmorgen thuiskomt.'

'We zien wel,' zei Edward.

Zodra ze weg was, stak Edward zijn hand uit en riep me. Ik ging naar hem toe en pakte zijn hand vast.

'Vertel eens hoe het vandaag op school ging,' zei hij. '*Cómo estaba la escuela hoy*? Wat zeg je daarvan, Jesse?'

'Indrukwekkend.'

'Ik wed dat je amigo's verbaasd waren dat je met een Rolls-Royce werd gebracht, hè, Delia?'

'Sí. Maar Sophia was het meest verbaasd.' Hij en Jesse lachten.

'Mooie armband, Delia,' zei Jesse. Omdat ik nog steeds Edwards hand vasthield, waren mijn pols en armband duidelijk te zien.

'Wat voor armband?' vroeg Edward. Hij betastte hem. 'Waar heb je die vandaan?'

'Die heeft Sophia me gegeven.'

Hij trok zijn vingers zo snel terug alsof hij zich aan de armband brandde.

'Sophia heeft jou iets gegeven? Die armband? Dat geloof ik niet. *No creo*,' zei Edward.

'Het ís zo.'

Hij draaide zich om naar Jesse. 'Ik zou maar oppassen, Jesse. Als mijn zus begint dingen weg te geven, is er iets niet koosjer.'

'Ik zal het doen. Wees maar niet bang,' zei Jesse.

Maar Edward keek plotseling onrustig.

'Misselijk?' vroeg Jesse.

'Ja, een beetje. Ik weet niet zeker of het de nawerking is van de operatie of van het bezoek van moeder.'

'Ik zal het de zuster vertellen,' zei Jesse en liep haastig de deur uit.

Edward pakte mijn hand weer vast. 'Wees op je hoede, Delia,' fluisterde hij. 'Weet je wat *op je hoede* betekent?'

'Sí, Edward.'

'Goed zo,' zei hij. 'Goed.' Zijn greep verslapte en hij draaide zich om. 'Je kunt nu beter weggaan,' zei hij. 'Ik voel me misselijk en dat kan erg onprettig zijn.'

'Oké. Ik vind het verschrikkelijk allemaal. Echt waar.'

'Ik weet het. Het is in orde.'

Ik ging weg op hetzelfde moment dat zijn verpleegster binnenkwam.

Jesse stond in de gang. Hij leunde tegen de muur en keek strak naar de grond.

'Jee,' zei hij toen ik dichterbij kwam. 'Hij raakt een oog kwijt. Ik weet dat we dankbaar moeten zijn dat hij het heeft overleefd, maar ik weet ook dat hij de schijn ophoudt, zich erg dapper voordoet en probeert *fierte*, sterk, te zijn.'

Hij keek alsof hij elk moment in tranen kon uitbarsten. Ik keek de gang door naar mijn tante, die nog stond te praten met een arts. Ze zou het bepaald niet op prijs stellen dat een jongen zo emotioneel werd, dacht ik, vooral niet met al die achterdocht van haar. Ik legde mijn hand op zijn arm.

'We zullen hem wel helpen,' zei ik. 'Maak je niet ongerust.'

Hij glimlachte. 'Ja, dat zullen we. Goed dat je hier bent, Delia.'

Ik moest heimelijk even lachen, want ik dacht dat hij misschien wel de enige was die dat echt geloofde.

15

Spion

'Vertel me niet,' zei tante Isabela later toen we in de Rolls-Royce zaten op weg naar huis, 'dat Jesse gewoon vrienden wil zijn met mijn zoon. Ik heb die Jesse Butler nooit vertrouwd. Hij hangt altijd rond bij ons huis en bij Edward. Zijn ouders wonen hier nog niet zo lang. Ik heb zo'n idee dat ze uit Orange County verhuisd zijn wegens een of ander duister geheim, iets dat misschien verband houdt met hem. Hij is gewoon... hij is er het type voor.

'Natuurlijk,' ging ze verder, 'wil ik het beste geloven van mijn zoon. Je bent erg betrokken bij je kinderen. Je wordt verantwoordelijk gesteld voor alles wat ze zeggen en doen. Maar ik weet dat de druk van leeftijdgenoten meestal sterker is dan van de ouders. Je wordt altijd beoordeeld naar de vrienden die je hebt. Vergeet dat niet. Dat gaat vooral op voor de kringen waarin ik verkeer. Iedereen is bereid de eerste steen te werpen, en geloof me, niemand is zonder zonde.'

Ze keek naar me en knikte toen.

'Je zult het snel moeten leren, Delia. Zorg dat je een harde huid krijgt, zoals ik. Ja, die heb ik gekregen.' Ze knikte en keek weer voor zich uit. 'Ik laat mensen geen oordeel over me vellen. Niemand is beter dan ik, en dat laat ik ze ook duidelijk weten. De eerste keer dat een van mijn zogenaamde vriendinnen me uitlachte omdat ik geboren was in een gehucht van niks in Mexico, vloog ik haar zo gauw naar de keel dat ze bijna stikte in haar woorden. Zo zijn ze hier.' Ze keek weer naar mij. 'Iedereen vindt het prachtig om een ander onderuit te halen. Ze zijn gewoon jaloers, stuk voor stuk. Weet je, als een van die geweldige vriendinnen van me er lucht van kreeg dat er iets meer aan de hand was tussen mijn zoon en Jesse Butler...'

Ze zweeg even en bleef voor zich uit staren, alsof ze in gedachten verdiept was.

Hoe kon ze hen als vriendinnen blijven beschouwen als ze zo graag een manier wilden vinden om haar te kwetsen? Zat ze zo wanhopig verlegen om vrienden, zelfs met alles wat ze had?

Ze draaide zich met zo'n ruk naar me toe dat het leek of ze mijn gedachten kon lezen, maar ze dacht aan iets anders, aan iets angstwekkends.

'Edward vindt je aardig, Delia. Dat is duidelijk. Hij vindt je, hoop ik, ook aardig in mannelijk opzicht. En doe maar niet of je niet begrijpt wat ik zeg,' ging ze snel verder toen ik wilde protesteren. 'Ik heb hem nog nooit zo emotioneel gezien over wie dan ook. Hij zou beslist niet zo halsoverkop achter iemand aangaan om zijn zus te beschermen. En ondanks wat er gebeurd is, gelooft hij nog steeds dat het juist is wat hij heeft gedaan. Zijn gevoelens voor jou gaan heel diep.

'Schei uit met dat nee schudden. Je weet net zo goed als ik dat een volle neef en nicht meer kunnen zijn dan alleen verwanten. In Mexico mogen ze volgens de wet zelfs trouwen. Ik zie ook hoe jij naar hem kijkt. Het feit dat hij je neef is verandert daar niets aan. Je vindt hem knap en aantrekkelijk.'

'Hij is knap, ja, maar...'

'Ik ken die uitdrukking op het gezicht van een meisje als ze een knappe jongen ziet. Geloof me, ik weet er alles van.'

Ik schudde heel nadrukkelijk mijn hoofd.

'Maak je maar niet ongerust, Delia. Ik ben niet kwaad en ik vraag je niet iets te doen, maar omdat hij zich kennelijk tot je aangetrokken voelt, zou ik graag willen dat jij de stemming voor me peilt.'

'De stemming peil? Ik begrijp het niet, *tía* Isabela. Echt niet.'

Ze boog zich dichter naar me toe, met een behoedzaam oog op señor Garman, ook al sprak ze nog in het Spaans.

'Ik wil dat je hem seksueel verleidt om te zien of hij wel iets voor meisjes voelt.'

Wat wilde ze suggereren?

'Ik begrijp niet wat u bedoelt, *tía* Isabela.'

'Hou op! Je weet precies wat ik bedoel. Ik weet zeker dat je de helft van de tijd in die modderpoel van een dorp hebt doorgebracht met het verleiden van jongens. Doe niet zo onschuldig. Dat heb ik je al eerder gezegd.'

'Ik heb nooit een jongen verleid. Ik doe niet onschuldig, maar wat u vraagt...'

'Je doet het, en je doet het meteen,' zei ze. Ze had al snel een plan klaar. 'Zolang zijn ogen verbonden zijn, zal ik erbij zijn om jullie gade te slaan.'

'Ik doe niet net alsof. Ik weet echt niet wat u van me verlangt, *tía* Isabela.'

'Maak je geen zorgen. Ik zal je precies vertellen wat ik wil dat je doet. Als het nodig is, zal ik het voor je uittekenen.'

Ik bewoog weer ontkennend mijn hoofd, maar ze keek niet naar me. Ze praatte door en keek recht voor zich uit.

'Mijn man zou zich in zijn graf omdraaien als hij dacht dat er ook maar een greintje verdenking bestond jegens zijn zoon. Hij zou het veel persoonlijker opvatten dan ik. Die man was een en al testosteron. Hij liet zijn blik altijd dwalen. En vrouw kon niet vóór hem lopen zonder dat hij de bewegingen volgde van haar benen en heupen, ongeacht hoe ze eruitzag. Ik moest concurreren met elke vrouw die hij kon zien, ruiken, aanraken. En mijn genen zijn niet opvallend neutraal als het op mannen en seks aankomt,' ging ze verder. 'Edward had geen betere genen kunnen hebben als zijn ouders Antonius en Cleopatra waren geweest. Ik weet zeker dat hij niet met zo'n jongen als Jesse Butler zou omgaan als hij niet domweg misleid was, in de war gebracht misschien. Hij is niet zo spontaan jegens vrouwen of toont veel belangstelling voor ze, omdat hij uitzonderlijk verlegen is. Dat is alles. Uiteindelijk komt hij er wel overheen.' Meer dan iets anders klonk ze nu als een vrouw die een wanhopige poging doet zichzelf te overtuigen.

'Ik weiger iets anders te accepteren, maar ik moet het weten... om iets te kunnen doen. Begrijp je? Het spijt me dat het zover heeft moeten komen, dat ik jou hiervoor moet gebruiken, maar mijn kinderen zijn te gesloten geworden. Ik ben niet stom. Ik weet dat ze dingen voor me verbergen.'

Ik wist niet wat ik moest zeggen. Ik weet dat ik haar aankeek alsof ik dacht dat ze gek was geworden. Het maakte haar nog kwader.

'Ik heb een vriendin met een dochter die lesbisch is. Iedereen weet het, maar ze doet net of haar dochter weg is, ver weg. Ze heeft het nooit over haar, maar ze kijkt alsof... alsof ze zich schaamt. Ik zal me nooit door iemand zo'n schuldgevoel, zo'n minderwaardigheidsgevoel laten opdringen. Je doet wat ik zeg,' viel ze heftig uit. 'Werk me niet tegen, Delia. Ik kan jou en je grootmoeder een hoop moeilijkheden bezorgen. Ik heb vrienden in Mexico, die hoge posities hebben in de regering. Hoor je? Hoe denk je dat ik je zo snel hierheen heb gekregen? Ik heb kruiwagens, en ik zal niet aarzelen er gebruik van te maken.'

De tranen sprongen in mijn ogen en mijn keel voelde dichtgeknepen. Ik kon nauwelijks ademhalen in die auto zo vol woede en dreigementen. Ik knikte.

'Goed. Doe wat ik vraag en je wordt ervoor beloond. Doe het niet, en je zult de dag betreuren waarop je werd geboren... bijna,' voegde ze er fluisterend aan toe, 'net zo erg als ik.'

Ik keek haar verbijsterd aan. 'Waarom?' vroeg ik. 'Waarom zou u de dag betreuren waarop ik geboren werd?'

Ze zweeg.

Ik dacht dat ze geen antwoord zou geven, maar toen draaide ze zich weer naar me om, langzamer nu, doelbewuster. Ze keek me strak aan en zei: 'Op een dag, als je verliefd wordt, als je dat ooit wordt, zul je het begrijpen.'

Verder zei ze niets. De rest van de weg legden we in doodse stilte af, als rouwenden die naar een begrafenis reden.

Twee dagen later, op donderdag, kwam Edward thuis terwijl Sophia en ik op school zaten. Tante Isabela's woorden en dreigementen achtervolgden me dag en nacht, maar ik verlangde ernaar hem weer te zien. Jesse kwam eerder dan een van ons bij hem op bezoek en was bij Edward in zijn kamer toen ik thuiskwam. Zodra ik binnen was, werd ik door mijn tante bij de deur begroet, en ze vertelde het me.

'Ze zijn boven en hebben de deur op slot gedaan,' zei ze met een knikje naar de trap. 'Toen ik boven was, hoorde ik het klikken van het slot. Waarom zouden twee jongens achter een gesloten deur in een kamer willen blijven? Ik weet zeker dat die Jesse hem op slot wilde hebben, maar maak je maar niet ongerust. Edward zal natuurlijk tegen hem zeggen dat hij jou binnen moet laten.'

Ze pakte mijn arm vast en trok me dichter naar zich toe. Ze fluisterde, al was er niemand in de buurt. Haar ogen waren wijd opengesperd en er lag zo'n felle blik in, dat ik echt dacht dat ze gek was geworden.

'Let op elke beweging en elk gebaar van ze en probeer te luisteren naar alles wat ze zeggen. Je hebt genoeg Engels geleerd om het meeste te begrijpen. Ik ben in mijn werkkamer, waar ik een aantal papieren moet doornemen die mijn zaakwaarnemer me heeft gestuurd. Kom naar me toe zodra Jesse Butler weggaat of als je iets hoort of ziet dat serieus is.'

'En Sophia?'

'Die is weg om iets verkeerds uit te halen. Vanmorgen zei ze tegen Casto dat hij haar niet hoefde af te halen. Ze zei dat een van haar vriendinnen haar thuis zou brengen. Dat doet me eraan denken. Ik wil precies weten waar ze na schooltijd naartoe gaat en wat ze doet. Zie maar of ze het je wil vertellen,' beval ze en verdween naar haar werkkamer.

Duizelend bleef ik staan. Eerst was ik praktisch persona non grata hier en werd ik meer behandeld als een melaatse dan als een familielid, en toen werd ik plotseling, Joost mag weten waarom, de vertrouweling van mijn tante, haar plaatsvervangende ogen en oren, en moest ik diep in het leven van haar kinderen, in hun hart en hun ziel, dringen.

Ik ging naar boven zoals ze had bevolen, maar aarzelde of ik bij Edward aan moest kloppen. Ik had het gevoel dat ik een indringer was. Ik dacht dat hij zijn tijd liever zou doorbrengen met zijn vriend om te horen wat hij allemaal gemist had op school. Maar ten slotte klopte ik toch op de deur. Jesse opende hem op een kier om naar buiten te kijken. Toen hij mij zag, lachte hij opgelucht en deed de deur wijd open.

'Het is Delia!' riep hij.

'Alleen?'

Jesse keek langs me heen de gang in. 'Blijkbaar wel, Edward.'

Waarom moesten ze die deur eigenlijk op slot doen? Jesse gebaarde dat ik binnen moest komen.

'Hoi, Delia,' riep Edward zodra hij de deur achter me hoorde dichtvallen en Jesse hem weer afsloot.

'Hoe voel je je nu?' vroeg ik.

Hij zat rechtop in bed tegen twee reusachtige kussens. Zijn ogen waren nog verbonden, en al waren de brand- en schaafwonden in zijn gezicht niet meer zo rood, ze waren allesbehalve genezen. Hij had een lichtblauwe pyjama aan, waarvan het jasje bijna helemaal openstond. Ik wist niet dat hij ook een lelijke wond op zijn borst had; die zag ik nu voor het eerst.

'*Cómo está*, bedoel je,' zei Edward. 'We hebben Spaans gestudeerd. Laat het haar eens zien, Jesse.'

'Ik heb een cd met Spaanse lessen voor hem meegenomen. We hebben er allebei naar geluisterd en erop geoefend.' Hij liet me de cd zien, en ik las wat er in het Spaans op de cover geschreven stond. Het waren tien basislessen voor de elementaire uitdrukkingen. Ik gaf hem terug.

'Maar nu hebben we livelessen, Edward. Nu hebben we die niet meer nodig,' zei Jesse.

'Sí, *correcto*,' zei Edward lachend. De manier waarop ze zich gedroegen was nogal ongewoon, dacht ik, en toen ving ik een vleug van Jesses adem op.

Snel keek ik om me heen en zag dat ze tequila hadden gedronken. De fles en twee glazen stonden op Edwards nachtkastje.

'Drinken jullie tequila?' vroeg ik, naar de fles wijzend.

'Betrapt,' zei Edward.

'We hebben niet veel moeite gedaan om het te verbergen,' merkte Jesse op. Ze lachten weer. Het leek wel of alles wat iemand zei of deed hun lachlust wekte. Geen wonder dat ze de deur op slot hadden gedaan.

'Mag je wel tequila drinken, Edward? Heeft de dokter gezegd dat het goed voor je is?'

'Dr. Butler heeft het gezegd. Ja toch?'

'*Correcto*,' zei Jesse, en ze begonnen weer te lachen.

'Op het ogenblik doet het me goed, Delia,' zei Edward glimlachend. 'Het maakt dat ik me wat kan ontspannen. Hoe denk je dat je dat in het Spaans zegt, Jess?'

'Geen idee. Weet jij wat hij heeft gezegd?' vroeg Jesse aan mij. 'Wat hij wil weten?'

Ik schudde mijn hoofd.

'De tequila, het helpt hem om... om te ontspannen,' zei hij. 'Hij moet zich ontspannen, en ik ook.'

'Jij?' vroeg ik aan Jesse. Edward lachte, dus richtte ik me tot hem. 'Ik begrijp het niet, Edward.'

'Doodsimpel, Delia. Hij is bang voor moeder,' zei Edward. 'Doodsbang feitelijk.'

Ik keek naar Jesse. Hij had alle reden om bang voor haar te zijn, dacht ik.

'Hoe zeg je dat, Delia?' vroeg Edward. '*Cómo se dice en español*, hij is bang voor moeder?'

'*El está asustado de su madre*.'

'Ja. Precies. *Asustado*. We leren Spaans in een wip, Jess.'

'Jij waarschijnlijk wel, ja. Je hebt je docent onder je eigen dak, dag en nacht,' zei Jesse. Hij klonk een beetje jaloers.

'Exact.'

Jesse keek op zijn horloge. 'Ik moet ervandoor, Edward. Mijn oom komt vanavond eten en brengt zijn nieuwste mogelijk langdurige relatie mee.'

'Waar heeft hij deze opgedoken?' vroeg Edward.

'Ze kwam gewoon zijn reisbureau binnengelopen, en hij heeft een reis voor haar geboekt die ze nooit zal vergeten. Hij was haar privégids, als je begrijpt wat ik bedoel.'

Ze lachten weer.

'Ik zal de tequila naar buiten smokkelen,' zei Jesse en stopte de fles in zijn boekentas. Toen bleef hij even staan en pakte Edwards hand. 'Tot kijk,' zei hij.

'Wanneer?' vroeg Edward.

'Dat weet ik niet.'

'Spijbel morgen van school en kom 's middags bij me,' zei Edward.

'Hm. Ik denk niet dat je moeder dat erg op prijs zal stellen.'

'Ze is niet thuis, dat weet ik zeker. Doe het nou maar. Ik voel me een stuk beter.'

Jesse keek naar mij. Edward voelde het.

'Zij is oké. Zij zal ons niet verklikken tegen moeder. Wees maar niet bang. Hijs die kont van je nou gewoon maar hiernaartoe.'

'Ik zal mijn best doen.'

'Doe heel erg je best.' Edward hield nog steeds zijn hand vast.

Jesse keek weer naar mij. Ik deed net of ik belangstelling had voor Edwards boeken en draaide me om. Ik wilde trouwens ook niet zien of ze nog iets anders deden. Ik dacht dat ze elkaar een zoen gaven, en toen liep Jesse langs me heen.

'Tot ziens, Delia,' zei hij en deed de deur open. Op het moment dat hij de kamer uitliep, hoorden we Sophia in de gang.

'Neem je nu al je intrek hier, Jesse?' vroeg ze toen ze dichterbij kwam.

'Ik denk niet dat ik onder hetzelfde dak zou kunnen leven als jij, Sophia.'

'Ik vraag me af waarom niet.' Ze lachte hem uit. Ze zag mij in de deuropening staan en drong zich langs hem heen om naar binnen te gaan. Jesse keek hoofdschuddend achterom en liep de gang door.

'Hallo, idioot,' zei Sophia tegen haar broer.

'Ik vraag me af wie dat is,' zei Edward. Hij deed net of hij de lucht opsnoof. 'Ruikt naar die verrekte zus van me.'

'Leuk, hoor. Ik heb wat voor je meegebracht,' zei ze en liep naar het bed om zijn hand te pakken. Toen zocht ze in haar tas en haalde er iets uit wat leek op twee joints. 'Steek niet op voordat ik het je zeg,' waarschuwde ze. 'Jij houdt je mond, Delia. Het is goed voor hem. Dat neemt wat van het ongemak weg.'

Edward stopte de joints onder een van de kussens.

'Je ziet er verdomd slecht uit, Edward,' zei Sophia.

Ik deed de deur zachtjes dicht, maar hield me op een afstand.

'Dank je,' zei Edward. 'Trouwens, met verbonden ogen bekeken, heb je er nooit beter uitgezien.'

'Ha ha. Waarschijnlijk zullen je littekens blijven.'

'Nogmaals bedankt, Sophia. Je weet hoe je iemand moed in kunt spreken.'

'Ik vertel je alleen de waarheid. Je preekt altijd tegen me dat ik die onder ogen moet zien.'

'Je hebt gelijk. Vergeet het maar.'

'Bradley lacht je uit,' zei ze, met een blik op mij. 'Het kan hem geen moer schelen wat er gebeurd is.'

Edward zweeg, maar zijn gezicht verstrakte.

'Hij vertelt aan iedereen op school dat het ongelooflijk stom van je was om te geloven wat een Mexicaanse meid je wijsmaakt. Hij verzint ook nog andere verhalen over je.

'Hij vertelt rond dat je verliefd bent op Delia, dat ze tegen hem gezegd heeft dat jij met haar naar bed bent geweest en gewoon jaloers was.'

'Wat een schoft!'

'Dat mag je wel zeggen! En wat heeft moeder aan dat alles gedaan? Geen zier. Ze heeft niet eens verhaal gehaald bij de Whitfields.'

'Maak je geen zorgen. Ik ben nu even buiten spel, maar ik ben nog niet klaar met hem,' zei Edward. 'Zodra ik weer op de been ben...'

'Goed zo,' zei Sophia.

Edward grijnsde sarcastisch. 'Wat zit je meer dwars, Sophia? Wat er met mij is gebeurd of wat hij met Delia heeft gedaan?'

'Ik vind het allebei even erg.'

'Ze is in ieder geval eerlijk,' zei Edward tegen mij.

Ik kon het allemaal niet zo heel goed volgen, maar ik kon zien dat Sophia tevreden was.

'Als ik iets voor je kan doen, laat het me dan weten,' zei ze tegen hem.

'Ben jij dat echt, zo lief en aardig?' vroeg Edward. Ze lachte.

'Zie je, Delia?' Sophia draaide zich naar mij om. 'Ik kan zelfs niet aardig zijn tegen mijn broer, zonder dat ik gewantrouwd word. Jij bent nu de enige op wie ik aankan hier in huis.'

Edwards glimlach verdween. 'Wat voer je in je schild, Sophia? Waarom heb je haar die armband gegeven? Je hebt hem nooit afgedaan, vanaf het moment dat je hem kreeg, en je pronkte er zo opzichtig mee dat het leek of je reclame maakte voor de juwelier.'

'Ik probeer mijn egoïstische gedrag te verbeteren, Edward. Ik ben wakker geworden.'

Wakker geworden? dacht ik. Hoe kun je daardoor veranderen?

Hij lachte slechts. 'Ik geloof het als ik het zie, en dat zal wel even duren,' zei hij.

'Wat dan ook.' Ze liep naar de deur. 'Ik ga mijn huiswerk maken.'

'Sinds wanneer maak jij je druk over je huiswerk? Je bent echt aan de drugs.'

'Leuk ben je. Ik zie je later nog wel.' Toen bleef ze naast mij staan en fluisterde: 'Kom straks naar mijn kamer. Ik heb precies de juiste jurk voor je fiesta. Je moet hem alleen een beetje innemen zoals je met mijn andere kleren hebt gedaan. En hij is nog zo goed als nieuw. Hij zal jou beter staan dan mij, en ik draag hem nooit. Oké?'

'Ja. Maar tante Isabela gaat dit weekend kleren met me kopen.'

'Wat? Moeder gaat nieuwe kleren voor je kopen?'

Ik knikte.

'Ik kan me niet herinneren wanneer ze voor het laatst met mij is gaan shoppen. Wat bezielt haar?' vroeg ze zich hardop af. Even keek ze achterdochtig, achterdochtig genoeg om mijn hart op hol te laten slaan, vooral toen ze me strak en lang aankeek. Toen haalde ze haar schouders op. 'Waarschijnlijk voelt ze zich schuldig. Maar ik heb een jurk die ze beslist niet voor jou zal kopen. Hij heeft achthonderd dollar gekost.'

'Eén jurk?'

'Ja,' zei ze lachend. 'Eén jurk en ik heb er zeker nog een stuk of tien die nog meer gekost hebben,' zei ze en liep weg.

Terwijl we stonden te praten, was Edward gaan liggen en had zijn ogen gesloten. Ik staarde even naar hem en liep toen ook de kamer uit. Ik deed de deur zachtjes achter me dicht. In de gang bleef ik peinzend staan. Sophia was in haar kamer en had de deur dichtgedaan. Het was stil in de hacienda. Tante Isabela zat te wachten tot ik met mijn spionagerapport kwam. Ik kon het niet vermijden. Wat moest ik doen? Wat moest ik zeggen?

Als ik haar vertelde wat Sophia aan Edward had gegeven en waar hij het verstopt had, zouden ze onmiddellijk weten dat ik degene was die het had verraden. En als ik haar vertelde over de tequila, zouden ze ook weten dat ik het had verklikt. Ik was doodsbang, want ik achtte me niet in staat tegen haar te liegen. Ze zou onmiddellijk weten dat ik iets verzweeg.

Ik herinnerde me dat mama met oma zat te praten over een buurvrouw van ons, señora Delgardo, die ze ervan verdachten dat ze overdag te veel tequila dronk. Ze overlegden met elkaar of ze het haar man zouden vertellen.

'Hij moet het al weten,' had oma op besliste toon gezegd. 'Hoe zou hij het niet kunnen weten?'

'Maar als hij het weet, waarom drinkt ze dan nog zoveel?' vroeg mama. 'Waarom tolereert hij dat?'

'Misschien weet hij het, maar houdt hij zijn mond erover.'

'Waarom?'

'Misschien weet hij dat ze, als hij haar verwijten maakt en tegen haar tekeergaat, alleen maar nog meer zou gaan drinken. *Debe saber más verdades que dice,*' zei ze, wat betekende dat meer waarheden verzwegen dienen te worden dan hardop uitgesproken. 'Zij kent zelf de waarheid. Die moet ze zichzelf bekennen.'

Misschien zou dat ook opgaan voor Edward en Sophia, dacht ik. Als mijn tante tegen ze zou schreeuwen en ze bestrafte als ik het haar vertelde, zouden ze het misschien juist vaker doen. Maar hoe kon ik haar daarvan overtuigen? Durfde ik het zelfs maar te suggereren?

Langzaam liep ik de trap af en ging naar haar werkkamer. Ze zat achter haar bureau wat papieren door te kijken toen ik binnenkwam. Ze leunde achterover en keek naar me.

'En?'

‘Jesse is weg en Sophia is in haar kamer.’

‘Dat hoef je me niet te vertellen. Wat heb je gezien, wat is je opgevallen? Wat hebben ze gedaan?’

‘Ze oefenden Spaans,’ zei ik. Het was de waarheid. Ik voelde me volkomen op mijn gemak toen ik dat zei.

‘Wat?’

‘Jesse had een cd meegenomen voor Edward, een cd met Spaanse lessen.’

Ze staarde me ongelovig aan. ‘Wat nog meer?’

‘Ze vroegen een paar dingen, woorden die ik voor ze moest vertalen, en Sophia kwam toen Jesse weg moest omdat een oom van hem bij hen thuis kwam eten.’

Het was nog steeds de waarheid. Ik haperde niet, maar ze keek bijzonder ontevreden.

‘En wat gebeurde er toen?’

‘Sophia vertelde Edward dat Bradley geen spijt had van wat er gebeurd was en dat hij leugens rondstrooide over Edward en mij, en dat ik die hem verteld had.’

‘Waarom zei ze dat tegen hem? Die stomme meid. Op die manier zal hij zich alleen maar meer opwinden. En verder?’

Zelfs al ergerde het haar om dit te horen, toch leek ze voldaan over die informatie.

‘U hebt gelijk. Het bracht Edward van streek.’

‘Juist. En wat toen? Vooruit. Ik heb niet de hele dag tijd. Wat heeft Sophia nog meer gezegd? Wat zei ze tegen jou?’

‘Ze geeft me een van haar dure jurken voor het fiesta van mijn vriend, aanstaande zaterdag.’

‘Ik heb je gezegd dat ik zaterdag kleren met je ga kopen.’

‘Dat heb ik haar verteld. Ze was nogal ontdaan toen ze het hoorde.’

‘O, was ze dat?’ Ze knikte glimlachend. ‘Mooi zo. Misschien zal het eens tot die stomme hersens van haar doordringen dat ik heel aardig kan zijn als ze zich fatsoenlijk gedraagt.’

Dat zou zijn alsof ze je liefde kocht, wilde ik zeggen, maar ik perste mijn lippen op elkaar en zweeg.

'En toen?'

'Toen ging ze weg om haar huiswerk te maken, en ik zag dat Edward in slaap viel, dus ging ik ook weg.' Ik sprak nog steeds de waarheid, alleen liet ik een paar dingen achterwege. Eindelijk durfde ik eraan toe te voegen: 'Als u Sophia straft voor wat ik u vertel, zal ze weten dat ik het gezegd heb en zal ze me niet meer vertrouwen en zal ik u verder niets meer kunnen vertellen.'

Ik kon zien dat ze het overwoog, en toen knikte ze.

'Wees maar niet bang. Dit is nog niet voldoende om onze vertrouwelijke afspraak te onthullen.' Ze glimlachte kil. 'Je bent slimmer dan je laat blijken, Delia.'

Ik wilde protesteren, maar ze stak haar hand op.

'Ontken het maar niet, Delia. Ik ken je beter dan je denkt. Het is in orde. Ik vind het niet erg. Integendeel, ik bewonder je erom.'

Mijn mond viel bijna open. Zij gaf mij een compliment?

'Met een beetje misleiding kom je een heel eind,' zei ze. 'Het is nooit goed om het hart op de tong te dragen. Sophia, die een beschermd leven heeft geleid en altijd in de watten is gelegd, weet niet hoe ze vernuftig en sluw moet zijn. Ze is te doorzichtig, omdat ze niet in gevaar verkeert. Ze doet niet de minste moeite om mij een plezier te doen. Of wie dan ook, wat dat aangaat.

'Jij en ik zijn groot geworden in een andere wereld. Zelfs toen we nog heel jong waren, moesten we het van ons verstand hebben. Probeer alleen niet mij voor de gek te houden, Delia. Ik ben een expert op het gebied van misleiding.

'Vanavond, als iedereen naar bed is, kom ik je halen. We zullen naar Edwards kamer gaan. Hij zal niet weten dat ik erbij ben. Jij gaat naar binnen en doet net of je wilt weten hoe het met hem gaat en of hij iets nodig heeft. Voor we weggaan zal ik je vertellen wat je moet doen.

'Dat is het voorlopig.' Ze gebaarde dat ik weg kon gaan en richtte haar aandacht weer op haar papieren.

Ik draaide me om en wilde de kamer uitgaan.

'O. Maak je maar niet druk over je kleren als je naar zijn kamer gaat. Ik zal een van mijn doorzichtige nachthemden meenemen.

Dat is het enige wat je aan moet trekken,' vervolgde ze en boog zich toen weer over haar werk.

Het enige wat ik aan moet trekken?

Mijn hart stond even stil en toen het weer begon te kloppen, vluchtte ik haar kamer uit.

16

Het *ojo malvado* is niet alleen in Mexico te vinden

Meteen na het eten riep Sophia me bij zich in haar kamer om me de feestjurk te geven.

'Pas hem eens aan,' zei ze. Ik aarzelde, maar ze hield vol. 'Het is een Valentino. Dat was ik vergeten. Deze jurk heeft meer dan duizend dollar gekost.'

'Duizend dollar!'

Ik hield de jurk van stretch jersey in mijn handen, doodsbenauwd om iets aan te trekken dat net zoveel kostte als sommige mensen in mijn dorp in een jaar verdienden.

'Toe dan,' drong ze aan. 'Je zult de topper van het fiesta zijn.'

Langzaam trok ik mijn rok en blouse uit.

'Je hebt een mooi lijf, Delia,' zei ze. 'Geen wonder dat Bradley gek werd. Ik moet nog wat afvallen,' mompelde ze, terwijl ze ronddraaide voor de spiegel.

De jurk had een pseudocol en driekwartmouwen, en had een mooie tint geel, met witte kant in de taille. Alleen was de rok veel korter dan ik dacht, ruim vijf centimeter boven de knie en hij was veel te wijd. Maar ze deed alsof hij bijna perfect paste.

'Je borsten zijn precies goed voor het topje, Delia. Je moet hem hier alleen wat innemen.' Ze pakte de stof van achteren bij elkaar om hem strak te trekken rond mijn middel.

Ik hield de stof op mijn rug bijeen terwijl ik me omdraaide om de jurk in de spiegel te bekijken.

'*Cómo me inclino?*'

'Wat? Engels graag,' zei ze met een grimas.

'Hoe...' Ik deed alsof ik me vooroverboog, en ze lachte.

'O, je buigt prachtig,' zei ze.

Ik keek peinzend voor me uit. Ik kon me niet voorstellen dat mama of oma, om maar te zwijgen over papa, het goed zou vinden dat ik in zo'n jurk naar een feest ging.

'Maak je toch niet zo druk. Je wilt er toch in stijl naartoe? Met mijn armband en een paar oorbellen die ik je zal lenen, zul je er fantastisch uitzien.' Ze rolde met haar ogen. 'Mooi, mooi, mooi,' zong ze.

'Ik weet het niet,' zei ik. 'Hoe zeg je dat... het is niks voor mij.'

Haar gezicht verstrakte. 'Ik probeer alleen maar je te helpen, een goed nichtje te zijn. Je wilt hier toch thuishoren? Niemand waardeert ooit wat ik doe,' jammerde ze. Ze draaide zich om en sloeg haar armen om zich heen.

'Het spijt me, ik stel het heel erg op prijs,' zei ik en keek weer in de spiegel. Ook al was hij hier en daar te groot, hij spande om mijn heupen. Hij zag eruit of hij nog nooit gedragen was, en Sophia keek alsof ze haar zinnen erop had gezet dat ik hem zou dragen. 'Hij is erg mooi, Sophia. Dank je wel.'

Ik knikte, en ze glimlachte.

'Ik wist dat je hem mooi zou vinden. Ik heb hem maar twee keer gedragen, maar beide keren kreeg ik een hoop complimentjes.'

Ik trok de jurk uit, terwijl zij in haar juwelenkistje zocht en me toen een paar oorbellen overhandigde. Ze zagen er even duur uit als de armband.

'Het zijn echte diamanten,' zei ze. 'Diamanten.'

'O, nee, die durf ik niet te dragen.'

'Wees maar niet bang. Al onze juwelen zijn verzekerd. Als je hulp nodig hebt met je make-up, waarschuw me dan.' Om er zeker van te zijn dat ik het begreep liet ze me haar toilettafel zien en alles wat ze bezat. Ik had nooit iemand gekend die over zoveel make-up beschikte. Ze kon wel een winkel erin openen.

Ze wees naar mijn voeten en toen naar de jurk.

'Zorg ervoor dat moeder schoenen koopt die bij de jurk passen. Ik zou je wel een paar van mijzelf geven, maar we hebben een heel andere maat. Mijn voeten lijken wel van een olifant vergeleken met die van jou.' Ze liet me een paar van haar eigen schoenen zien en zette haar voeten toen naast de mijne. Ze leken een stuk groter.

Ik knikte om te tonen dat ik het begreep. Een ogenblik keek ze triest, maar toen lachte ze weer.

'Alle jongens zullen kwijlen als ze jou zien. De jongens...' Ze sperde haar ogen open en likte met haar tong over haar lippen. Ze zag er zo dwaas uit dat ik moest lachen, en zij lachte mee. Toen omhelsde ze me.

Mijn tante vergist zich, dacht ik. Ze heeft gewoon een vriendin nodig, iemand die ze kan vertrouwen en die haar vertrouwt. Uiteindelijk worden we toch echte nichtjes. Ik bedankte haar nog eens voor alles wat ze me had gegeven.

'Je zult een geweldige tijd hebben,' zei ze.

Ik ging met de jurk naar mijn kamer en overdacht hoe ik hem moest innemen om hem passend te maken. Ik wou dat er een manier was om de rok wat langer te maken. Ik was zo verdiept in mijn werk dat ik tante Isabela niet binnen hoorde komen. Het was ook niet tot me doorgedrongen hoeveel tijd er verstreken was.

'Is dat de jurk die ze je heeft gegeven voor het fiesta?' vroeg ze ten slotte.

Ik draaide me met een ruk naar haar om. 'O, ik had u niet gehoord, tante Isabela. Ja, dit is de jurk.' Ik vroeg me af hoe lang ze naar me had staan kijken.

Ze kwam naar me toe en pakte de jurk uit mijn handen.

'Weet je hoe duur die jurk is?'

'Sí.'

Ze gooide hem weer naar me toe. 'Ze is zo edelmoedig op het ogenblik dat het me stapelgek maakt.' Ze dacht even na en knikte toen. 'Goed, als je die jurk wilt dragen, zullen we zaterdag een paar bijpassende schoenen moeten vinden. Ik zal je meenemen naar mijn favoriete warenhuis, waar iedereen me kent. Daar krijgen we speciale aandacht, en in een paar uur zullen we een mooi begin hebben gemaakt met je eigen garderobe.'

Nu was het háár edelmoedigheid die me verontrustte.

'Het is tijd,' zei ze. Ik had niet gezien dat ze het nachthemd had neergelegd toen ze binnenkwam. Nu pakte ze het op en gaf het aan mij. 'Edward is wakker. Hij luistert naar die Spaanse cd. De timing is perfect. Kleed je uit en trek dat nachthemd aan,' beval ze.

Ik keek naar het doorzichtige kledingstuk. 'Ik weet nog steeds niet goed wat ik moet doen, *tía* Isabela.'

'Maak je geen zorgen, ik zal het je precies voordoen. Kleed je uit.'

Mijn vingers trilden toen ik de knoopjes en de rits van mijn rok openmaakte. Ze wilde dat ik ook mijn schoenen en sokken uittrok en een paar slippers aantrok. Terwijl ik me uitkleedde en het nachthemd aantrok, liep ze naar de deur en deed die op slot.

'Oké,' zei ze. 'We gaan repeteren.'

'Repeteren?'

'Ik zal net doen of ik Edward ben.'

'U?'

Ze liep naar mijn bed en ging net als Edward zitten, met de kussens in haar rug.

'We komen de kamer binnen,' begon ze. 'Ik blijf bij de deur staan, maar jij loopt meteen naar hem toe en zegt dat je komt informeren hoe het met hem gaat. Ik weet zeker dat hij daar heel blij om zal zijn. Dan ga je hier zitten.' Ze klopte op de plaats naast haar op het bed. 'Toe dan. Doe wat ik zeg. Doe het!' herhaalde ze toen ik aarzelde.

Ik liep naar het bed en ging naast haar zitten.

Draai je naar me toe, naar Edward dus.' Ik gehoorzaamde. 'Nu pak je zijn hand. Toe maar. Pak zijn hand.'

Ik deed het.

'Goed. Zeg tegen hem dat je nooit de kans hebt gehad hem te bedanken voor wat hij geprobeerd heeft te doen. Zeg dat je zijn bezorgdheid heel erg op prijs stelde. Toe! Zeg het dan. Ik zal je wel met de Engelse woorden helpen.'

Ik deed wat ze vroeg en ze verbeterde mijn Engels en liet het me herhalen.

Terwijl je tegen hem praat, houd je zijn hand vast, zoals je nu mijn hand vasthoudt, maar je strijkt met je andere hand over zijn hand en zijn arm. Vooruit. Nee, strelen, niet kloppen.' Ze deed het voor tot ik het deed zoals ze wilde. 'Oké. Nu wil ik dat je hem vertelt dat je hem heel erg aardig vindt en dat je wilde dat je iets voor hem kon doen om hem gelukkig te maken. Laat horen hoe je dat zegt.'

Ik zei het, maar de manier waarop beviel haar niet.

'Je klinkt te bang. Zeg het alsof je het meent. Gedraag je niet als een kind,' snauwde ze. 'We gaan door tot je het goed zegt.'

Ik zei het nog eens, en ze liet het me nog drie keer herhalen voor ze tevreden was.

'Hij zal misschien een beetje verward zijn, dus pak zijn hand en druk die zachtjes tegen je borst. Vooruit, doe het dan. Zachtjes. Houd zijn hand daar vast. Hij zal beseffen dat je praktisch naakt bent. Ik wil dat je langzaam met zijn hand over je borst, over je tepel, strijkt. Toe dan. Doe het!'

Ik deed het, maar ik voelde me raar en bang onder de blik waarmee ze me aankeek. Ze deed werkelijk alsof ze Edward was en reageerde zoals ze hoopte dat hij zou doen. Ik had het gevoel alsof ik in de waanzinnige droom van een ander terecht was gekomen.

'Goed. Hij zal glimlachen en iets liefs tegen je zeggen, of hij zal zijn mond houden, verbijsterd zijn en, zoals ze zeggen, geil worden. Ken je die uitdrukking?'

'Ja.'

'Dat dacht ik wel. Laat jullie handen op je schoot vallen. Langzaam, alles moet langzaam in zijn werk gaan. Dat maakt het erotischer. Goed. Leg zijn hand tussen je benen en druk je tegen hem aan.'

Ik wilde protesteren.

'Toe maar. Het stelt niets voor.'

'Als ik dit doe, zal hij me haten, *tía* Isabela. Hij zal de verschrikkelijkste dingen van me denken.'

'Of hij zal glimlachen en jezelf en hem in opwinding laten brengen. Hij zou van steen moeten zijn om hier niet op te reageren.'

Ik voelde de tranen in mijn ogen komen, maar slikte ze in. Ze nam me aandachtig op.

'Ik wil dat je nog één ding doet, Delia. Ik wil dat je je over hem heen buigt en hem zacht op zijn mond kust. Denk eraan, alles heel teder en zacht. Dan begin je op te staan. Als hij je hand blijft vasthouden, stop je en laat je weer door hem aanraken. Als hij je laat gaan, is het oké, maar vraag hem of hij het prettig zou vinden als je morgenavond terugkomt. Doe het nu allemaal achter elkaar.'

Ze liet mijn hand los en ik stelde de vraag. Mijn stem trilde, maar dat vond ze wel goed. Het klonk alsof ik zelf geil was.

'Goed. Nu beginnen we opnieuw,' zei ze.

'Opnieuw?'

'Ik wil dat dit perfect gaat. Ga terug naar de deur. Schiet op een beetje.'

Ik deed het weer van voren af aan, en zij corrigeerde me, leidde me. Ze was niet blij met mijn prestatie. Vreemd als het klinkt, deze manier van repeteren deed me denken aan de repetities voor een schoolparodie. Misschien, als ik me kon inbeelden dat ik iemand anders was, zou ik vol kunnen houden. Na de derde repetitie zei ze dat ik er klaar voor was, maar ze greep mijn schouder vast en kneep er zo hard in dat het pijn deed.

'Ik weet dat je het niet prettig vindt wat ik van je vraag, Delia, maar het zal me helpen Edward beter te begrijpen. Je doet dit voor mij en in zekere zin voor hem. Zo erg is het niet. Je gaat niet met hem naar bed. Dat wil ik niet, zelfs niet als hij het zou willen, begrepen? Dat zou me heel ongelukkig maken, ongelukkig genoeg om je pijn te doen,' zei ze. Ze sprak weer op die kille, dreigende toon. Haar vingers verstrakten.

'Wat ik hoop is dat je zijn belangstelling zult wekken voor andere meisjes. Misschien zal hij dan, als hij beter is, zich wat minder gelegen laten liggen aan die Jesse Butler.' Ze sprak meer tegen zichzelf dan tegen mij.

Ze liet mijn schouder los. Ik wilde erover wrijven, omdat hij zo'n pijn deed, maar in plaats daarvan haalde ik diep adem.

'Oké, laten we gaan.'

Ze liep naar de deur en bleef daar naar me staan kijken. Ze gebaarde dat we heel stil moesten zijn als we naar Edwards kamer liepen en glimlachte toen naar me.

'Denk eraan, ik reken op je dat je het er goed af zult brengen. Alles wat je doet moet langzaam en zachtjes gebeuren. Begrepen?'

Ik knikte en ze deed de deur open. Edward zat rechtop in bed, en de cd stond aan, precies zoals ze had beschreven. Ze legde haar hand op mijn schouder en duwde me naar voren zijn kamer in, terwijl zij in de deuropening bleef staan. Hoewel Edward naar de cd luisterde, hoorde hij me binnenkomen. Snel zette hij de plaat af.

'Wie is daar?' vroeg hij.

'Delia,' antwoordde ik.

Hij glimlachte. 'Hé, je bent net op tijd. Luister eens. *Qué hora es?* Hoe laat is het? *Dónde está el baño, por favor?* Waar is de badkamer? *Cuánto cuesta?* Hoeveel kost dit? Hoe is mijn uitspraak?'

'Heel goed.' Ik keek achterom naar tante Isabela. Ze spoorde me aan.

'Je bedoelt, *muy bueno.*'

'Sí.' Weer keek ik even naar tante Isabela, en liep toen naar Edwards bed. Ik haalde diep adem en ging zitten waar ik tijdens onze repetitie had gezeten. Ik merkte dat het Edward verbaasde. 'Ik ben gekomen om te zien hoe het met je gaat, Edward.'

'Je bedoelt...'

'Ja, *cómo está usted?*'

'*Bien, gracias.*'

Ik kon Isabela's ogen in de achterkant van mijn hals voelen branden. Ik pakte Edwards hand. Hij glimlachte.

'Ik heb je nooit bedankt voor wat je geprobeerd hebt voor me te doen,' zei ik. 'Ik heb je bezorgdheid heel erg op prijs gesteld.'

Ik kon er niets aan doen. Ik wist dat het klonk alsof ik het van een papiertje oplas of uit mijn hoofd had geleerd. Hij keek verbaasd, verward, en hield zijn hoofd een beetje schuin toen ik zijn hand en arm begon te strelen zoals tante Isabela had voorgedaan.

'Ik vind je heel erg aardig en ik wou dat ik iets voor je kon doen om je gelukkig te maken.'

'O, je hoeft niet...'

Ik legde zijn hand op mijn borst. Mijn hart klopte wild. Dat moest hij voelen, dacht ik. Hij zei niets. Ik voelde dat tante Isabela achter me stond, dat ze iets dichterbij was gekomen om toe te kijken. Ik deed mijn ogen dicht en streek met Edwards hand over mijn borst.

Hij trok zijn hand niet terug, maar zei niets. Zijn gezicht drukte volslagen verwarring uit. Toen legde ik zijn en mijn hand op mijn schoot.

'Delia,' zei hij. 'Je hoeft niet...'

Ik wist dat ze toekeek, afwachtte, dus streek ik met onze handen over mijn dij. Op dat moment trok hij zich terug en riep uit: 'Stop! Waar ben je mee bezig? Waarom kom je hier?'

Ik keek achterom naar haar, maar ze had geen instructies voor me. Ze staarde ons slechts aan.

'Ik wilde je bedanken,' bracht ik eruit.

'Niet op deze manier. Dit ben jij niet. Ik hoop tenminste dat dit niets voor jou is.' Hij klonk wat minder overtuigd. 'Je hebt toch niet... je hebt toch niet tegen me gelogen over Bradley Whitfield? Delia!' gilde hij toen ik geen antwoord gaf. Ik kromp ineen bij het horen van die schreeuw.

Snel stond ik op. Toen ik achteromkeek was tante Isabela verdwenen.

'Het spijt me,' zei ik. 'Het spijt me.'

'Mij ook. Je kunt nu maar beter weggaan. Alsjeblieft.'

'Het spijt me,' zei ik weer, en holde naar buiten terwijl de tranen over mijn wangen stroomden.

Toen ik in de gang kwam, zag ik tante Isabela niet, maar Sophia stond glimlachend in de deuropening van haar kamer.

'Wat is er aan de hand?' vroeg ze. 'Waarom ben je praktisch naakt in Edwards kamer en waarom huil je?' Ze zocht naar de paar Spaanse woorden die ze kende.

Ik zei niets en liep haastig naar mijn kamer en deed de deur snel achter me dicht. Versuft en verward ging ik op bed zitten. Waarom had mijn tante me gedwongen dit te doen en waarom had ze me daar achtergelaten? Nu denkt Edward dat ik gelogen heb over Bradley. Hij heeft alle respect voor me verloren.

Ik veegde de tranen van mijn wangen en probeerde op adem te komen. Ik had het gevoel dat mijn borst in steen was veranderd. Een paar ogenbikken later, toen de deur zachtjes geopend werd, verwachtte ik mijn tante te zien, maar het was Sophia. Glimlachend bleef ze naar me staan kijken.

'Wat heb je met die arme Edward gedaan?' vroeg ze. 'Ik ging naar binnen om te zien wat er aan de hand was, maar zijn gezicht was vuurrood en hij wilde niks zeggen. Je hebt toch niet geprobeerd hem te verleiden, hè? Weet je wat dat betekent?'

Ik begreep wat ze bedoelde. Zwijgend schudde ik mijn hoofd.

'Kijk eens hoe je gekleed bent – of ontkleed, zou ik moeten zeggen.' Ze wees naar het doorzichtige nachthemd. 'Je hebt een poging gewaagd,' zei ze lachend. 'Heel goed, alleen had ik je kunnen vertellen dat het tijdverspilling was. Hou je bij je Mexicaanse vriendje. Met hem ben je beter af.'

Ze ging achteruit, lachte en sloot de deur. Ik beefde zo erg dat ik zat te rillen. Ik wachtte op mijn tante, maar ze kwam niet. Na een tijdje kroop ik onder het dekbed en begroef mijn gezicht in het kussen. Ik viel in slaap zonder zelfs maar te bidden.

Tante Isabela verscheen de volgende ochtend niet aan het ontbijt. Zoals gewoonlijk ontbeet Sophia in haar kamer, maar voordat ik de deur uitging om naar school te gaan met señor Garman, vertelde señora Rosario me dat mijn tante de instructie voor me had achtergelaten dat ze na schooltijd met me zou gaan shoppen in plaats van zaterdag overdag. Ze had andere plannen voor zaterdag. Zoals señora Rosario het zei, klonk het alsof mijn tante zelf een afspraakje had, misschien wel voor het hele weekend.

Nog steeds versuft door de gebeurtenissen van de vorige avond liep ik naar de Rolls-Royce en stapte snel in. Señor Garman was nog zwijgzamer dan gewoonlijk en zei geen stom woord tijdens de hele rit. Bij school bromde hij goedendag, en ik liep haastig het gebouw in.

Ik wist dat ik me de hele ochtend vreemd gedroeg. Ik lette niet op in de klas, en gaf snel antwoord op Ignacio's vragen, meestal in enkele woorden. Ik wilde alleen maar weg en alleen zijn.

Ik schaamde me. Ignacio was heel bezorgd voor me. Hij bleef maar vragen wat er op de hacienda gebeurde.

'Zijn er weer moeilijkheden? Hoe gaat het met je neef? Is de politie geweest? Ondervragen ze je?'

Hij vuurde de ene vraag na de andere op me af, in de hoop dat ik er één zou beantwoorden. Ik schudde slechts mijn hoofd.

'Je komt toch nog naar het fiesta, hè?' vroeg hij ten slotte.

'Ja.'

'Fijn. Maar je voelt je niet goed?'

'Ik ben gewoon erg moe vandaag,' zei ik. De verzekering dat ik toch op het fiesta zou komen, scheen hem tevreden te stellen.

Señorita Holt daarentegen stak niet onder stoelen of banken hoe kwaad ze was als ik geen antwoord gaf op haar vragen, niet hoorde wat ze zei en niet deed wat ze me opdroeg.

'Volgende week,' waarschuwde ze me aan het eind van de dag, 'kun je maar beter goed voorbereid op school komen en beter opletten. Ik hou er niet van mijn tijd te verspillen.'

Ik verontschuldigde me en ging weg. Toen ik al bijna het gebouw uit was, herinnerde ik me pas dat mijn tante me zou komen halen om kleren te gaan kopen. Ik was natuurlijk nieuwsgierig wat ze zou zeggen over de vorige avond in Edwards kamer.

De Rolls stond voor toen ik buiten kwam en ik liep er haastig heen. Señor Garman maakte het portier open. Ik bleef even staan. Mijn tante zat niet in de auto.

'*Dónde está mi tía Isabela?*'

'Hoe moet ik dat weten? Ze heeft me alleen verteld waar ik je af moest zetten. Iemand wacht op je in het warenhuis en heeft instructies. Ik heb haar naam. Ik moet je bij het juiste warenhuis afzetten. Stap in.'

Dus mijn tante zou niet met me gaan shoppen. Sophia had dus geen enkele reden om jaloers te zijn. In plaats dat ik liefdevolle geschenken kreeg van een liefdevolle tante, behandelde ze me als iemand die betaald zou worden voor het opvolgen van bevelen. Het maakte dat ik me nog goedkoper voelde en me nog meer schaamde.

Ik kon de ogen van winkelpersoneel en klanten op me gericht voelen toen señor Garman me naar binnen bracht, naar de afdeling damesmode. Een kleine vrouw met donkerbruin haar begroette ons en stelde zich voor als mevrouw Lester. Ze was heel zakelijk en had alle kleren klaargelegd die ik moest passen: zes jurken, zes rokken en blouses, en tot mijn verbazing het paar schoenen dat bij de jurk paste die Sophia me gegeven had. Blijkbaar was de jurk hier gekocht en door het warenhuis geregistreerd.

Mevrouw Lester had voor alles bijpassende accessoires. Drie verschillende tassen, wat sieraden, kousen en een chic rood hoedje. Señor Garman stond aan de kant te wachten, maar hij keek elke keer naar me als ik uit de paskamer kwam en mevrouw Lester de kleren aandachtig controleerde en rechttrok. Een assistente werd erbij gehaald om de dozen en plastic tassen naar de Rolls te brengen. Señor Garman stond alle inkopen te bekijken die in de kofferbak lagen.

'Je hebt de jackpot gewonnen, Delia,' zei hij. Het was de eerste keer dat hij me bij mijn naam noemde. 'Je moet iets hebben gedaan om je tante tevreden te stellen.'

Ik zei niets. Ik was zelf nog geschokt dat ik zoveel had gekregen. Ik had de rekening niet gezien, maar wel een paar prijskaartjes, en ik schatte dat het totale bedrag meer dan duizend dollar was. Señor Garmans opmerking wakkerde mijn schuldbesef en schaamte weer aan. Hoe kon ik Edward onder ogen komen? Wat moest ik tegen hem zeggen en wat zou hij tegen mij zeggen?

Toen we thuiskwamen, bracht ik zoveel mogelijk mee naar binnen, en señor Garman liet Inez komen voor de rest. Haar ogen puilden uit. Met haar armen vol volgde ze me naar mijn kamer en ging toen weer naar beneden om te gaan halen wat er nog over was. Ik wist dat de vragen door haar hoofd tolden. Per slot had ik de ene dag samen met haar in de keuken gewerkt, en bijna een dag later, dit. Maar ze vroeg niets. Alleen toen ze wegging draaide ze zich naar me om en zei: '*Usted es muy afortunada*, Delia.'

Ik wendde mijn hoofd af.

Ik voelde me niet erg gelukkig. Integendeel, mijn gevoelens voerden zo'n hevige strijd met elkaar, dat mijn maag leek te kronkelen als een elastiek. Op het ogenbik leek het alsof alles wat *abuela* Anabela voor me gewenst had, werkelijkheid werd. Ik had de mooie kamer en nu de mooie kleren. Ik werd behandeld als een prinses, naar school gebracht in een kostbare auto, die bestuurd werd door een chauffeur. Ik hoefde geen huishoudelijk werk te doen, en ik was geaccepteerd als lid van de familie.

Misschien was er een manier om me tegenover Edward te verontschuldigen en zijn genegenheid en respect terug te krijgen. Ik wist niet hoe ik een verklaring moest geven voor wat ik gedaan had zonder de woede van mijn tante te wekken, maar nóg een verontschuldiging zou misschien helpen. Met die gedachte verliet ik mijn kamer en liep naar de kamer van Edward. Alsof hij door de gesloten deur heen kon zien, deed Jesse open voor ik kon aankloppen en kwam naar buiten. Hij deed de deur achter zich dicht. Aan zijn gezicht kon ik zien dat Edward hem alles verteld had wat er de vorige avond gebeurd was.

'Ik wil Edward spreken,' zei ik.

'Edward heeft me gevraagd je te zeggen hem voorlopig met rust te laten. Hij is niet erg happy. *No está feliz.*'

Mijn lippen trilden. 'Het spijt me wat er gebeurd is.'

'Hij is gedeprimeerd, Delia. Hij denkt dat hij die verwonding heeft opgelopen voor een leugen.'

'Nee. Dat is niet waar.'

'Laat het voorlopig maar rusten,' zei hij en stak zijn hand op.

Ik pinkte een traan weg voor die naar buiten kon komen.

Jesses gezicht vertrok. 'Waarom heb je dat gedaan? *Por qué?*'

Ik staarde hem aan. Hoe moest ik het uitleggen? Wat kon ik hem vertellen? Dat mijn tante dacht dat hij en Edward minnaars waren? Dat ik er was om Edwards seksualiteit te testen? Niet alleen zou het er dan niet beter op worden, maar het zou een explosie kunnen veroorzaken in deze hacienda, en uiteindelijk zou iedereen me haten.

'Ik denk dat we allebei wel weten waarom je het deed, Delia. Walgelijk,' zei hij. '*Disgusto.*'

Voor hij weer naar binnen ging draaide hij zich naar me om en overhandigde me iets.

Het was de cd met de Spaanse lessen.

Ik wilde protesteren, maar hij deed de deur voor mijn neus dicht. Ik bleef naar de grond staren tot ik voetstappen hoorde op de trap. Sophia. Glimlachend kwam ze op me af.

'Wat is dat?' vroeg ze, knikkend naar de cd. 'Een cadeautje voor Edward?'

Ik zweeg. De tranen sprongen in mijn ogen en ik vluchtte haastig naar mijn kamer.

Ze volgde me. Ik was met mijn gezicht omlaag op mijn bed neergeploft.

'Wat heb je nu weer voor probleem?' vroeg ze. 'Wat is er mis?'

Ik gaf geen antwoord, maar ik kon haar horen rondlopen in de kamer. Ze opende een paar van mijn dozen en bekeek wat er voor me gekocht was.

'Wauw! En je hebt ook de schoenen! Mama is heel royaal geweest.'

Ik draaide me om en zag dat ze in de rokken en blouses snuffelde.

'Sommige dingen heeft ze onlangs ook voor mij gekocht. Feitelijk,' ging ze verder, terwijl ze alles inspecteerde, de etiketten controleerde, 'wacht eens even! Het is álles wat ze voor mij gekocht heeft! Wat, verdomme...'

Ze keek me woedend aan. Ik had geen idee waarom ze plotseling zo kwaad werd.

'Natuurlijk zul jij er een stuk beter uitzien dan ik in deze kleren.'

'Ik begrijp het niet,' zei ik.

'Mama heeft voor jou dezelfde kleren gekocht als voor mij. Dezelfde, dezelfde, weet je wat *dezelfde* betekent?'

'Ja.'

'Nou, deze kleren... dezelfde.' Ze wees op zichzelf. 'Ze heeft ze in dezelfde winkel gekocht. Heeft ze je meegenomen maar mevrouw Lester?'

'Mevrouw Lester, ja.' Ik droogde mijn wangen. 'Maar je moeder is niet met me meegegaan. Señor Garman...'

'Waar is moeder?' schreeuwde ze. 'Ze wil me alleen maar pesten. Ik weet ook wat ze zal zeggen als ik me beklaag. Ze zal vragen waarom ik me zo druk maak. Per slot heb ík jou mijn jurk en armband gegeven.'

Ze steunde met haar gewicht op één voet en had haar armen over elkaar geslagen. Ze was des duivels. Ik begreep nog steeds niet goed wat er in haar omging. Ze keek me met een merkwaardige blik aan en toen, even snel als haar woede was opgekomen, verdween die weer en glimlachte ze.

'Het geeft niet. Het is in orde. Maak je maar niet ongerust. Ik zal alles regelen. Per slot zijn we nichtjes. Toch? Nichtjes?'

'*Primas, sí.*'

'Ja, *primas.*' Ze glimlachte, liep toen naar Edwards cd, keek ernaar en toen naar mij. 'Ik zal die gebruiken om wat Spaans te leren. Misschien kunnen we dan closer worden met elkaar. Closer, begrijp je?'

Voor ik kon antwoorden, pakte ze de cd en verliet de kamer.

Iets zei me dat closer worden met Sophia was als het negeren van het geratel van een ratelslang.

Ik zag señora Porres die haar vinger schudde.

'Dom kind,' zei ze. 'Het *ojo malvado* is niet alleen in Mexico.'

Het boze oog was me gevolgd.

17

Verstoord fiesta

'Raad eens?' zei Sophia, die vlak voordat we naar beneden moesten om te gaan eten weer naar mijn kamer kwam.

Ik had gedoucht en me verkleed en was bezig de laatste hoofdstukken van mijn Engels-Spaanse leerboek te lezen. Ik had bijna alle oefeningen gemaakt en ook het huiswerk dat señorita Holt had opgegeven. Ik werkte om mijn gedachten af te leiden van de recente gebeurtenissen.

'Wat?'

'Moeder heeft gebeld dat ze niet komt eten en waarschijnlijk zondag pas thuiskomt. Ik weet zeker dat ze met die Travis uit is. Hij is tien jaar jonger dan zij! Zij mag de idioot uithangen, maar wij moeten ons netjes gedragen!'

'Tía Isabela *no está acquí?*'

'Nee, ze is niet thuis. Praat Engels. Ik heb die cd meegenomen om Spaans te leren, maar je moet me een paar maanden de tijd geven.'

'En Edward?'

'Wat is er met hem?'

'Tante Isabela maakte zich niet bezorgd?'

'Hij heeft zijn privéverpleger, Jesse. Wat kan het ons schelen? Morgen ontbijten we samen en dan gaan we buiten op de ligstoelen van de zon genieten. Later zal ik je helpen je op te tutten voor je fiesta – ik zal je helpen met je haar, je make-up, met alles. Kom, laten we wat gaan eten. Ik rammel. Morgen of volgende week ga ik op dieet.'

Ze maakte een van mijn dozen open en haalde het rode hoedje eruit. Ze zette het op en trok het recht voor de spiegel.

'Staat goed. Zo'n hoed heb ik niet. Vind je het erg als ik hem leen? Lenen? Je weet toch wat *lenen* is?'

'Sí.'

Ze hield de hoed op en liep naar de deur. 'Kom mee,' zei ze, en ik legde mijn leerboek terzijde en volgde haar naar buiten.

De deur van Edwards kamer was nog steeds dicht. Ik wilde dat ik de woorden kon vinden om hem uit te leggen wat ik gedaan had, zodat hij niet zo kwaad op me zou zijn. Niets vond ik erger dan zijn respect te verliezen.

'Maak je geen zorgen over hem,' zei Sophia toen ze zag ik dat ik naar zijn deur keek. 'Ze hebben vast een intiem dinertje samen,' mompelde ze toen we doorliepen. 'Beter kwijt dan rijk.'

In de eetkamer ging ze op de stoel van haar moeder zitten. Señora Rosario's gezicht vertrok even toen ze uit de keuken kwam en het zag.

'Waarom kijk je zo chagrijnig, mevrouw Rosario? Ik ben de baas als moeder er niet is,' zei Sophia. 'En ik heb besloten dat we vanavond witte wijn drinken bij het eten. De gekoelde lievelingswijn van moeder en mij. Breng ons een fles en twee wijnglazen.'

'Daar heeft je moeder me niets van gezegd,' antwoordde señora Rosario. 'En je weet dat ze niet zou willen dat je een hoed draagt aan tafel.'

Sophia's ogen schoten vuur en ze sprong op, liep naar de keuken en kwam terug met een fles witte wijn en twee wijnglazen. Ze had wat moeite met het opentrekken van de fles, maar toen glimlachte ze en schonk voor ons elk een groot glas in. Señora Rosario keek me afkeurend aan, maar ik was niet van plan een van Sophia's woedeaanvallen uit te lokken.

'Op de twee nichtjes,' zei Sophia. Ze hief haar glas op en knikte naar me dat ik haar voorbeeld moest volgen.

Señora Rosario ging terug naar de keuken.

'Kom nou, wees toch niet zo'n angsthaas. Je bent lid van de familie, geen bediende,' zei Sophia, toen ik aarzelde. 'Op ons.'

Ik pakte mijn glas en we klonken. Ik nam een klein slokje, maar zij leek de wijn naar binnen te klokken.

'Hij is lekker, hè? *Bueno?*'

'Sí, *bueno*.'

Ze dronk weer en schonk haar glas opnieuw vol en daarna dat van mij, al had ik maar heel weinig gedronken. Toen Inez het eten binnenbracht, een verrukkelijk kipgerecht in citroensaus, viel Sophia erop aan alsof ze een week niet gegeten had. Tante Isabela had altijd kritiek op haar omdat ze te snel at. Ze was al klaar toen ik pas de helft op had. Ze dronk nog twee glazen wijn en drong erop aan dat ik mijn glas leeg zou drinken zodat we de fles op konden maken.

'Gezellig, hè?' zei ze. 'Met mijn broer en zijn amigo veilig en wel in zijn kamer, is er niemand die ons kan vertellen wat we wel en niet moeten doen.'

Ze keek kwaad naar señora Rosario, die binnenkwam om te zien of alles goed ging.

'Wat is er voor dessert?'

'Chocoladetaart.'

'Ik wil vanille-ijs bij de taart, en mijn nichtje ook.'

Señora Rosario vroeg of ik het wilde, en ik vroeg om een klein stukje taart en een heel klein beetje ijs. Ik wist dat Sophia zich van streek zou maken als ik het niet at, en de wijn maakte haar nog geprikkelder en onaangenamer tegen señora Rosario en Inez. Het was beter in alles met haar mee te gaan en me dan terug te trekken in mijn kamer om mijn huiswerk af te maken, zodat ik me daarover geen zorgen hoefde te maken in het weekend, en dan naar bed te gaan. Maar Sophia had andere plannen.

Ze dronk de laatste druppel wijn, stond erop dat ik ook mijn glas leegdronk, en had het dessert al naar binnen voordat ik één stukje taart had gegeten.

'Wil je nog wat meer?' vroeg ze. '*Más?*'

'Nee, *gracias.*'

Ze bleef naar me kijken terwijl ik at.

'Hoe komt het dat jij niet zo dik bent als de meeste Mexicaanse meisjes die ik ken?' vroeg ze. En toen, als om haar eigen vraag te beantwoorden: 'Je was erg arm in Mexico, hè? Arm?' Ze wees naar me.

'Nee. Ik was niet rijk, maar ik was niet... *No tenía hambre.*'

'Hè? Praat Engels, heb ik je gezegd!'

'Niet geen eten.' De wijn maakte me spraakzamer. Ik boog me

naar haar toe. 'Je hebt ongelijk. De meeste meisjes in Mexico zijn niet dik. De meisjes hier zijn dikker.' Haar mond vertrok en ze wendde haar blik af.

Ze dacht even na, keek me toen weer aan en glimlachte. 'Dat komt misschien omdat het eten hier beter is.'

'Nee.'

'Wát?' vroeg ze, op het punt in lachen uit te barsten. 'Jij vindt dat het eten in Mexico beter is?'

'Mijn oma kan beter koken.' Ik knikte naar de keuken.

Dat vond ze heel erg grappig. Ze lachte zo hard en lang, dat Inez terugkwam om te zien wat er aan de hand was. Ik haalde mijn schouders op, en ze ging terug naar de keuken. Sophia hield plotseling op met lachen en staarde me aan.

'Je oma,' zei ze. 'Dat is toch niet de moeder van mijn moeder, hè?'

Een ogenblik lang gaf ik geen antwoord. Hoe kon ze zoiets vragen? Had tante Isabela haar kinderen dan helemaal niets verteld over haar eigen ouders? Op z'n minst dat ze dood en begraven waren?

Ik schudde mijn hoofd.

'Dat had ik ook niet gedacht,' zei Sophia. 'Kom.' Ze stond op. 'Laten we naar mijn kamer gaan. Ik wil je wat laten zien.'

Juist toen ik opstond, kwam Jesse de trap af en liep naar de keuken met een blad waarop borden en glazen stonden van zijn en Edwards maaltijd. Hij keek me even minachtend aan en liep toen door.

'Wel, wel, kijk eens wie we hier hebben,' zei Sophia. 'Edwards particuliere verpleger. Wil je dat worden als je volwassen bent, Jesse, verpleger, misschien wel een voedster?'

'Ik ben volwassen,' antwoordde hij. 'Maar jij hebt tijd genoeg om te beslissen wat je wilt worden, want je hebt nog een hele weg te gaan voordat jij volwassen bent.'

'Grappig, hoor. Om je dood te lachen.'

Jesse bleef doorlopen.

'Kom mee,' zei ze, en liep snel naar de trap. Even moest ze zich vasthouden aan de leuning, omdat ze duizelig was. Ze hervond haar evenwicht en liep zo gauw ze kon de trap op. Ik volgde langzaam.

'Kom je nog?' schreeuwde ze naar me. Alles wat ze deed was overdreven, ze praatte te luid en trok rare gezichten. Ik voelde wat dat beetje wijn dat ik had gedronken met mij deed en kon duidelijk zien hoe de vele glazen die zij naar binnen had geslokt, haar gedrag en bewegingen beïnvloedden.

Bij Edwards deur bleef ze op me staan wachten.

'We moeten even kijken hoe het met mijn broer gaat,' zei ze met een sarcastisch lachje.

Ze pakte de knop van de deur en duwde hem open. Ik kon Jesse haastig achter me aan de trap op horen komen. Ik stond stil, omdat Sophia naar achteren ging en niet naar voren.

'Hemel!' zei ze.

Langzaam liep ik naar haar toe en was bij de deur op hetzelfde ogenblik dat Jesse de trap op kwam. Sophia knikte en dwong me naar binnen te kijken

Hij lag met zijn gezicht omlaag op het bed, helemaal naakt.

Jesse holde naar de openstaande deur.

'Jullie zijn ziek,' zei Sophia.

'Ik geef hem alleen maar een massage, idioot. Hij heeft last van het doorliggen.'

'O, ja? Kom mee, Delia, voordat ik moet kotsen.'

'Jesse?' vroeg Edward. 'Wat is er aan de hand?'

'Niks,' antwoordde Jesse. Hij vloekte zachtjes, liep de kamer in en sloot de deur. We hoorden dat hij het slot omdraaide.

'Als mama dat zag, zou ze een hartaanval krijgen,' zei Sophia. 'Dus als je haar dood wilt hebben moet je het haar vertellen.' Ze liep naar haar kamer.

Ik keek haar na. Was het mogelijk dat ze wist dat het precies was wat haar moeder wilde dat ik deed, alles overbrieven wat ik had gezien?

'Kóm je nog eens een keer?' riep ze toen ze in de deuropening van haar kamer stond. 'Je loopt als een ouwe tante.'

De verleiding was groot om naar mijn eigen kamer te gaan en ook de deur op slot te doen, maar ik volgde haar naar binnen. Ze plofte neer op het bed.

'Doe de deur dicht,' beval ze.

Ik sloot de deur en bleef staan. Ze deed haar ogen dicht, en even dacht ik dat ze in slaap zou vallen. Ik zou het graag willen, maar ze sperde haar ogen open en ging rechtop zitten.

'Kom hier,' zei ze en knikte naar de stoel naast haar nachtkastje. Toen trok ze haar benen op en draaide zich om op haar buik, terwijl ze tegelijk een kussen pakte. Ze sloeg haar armen over elkaar en legde haar hoofd op het kussen. Langzaam liep ik naar de stoel en ging zitten. Een paar ogenbikken keek ze alleen maar naar me. Ik voelde me niet op mijn gemak. Wat wilde ze toch?

'Je kent genoeg Engels om me te vertellen wat Baker met je deed in dat huurhuis.'

'Nee,' zei ik. 'Te veel om te vertellen.'

'Heb je het ook met hem gedaan? Heeft hij je gedwongen?'

Ik schudde mijn hoofd. Ze keek teleurgesteld.

'Hij heeft nooit iets met *mij* geprobeerd,' zei ze. Het klonk alsof ze er niet blij mee was. 'Hij was een waardeloze leraar. Hij had een slechte adem. Moeder nam hem alleen in dienst om mij het leven zuur te maken.'

Ze staarde me weer aan. Ik voelde me steeds minder op mijn gemak.

'En in Mexico?'

'Wat bedoel je?'

'Deed je het daar met jongens?'

'Nee.'

'Bradley was de eerste?'

Ik gaf geen antwoord, wat voldoende antwoord was voor haar.

'O, ik snap het al. Jullie geloven niet in geboortebeperking, hè? Een geboorte niet beletten,' ging ze verder toen ik haar verward aankeek. 'Jullie krijgen hopen baby's. Waar zijn je zussen, je broers?'

'Geen zussen, geen broers.'

'Alleen jij?' Ze ging weer rechtop zitten. 'Waarom? Deed je vader aan geboortebeperking?'

'Geen andere baby's.' Ik kende de bijzonderheden niet, maar ik wist dat er een reden was waarom mama geen tweede kind kon krijgen. We praatten er gewoon nooit over.

'Waarschijnlijk besloten ze dat ze geen kind meer wilden hebben en gebruikten ze iets,' dacht Sophia hardop. 'Als papa er niet geweest was, zou mama Edward of mij nooit gekregen hebben. Papa wilde kinderen, mama niet, begrijp je?'

'Sí, ik begrijp het.'

Ze nam me weer aandachtig op en glimlachte.

'Weet je, je zou best zwanger kunnen zijn. Misschien zit er wel een baby in je. Bradleys baby.'

Ik schudde ontkennend mijn hoofd.

Ze keek me weer onderzoekend aan en glimlachte toen.

'Ben je ongesteld geweest... bloeding?'

'Nee, te vroeg daarvoor.'

'Dus je weet het niet,' zei ze voldaan.

De gedachte was al eens door mijn hoofd gegaan, maar ik had die weer zo snel van me af gezet dat ik het tot op dit moment vergeten was.

'Wees maar niet bang. Als je zwanger bent, weet ik zeker dat moeder het wel zal verhelpen... abortus. Tenzij je zo godsdienstig bent, dat je dat niet wilt.'

Ik gaf geen antwoord. Ik wilde er niet aan denken.

Glimlachend ging ze verder. 'Moeder zou je er wel toe dwingen. Ze zou zich veel te veel schamen als ze een zwanger tienermeisje in huis had. Je zult voorzichtiger moeten zijn nu je een vriendje hebt.'

Ze zocht in de onderste la van haar nachtkastje en haalde er een klein doosje uit.

'Weet je wat dit is?'

Ik schudde mijn hoofd.

Ze maakte het open en haalde er een gewelfd, rond rubber dingetje uit.

'Dat heet een pessarium. Mama heeft het voor me gekocht. Weet je waar het voor is?'

Ik wist het, maar ik had er nog nooit een gezien. Had tante Isabela dat voor haar gekocht? Het was of je iemand promiscue wilde laten zijn, of het in ieder geval tolereerde. Ik sperde mijn ogen zo wijd open dat ze begon te lachen.

'Kijk niet zo verbaasd. Ze kwam op een dag naar me toe en zei: "Ik weet dat je niet voorzichtig zult zijn, Sophia, dus wil ik dat je beschermd bent." Daar had ze gelijk in,' voegde ze er lachend aan toe. Toen werd ze weer serieus. 'Je hebt er een nodig. Mama moet er voor jou ook een kopen. Ik zal je laten zien hoe het werkt.'

Ze liet me de zaaddodende pasta zien en smeerde die erin en eromheen en begon toen te beschrijven hoe ze het in moest brengen. Ik vermoedde dat ze niets op school met zoveel enthousiasme bestudeerd had.

'Ik heb het nog niet gebruikt. De eerste keer had ik er gebruik van moeten maken als ik met je-weet-wel-wie samen was, maar hij had voor mij niet zoveel belangstelling als voor jou.' De gedachte aan Bradley maakte haar weer woedend. Ze borg het pessarium op, smeet de la dicht en liet zich weer op het bed vallen.

'Ik heb hoofdpijn,' zei ze. 'Ik heb te veel gegeten.' Steunend op haar elleboog keek ze naar mij en vroeg: 'Eet jij nooit te veel?'

'Sí,' zei ik. 'Als mijn oma haar chocolade *mole* kip maakt. Ze maakt verrukkelijke guacamole en burrito's. Ik hielp haar altijd in de keuken. Ze heeft mij veel dingen geleerd die zij van haar moeder geleerd heeft.'

Ze keek alsof het horen van de goede herinneringen aan mijn familie haar ergerden, dus hield ik mijn mond.

'Het is duidelijk dat je haar mist. Waarom ben je weggegaan als je haar zo verschrikkelijk mist?'

'Ze wilde dat ik hiernaartoe ging. Ze is negentig en ze maakt zich heel erg bezorgd om mij.'

'Als ze zo bezorgd is, had ze je niet hierheen moeten sturen,' zei Sophia, die weer ging liggen. 'Kijk eens wat er tot dusver allemaal met je gebeurd is. Ik wed dat je haar niets hebt verteld. Ik denk dat ze, als ze het wist, het niet zou overleven.'

Ik gaf geen antwoord. Ze deed haar ogen dicht en mompelde iets. Peinzend zat ik naar haar te kijken, wachtend tot ze verder nog iets zou zeggen, maar ze bleef zwijgen. Toen ik opstond, zag ik dat ze in slaap was gevallen. Op mijn tenen liep ik naar de deur, deed hem open, keek nog even achterom en ging toen naar mijn eigen kamer om na te denken over alles wat ze had gezegd. Ze had me in grote, angstige verwarring gebracht.

Zou ik zwanger zijn? Zou tante Isabela me dan zo naar Mexico terugsturen, en zou dat oma's hart breken? Wat moest ik doen met de wetenschap dat ik Edward naakt op bed had zien liggen? Moest ik het tante Isabela vertellen? Zou Sophia het haar vertellen, en zou ze dan weten dat ik het ook had gezien en niets had gezegd?

Mijn gedachten tolden zo zenuwachtig door mijn hoofd, dat ik dacht onmogelijk te kunnen slapen. Uiteindelijk viel ik toch in slaap, maar 's nachts werd ik wakker en dacht dat er iemand bij de deur in mijn kamer stond. Het bleek slechts een schaduw te zijn, maar het maakte me nog banger. Ik had een nachtmerrie, waarin de geest van señor Dallas me kwam opzoeken. Hij maakte zich ernstige zorgen over zijn beide kinderen, maar vooral over Sophia. Hij wilde dat ik haar zou helpen, maar waarschuwde me ook dat ik op mijn hoede moest zijn voor haar.

Ze kwam niet ontbijten, zoals ze gezegd had dat ze zou doen. Feitelijk zag ik haar pas om een uur of een. Blijkbaar was Jesse die nacht bij Edward gebleven en ging hij 's ochtends na het ontbijt met Edward wandelen. Ik durfde niets tegen hen te zeggen en sloeg ze gade door een raam in de zitkamer terwijl ze door de tuin liepen. Edwards ogen waren nog steeds verbonden. Jesse hield Edwards arm vast en leidde hem. Ze leken me onafscheidelijk maar ook een beetje triest.

Toen ik wat geluncht had, ging ik naar mijn kamer om me te kleden voor het fiesta. Sophia kwam binnen en verontschuldigde zich dat ze niet eerder was opgestaan.

'Ik had een ontstellende hoofdpijn vanmorgen,' zei ze. Ze wreef over haar voorhoofd om het te demonstreren. 'Ik dacht niet dat ik op zou kunnen staan. Heb je de jurk ingenomen die ik je heb gegeven? Is hij klaar? De jurk, de jurk,' herhaalde ze toen ik niet snel genoeg antwoord gaf.

'*Sí, bueno.*'

'Mooi. Ik ben dolnieuwsgierig hoe hij je staat. Hoe laat komt Ignacio je halen?'

'Om drie uur.'

'Drie uur! Dan hebben we niet veel tijd meer. Ga mee naar mijn kamer. Ga achter de toilettafel zitten, dan doe ik je haar en experimenteren we met wat make-up, oogschaduw en lippenstift. Je kunt eerst in mijn kamer douchen, als je wilt. Nou?' zei ze toen ik me niet verroerde.

Ik stond op.

'Vergeet de jurk niet,' zei ze. 'En de schoenen en de oorbellen.'

Ik zocht alles bij elkaar en volgde haar naar haar kamer, maar aarzelend. Dit zou het eerste fiesta zijn waar ik naartoe ging buiten mijn kleine dorp in Mexico. Ik vroeg me af of de mensen daar anders zouden zijn dan thuis in Mexico en ik me een vreemde zou voelen. En Sophia's mooie, dure jurk, de make-up en de kostbare juwelen zouden het er misschien niet beter op maken. Maar mijn eigen kleren waren niet goed genoeg.

De manier waarop Sophia me opmaakte beviel me niet, maar als ik ook maar even zou protesteren of twijfelen, zou ze woedend worden, zeggen dat ik ondankbaar was en ze alleen maar haar best deed me er mooi uit te laten zien.

'Je moet er Amerikaans mooi uitzien,' zei ze. 'Niet Mexicaans. Per slot ben je mijn nichtje.'

Ik had geen idee wat dat betekende, maar ik legde me neer bij de oogschaduw, wimpers, rouge en een dikke laag rode lippenstift. Ze borstelde mijn haar in een stijl die totaal anders was dan ik gewend was. Vervolgens was ze niet tevreden met de manier waarop de jurk me paste en ze gaf me een van haar oude beha's, waarvan ze zei dat hij mijn borsten omhoog zou duwen en mijn decolleté zou verdiepen. Het was bijna drie uur toen we klaar waren. Ze zei dat ze me, omdat ik er zo mooi uitzag, een sjaal wilde lenen voor de avond, als het buiten koeler zou worden.

Toen gingen we naar beneden om op Ignacio te wachten. Hij belde aan bij het hek, sprak door de intercom, en señora Flores drukte op de knop om het hek te openen. Toen kwam ze ons vertellen dat Ignacio er was om me af te halen. Sophia ging met me mee naar de voordeur toen hij aan kwam rijden in de pick-up van zijn vader. In de achterbak lag nog wat tuingereedschap. Sophia moest erom lachen, maar toen Ignacio uitstapte in zijn traditionele fiestakleding, verdween haar lach. Hij zag er erg knap uit.

Hij droeg een met goud geborduurd zwart jasje, een zwarte broek met goud opzij van de pijpen, een wit hemd met een rode sjerp, glimmende zwarte laarzen en een geborduurde sombrero. Zijn schouders leken steviger en breder.

'Knappe jongen,' zei Sophia. 'Veel plezier.' Ze duwde me naar buiten en deed snel de deur dicht, alsof ze niet wilde dat hij haar zou zien.

Haastig liep ik naar buiten om hem te begroeten. Ik kon zien dat de make-up, mijn andere kapsel en de dure jurk hem verrasten. Maar toen glimlachte hij.

'*Muy bonita*,' zei hij, naar me kijkend.

'*Gracias. Y usted, muy hermoso*, Ignacio.'

Hij keek naar de voordeur. '*Su tía?* Ik hoor haar toch goedendag te zeggen?'

'Ze is niet thuis. *No está acquí*.'

Hij knikte enigszins opgelucht en liep toen snel naar de pick-up en deed het portier voor me open. Ik keek achterom naar het huis en dacht dat Jesse achter het raam van Edwards slaapkamer stond en naar buiten keek. Het gordijn ging onmiddellijk dicht.

'Ik heb de zitting schoongemaakt,' zei Ignacio, die dacht dat dat de reden was waarom ik aarzelde.

'*Gracias*,' zei ik en stapte in.

'Dat je in zo'n groot huis woont...' Ignacio keek naar de hacienda van mijn tante. 'Ik zou er beslist in verdwalen,' zei hij in het Spaans.

Ik knikte.

Ik ben daar verdwaald, dacht ik, maar zei verder niets meer. Mijn gedachten waren nu bij het fiesta. Ik was nog niet zo lang hier, maar alles wat er gebeurd was had me zo onzeker gemaakt, dat ik geen enkel vertrouwen meer had in wat ik ook deed. Ik verlangde hevig naar de warmte van een familie, naar de liefde die Ignacio ten deel viel. Ik wilde deel ervan zijn, omdat ik wist dat het zou zijn alsof ik thuiskwam. Ik hoopte alleen maar dat ze me zouden accepteren.

We sloegen af van de autoweg, een zijweg in, en reden naar het huis van zijn ouders. Het was niet moeilijk te zien dat er een fiesta gevierd werd. De tuin was versierd met rode, groene en witte slingers, de kleuren van de Mexicaanse vlag, en overal waren ballons opgehangen aan de voorkant van het kleine maar goed onderhouden huis. Omdat zijn vader een tuinbedrijf had, zag ik opvallend mooie, keurig gesnoeide heggen, bougainville langs muren en hekken, een welig gazon, en een grote binnenplaats met grapefruit-, sinaasappel- en citroenbomen.

Aan beide kanten van de straat stonden de auto's geparkeerd van de gasten. Gezinnen liepen naar de ingang toen we over de oprit reden. Iedereen was gekleed in traditionele Mexicaanse stijl, behalve ik natuurlijk. Ik zag ertegenop om uit te stappen nu ik de vrouwen en jonge meisjes zag die zich in de richting van het huis begaven. Er waren vrouwen in witkatoenen en kanten *campesinas*, of in landelijke kledij, met bloemen geborduurde jurken en simpele witte rechte jurkjes met losse topjes die we *huipiles* noemden. Alles zag er zelfgemaakt uit. Zowel vrouwen als mannen droegen een sombrero. De meeste mannen hadden een geplisseerd hemd aan met een rode of groene sjaal op een donkere broek, of een rode en groene sjerp.

Ik besefte dat de eenvoudige kleren die oma in mijn oude koffer had gepakt, hier precies op hun plaats waren geweest. Zoals ik nu gekleed was, zag ik eruit als een Mexicaans meisje dat indruk wilde maken. Waarom had ik Sophia haar gang laten gaan? Was het belangrijker haar een plezier te doen dan Ignacio's familie en vrienden, mensen met wie ik zoveel meer gemeen had? Ik wilde dat dit het huis van mijn tante was en niet dat paleis waarin ze woonde en waarin we allemaal op een verschillende manier gevangen waren.

'Kom,' drong Ignacio aan.

'Ik voel me belachelijk,' zei ik. 'Ik heb de verkeerde kleren aan.'

'Onzin. Je ziet er mooi uit,' beweerde hij. Ik vermoedde dat hij hetzelfde zou hebben gezegd als ik in een zak was verschenen.

Hij stapte uit, liep om de pick-up heen, hield het portier voor me open en stak zijn hand uit. Met tegenzin nam ik zijn hand aan en ging naast hem staan. We liepen naar binnen, maar het fiesta werd in de achtertuin gehouden, waar versierde tafels stonden. Midden in de tuin, aan een boomtak, hing een veelkleurige *piñata* in de vorm van een *burro*. Voordat het fiesta eindigde zouden alle kinderen een voor een worden geblinddoekt en twee of drie keer rondgedraaid. Ze kregen een stok in de hand waarmee ze tegen de *piñata* moesten slaan. Als die ten slotte brak, grabbelden de kinderen naar het speelgoed dat eruit viel.

Nog voordat ik iemand van Ignacio's familie had ontmoet, voelde ik me al thuis. Alleen al door het zien van alle mensen, die zich opmaakten om van het verjaardagsfeest te genieten, en door de muziek van vijf *mariachi's* die gitaar, trompet en accordeon speelden. Ignacio vertelde me dat de leadgitarist niemand anders was dan Mata's vader. Ze speelden en zongen *Las Mañanitas*, een volkslied dat van oudsher gespeeld wordt op verjaardagen. Hoe vaak ik het ook gehoord had, zó mooi had het nog nooit geklonken.

Ignacio's vader, die maar een paar centimeter langer was dan hij, maar bredere schouders had, stond bij de ingang van de tuin en deelde aan de mannen en vrouwen kleine lemen potjes uit, die ze om hun hals moesten dragen en waarin tequila werd gegoten. Ignacio had de krachtige, knappe gelaatstrekken van zijn vader, die een brede, gitzwarte snor had en indringende zwarte ogen, met ferme lippen en hoge jukbeenderen. Hij kneep zijn ogen samen toen hij me zag. Ook de vrouwen die al bij elkaar stonden keken naar ons. Ik wist zeker dat die aandacht mij gold, omdat ik de enige was die eruitzag alsof ik hier niet thuishoorde.

Ignacio stelde me voor aan zijn vader.

'Welkom,' zei hij, en informeerde naar de naam van mijn dorp. Hij zei dat hij het kende en er een keer was geweest toen hij als jonge jongen met zijn vader op reis was. Hij zei dat hij vond dat we een van de aantrekkelijkste en best onderhouden pleinen hadden die hij had gezien. Erover praten deed de tranen in mijn ogen springen.

Toen we naar Ignacio's moeder en de andere vrouwen liepen, fluisterde hij: 'Denk eraan, als ik je voorstel aan mijn grootmoeder en ze vraagt je wie je spirituele dubbel is...'

'Ik weet het. Een margay.'

Sí,' zei hij glimlachend.

Zoals elke andere moeder, Mexicaans of niet, toonde Ignacio's moeder veel belangstelling voor het meisje in wie haar zoon geïnteresseerd was. Ze keek me doordringend aan. Ze was een mooie vrouw en had grote, bruine ogen met groene vlekjes erin. Ignacio had haar de reden verteld waarom ik naar Amerika was gekomen, dus was ze vol medeleven, maar onder dat medeleven lag bezorgdheid. Ik was in haar ogen een jonge vrouw zonder familie in een periode waarin ik een goede leiding hard nodig had. Zou ik de verkeerde weg opgaan? Had ik dat al gedaan?

Ze hadden het er even over hoe ik me aan het leven hier aanpaste, maar toen moest ze zich bezighouden met het fiesta.

Daarna stelde Ignacio me voor aan zijn grootmoeder, die me deed denken aan señora Porres, omdat haar ogen ongerustheid uitstraalden. Het leek of ze in elke hoek spoken zag. Daar ik de enige echte vreemde was, zocht ze in mij naar een teken van moeilijkheden en vroeg ten slotte welk dier mijn lot deelde. Ik keek even naar Ignacio en antwoordde: de margay. Het scheen haar een beetje op te luchten, maar ik kon voelen dat haar blik me overal volgde.

We gingen naar een tafel die, zoals Ignacio zei, was gereserveerd voor ons en zijn vrienden, die er nog niet waren. Op elke tafel lagen al decoraties in het midden, onder meer met rode en groene salsa's, een mix van gehakte uien en koriander, en schijfjes limoen. Er was sap van mango's en mandarijnen. Ignacio gaf me een glas met de traditionele *horchata*, een melkachtige rijstdrank met kaneel.

Aan de lange tafel van Ignacio's zusje, Rosalind, zaten tien van haar vriendinnen, allemaal in traditionele kostuums. Ignacio's moeder had voor hen een kindersangria gemaakt van veenbessensap, sinaasappels en citroenen, vermengd met 7-Up. Zijn oom Thomas, een lange, magere man, die gemakkelijk kon doorgaan voor een circusclown, organiseerde hun spelletjes en liet ze toen geblinddoekt de staart op de ezel prikken. Hij hield ze enthousiast bezig.

Tegen de avond begonnen de volwassen mensen te dansen. Ik bood aan te helpen met het eten, maar Ignacio's moeder zei dat het prima ging en dat ik van het feest moest genieten met haar zoon en zijn andere vrienden, die inmiddels gearriveerd waren. Drie van hen waren jongens die goed genoeg Engels spraken om te kunnen doorstromen naar andere klassen op school: Luis, Manuel en de kleinste, maar sterkst uitziende, Vicente. Ondanks Ignacio's waarschuwing dat zijn vader het er niet mee eens zou zijn, wisten ze aan tequila te komen, die ze door de frisdranken mengden.

Net als op onze fiesta's in Mexico brachten alle vrouwen die het feest bijwoonden een heerlijk gerecht mee. Er waren dingen bij die ik nog nooit gegeten had, zoals een gegrilde, met *jalapeño* gekruide *masa*-taart gevuld met *queso añejo*, een oude, pittige kaas van koeienmelk, en *sierra*-vis gemarineerd met avocado's, uien, koriander en limoensap. Oma maakte vaak de stukjes kip, die ze stoofde met uien, knoflook, *chiles* en gegist agave-cactussap, en ook de tequila-*carnitas*, een stoofpot van varkensvlees met *chiles*, uien, tequila en bier. En natuurlijk waren er de verse tortilla's in lemen kalebassen.

Het eten, spelen en dansen ging maar door, en ook al geneerde ik me voor mijn kleding, toch genoot ik van het gezelschap, de uitsluitend in het Spaans gevoerde gesprekken, de opgewonden kinderen rond de *piñata*, en de wonderbaarlijke sfeer van familieliefde en kameraadschap die op het fiesta heerste. Ik voelde me echt, al was het maar voor een paar uur, weer thuis.

Mijn enige zorg was de hoeveelheid tequila die Ignacio's schoolvrienden dronken. Ze probeerden indruk te maken, dacht ik, en Ignacio begon zich steeds meer te ergeren. Ook zijn vader keek nu en dan misprijzend in onze richting.

En toen, vlak voordat de kinderen tegen de *piñata* gingen slaan, zag ik tot mijn schrik Sophia met drie van haar vriendinnen op het fiesta verschijnen. Ze ging regelrecht naar Ignacio en stelde zichzelf en haar vriendinnen voor: Trudy, Delores en Alisha. Ze leken gekleed voor een rockconcert, met donkere make-up en lippenstift, in leren broek, en met armen vol zilveren armbanden. Trudy droeg een ring in haar neus.

'We komen alleen maar even langs om te zien hoe het met mijn nichtje gaat,' zei ze luid genoeg dat iedereen het kon horen. 'Moeder maakt zich zorgen over haar.'

'Natuurlijk,' zei Ignacio, die niet wist wat hij anders moest zeggen of doen. 'Jullie zijn allemaal welkom.'

'Wat een geweldig feest!' zei Sophia. Haar vriendinnen lachten naar Ignacio's vrienden.

'Wil je iets eten?'

'Is er iets te drinken?' vroeg Sophia. Ze slenterde naar onze tafel en pakte het glas van een van de jongens. Hij lachte toen ze een slok nam en haar ogen opensperde.

Ik kon de blik van Ignacio's vader op ons gericht voelen.

'Wat kom je hier doen?' vroeg ik haar.

'We maken ons echt ongerust over je, Delia,' zei ze, naar Ignacio kijkend. 'Weet je, ze is door een hel gegaan. Ik heb gehoord hoe je haar beschermd hebt, maar we maken ons toch bezorgd.'

'Ze is hier veilig,' zei hij ferm.

'Daar zijn we zo dankbaar voor,' zei Sophia. Ze ging vlak bij hem staan.

Zijn vrienden grijnsden wellustig. Dit en de tequila die ze hadden gedronken maakten dat ze om alles lachten wat Sophia zei en deed. Het duurde niet lang of ze stonden allemaal om haar en haar vriendinnen heen. Ze richtte zich voornamelijk tot Ignacio's vrienden die Engels spraken en beter Engels verstonden.

'Jullie weten wat er met mijn nichtje gebeurd is, hè?' vroeg ze.

Iedereen ontkende er iets van te weten.

'Sophia,' zei ik. '*No más*.'

'O, hou toch op. Ze is bang omdat ze nog geen Amerikaans staatsburger is, maar ik vind het niet juist dat ze verkracht is en niemand er iets aan doet,' ging ze zonder aarzelen verder.

Ignacio keek me onderzoekend aan. 'Wat zegt ze? Dat heb je me nooit verteld.'

'Sophia, alsjeblieft, niet doen.'

'Ze schaamt zich vreselijk. Stel je voor dat zoiets met je zus gebeurt,' zei Sophia weer.

'Wie heeft dat gedaan?' vroeg Vicente haar. Ze vertelde het hem.

'Hij schept erover op dat hij het ongestraft heeft kunnen doen. Ignacio heeft haar voor verder onheil behoed,' voegde ze eraan toe.

Ze keken naar hem en vroegen hem in het Spaans of hij het had geweten. Hij schudde zijn hoofd en keek me met een licht verwijt aan.

'Ze heeft het me nooit verteld.'

'Daar is ze te verlegen voor,' zei Sophia.

'Waar is die Bradley Whitfield?' vroeg Vicente haar.

'O, ik weet toevallig precies waar hij op het ogenblik is. Hij gaat weer een jong, onschuldig meisje misbruiken. Misschien is het wel een Mexicaanse, dat weet ik niet zeker.'

Ze keken naar Ignacio.

'Pik je het dat Delia op z'n manier onteerd wordt?' vroeg Luis hem.

Ignacio keek naar zijn vader en toen naar mij en zijn vrienden.

'Nee,' zei hij.

Sophia glimlachte. 'Goed, eindelijk iemand die het echt iets kan schelen. Kom mee. Het is niet ver hiervandaan. Hij geeft een eigen feestje in hetzelfde huis waar hij Delia verkracht heeft. Laten we hem daar gaan verrassen.'

Ik schudde mijn hoofd naar Ignacio.

'Laten we gaan,' zei Vicente. 'Het wordt tijd voor wat Mexicaanse gerechtigheid.'

Ignacio aarzelde.

'Jij hoort degene te zijn die zegt dat we moeten gaan,' zei Manuel.

'Sí. Wat mankeert er aan je moed?' vroeg Vicente. Ignacio kreeg een kleur.

'Ik ben niet bang. Ik heb hem al een keer bijna een aframmeling gegeven.'

'En nu is er een veel belangrijkere reden,' zei Luis. Iedereen was het met hem eens.

Sophia straalde.

'Wacht,' zei Ignacio. Hij liet mijn hand los en liep naar de tafel waaraan zijn moeder en een paar van haar vriendinnen zaten. 'We komen zo terug,' hoorde ik hem zeggen. 'We moeten even een boodschap doen.'

'Wat voor boodschap?' vroeg zijn moeder.

'Gewoon, een boodschap,' zei hij. Ze keek naar mij en toen naar haar moeder, die knikte alsof ze iemand in haar oor hoorde fluisteren die haar iets vertelde wat ze haar leven lang al wist.

Ignacio en zijn vrienden volgden Sophia en haar vriendinnen de tuin uit naar de andere kant van het huis. Ik holde achter hen aan, in de hoop ze over te halen om terug te keren. Sophia's vriendinnen hielden me tegen en zeiden dat ik in hun auto moest stappen.

'Ignacio!' schreeuwde ik, maar hij zat al in de auto van zijn vrienden, die pijlsnel wegreden.

'Goed zo!' riep Sophia, die bijna barstte van opwinding. 'Eindelijk wat goeie actie!'

Dus daarom had ze willen weten waar het fiesta gehouden werd. Ze had dit allemaal gepland, dacht ik, elk detail ervan.

Het ging allemaal zo razendsnel in zijn werk dat ik me volkomen hulpeloos voelde.

Even later was de karavaan van de burgerwacht onderweg.

18

Plaats delict

Toen ik het huis zag waarin Bradley zich aan me had opgedrongen, kromp ik ineen. Tijdens de hele rit hadden Sophia en haar vriendinnen opgewonden en vol verwachting zitten praten en giechelen. Het leek wel of ze naar een show gingen. Dit zou hun entertainment worden. Sophia's vriendinnen maakten haar een compliment dat ze het zo goed had georkestreerd en die Mexicaanse jongens zo slim had weten op te fokken om meteen iets te ondernemen.

Ik zat naar hen te luisteren, en naar Sophia, die pochte hoe gemakkelijk het was Ignacio en zijn vrienden op de kast te krijgen. Ik besefte hoe Sophia ook mij had gemanipuleerd. Haar cadeaus, haar vriendelijkheid en haar geveinsde bezorgdheid voor mijn welzijn hoorden allemaal bij haar plan. En ik had nog wel gedacht dat we eindelijk goede vriendinnen werden, misschien zelfs zussen. Ik kon señora Porres bijna tegen oma horen zeggen: '*Solamente hay amigos fieles: la esposa vieja, el perro y el dinero.*' Er zijn maar drie ware vrienden: een oude echtgenote, een hond en geld. Dan keek ze naar mij en zei: 'Geloof in niets anders. Vertrouw op niets anders.'

Als ze nu naast me zat, zou ze zeggen: 'Zie je nou dat ik gelijk heb?'

Op een dag zou ik misschien iemands oude echtgenote zijn, maar op het ogenblik had ik geen hond en geen geld. Ik had geen ware vrienden. Ze had gelijk.

Het huis was donker, op één zwak, flakkerend verlicht raam na. De meisjes stopten de auto pal achter de auto van Ignacio en zijn vrienden. Sophia draaide zich om naar mij en haar vriendinnen en vertelde dat het licht in het huis van een of twee kaarsen kwam.

'Jana Lawler is bij hem,' zei haar vriendin Trudy. 'Hij haalt nauwelijks adem tussen twee slachtoffers door.'

'Is ze Mexicaans?' vroeg ik, me herinnerend dat ze dat gezegd had op het fiesta.

'Nou, nee,' zei Sophia grijnzend. 'Niet bepaald.'

'Maar je zei tegen Ignacio...'

'Logisch dat Jana voor zijn verleidingskunsten is gevallen,' ging Sophia verder, mij negerend. 'Hij is net een spin die je in zijn web lokt met al zijn romantische trucs. Kaarslicht, wijn, zachte muziek en al zijn valse beloftes. Jana is de perfecte kleine vlieg.'

'Jij kan het weten,' zei Alisha.

'Ha ha. Bedankt.'

'Hé, nooit iets afkraken voor je het geprobeerd hebt, vind ik,' zei Delores lachend.

Hoewel het Sophia's bedoeling was Bradley als bedrieglijk en wanstaltig af te schilderen, keken haar vriendinnen gefascineerd naar het huis. Naar hun houding te oordelen leken ze stuk voor stuk te wensen de uitverkorene te zijn die in Bradleys web werd gelokt.

Zodra Ignacio en zijn vrienden uit hun auto stapten, leunde Sophia uit het raam.

'Ga achterom. Die deur is niet op slot,' zei ze luid fluisterend. Ze liepen in de aangewezen richting.

'Dit is niet goed,' zei ik.

Sophia draaide zich met een ruk naar me om. 'Wat bedoel je – niet goed? Jij bent verkracht, stommerd, of is het *stupido*?'

Ze lachte en de anderen lachten met haar mee.

'Mijn nichtje Delia is heel religieus. Ze gelooft in vergiffenis,' zei Sophia. 'Ze weet ook geen bal van geboortebeperking. Ik probeer haar wat wijzer te maken.'

'Heeft Bradley wat gebruikt bij haar?' vroeg Delores.

'Ze praat er niet graag over, maar ik betwijfel het,' antwoordde Sophia. 'Hij vertrouwde op mij voor zoiets. Zij is zo... naïef.'

Ze keken naar mij alsof ik van een andere planeet kwam, en toen richtte hun aandacht zich snel weer op het huis en de jongens.

Ignacio en zijn vrienden slopen over de oprit naar de zijkant van het huis als schaduwen in het maanlicht, dicht bij elkaar, een vierkoppig monster.

'Bradley krijgt direct de schok van zijn leven,' zei Sophia. 'Ik hoop dat ze zijn gezicht verbouwen.'

Niemand zei iets. Plotseling drong de ernst van het gebeuren tot Trudy door.

'Misschien was het toch niet zo'n goed idee. Die kleine Mexicaan zag eruit of hij iemand zou kunnen vermoorden, Sophia,' zei ze.

Sophia keek van haar naar het huis.

'Trudy heeft gelijk, Sophia. Die Mexicaanse jongens hebben stiletto's en zo. Misschien kunnen we beter naar binnen gaan en ervoor zorgen dat ze niet te ver gaan,' zei Delores, die naast me zat.

'Ik ga niet naar binnen,' zei Sophia. 'Doe niet zo stom. Het zou helemaal verkeerd zijn als we dat deden.'

'Waarom? Nu kan ons niets verweten worden als er iets gebeurt. We zullen zeggen dat we ze gevolgd zijn omdat we bang waren dat ze iets zouden doen, begrijp je? Maar toen werden we bang en zijn we teruggegaan.'

Niemand zei iets.

Half en half wilde ik uitstappen en naar het huis rennen, waarschuwingen roepen en schreeuwen naar Ignacio dat hij moest stoppen voordat hij en zijn vrienden zich ernstige problemen op de hals zouden halen, maar ik was te bang om me te verroeren.

'Bradleys vader is een belangrijk man in deze regio,' zei Delores. Haar woorden bleven als een dreigement in de lucht hangen.

'We hebben niks gedaan,' merkte Sophia op. 'We kunnen jongens van die leeftijd niet laten doen wat we willen, toch? Vooral Mexicaanse jongens niet. Misschien zijn het wel illegalen. Wil jij proberen ze te beletten wraak te nemen?'

'Maar als er eens niet echt een reden was voor wraak?' vroeg Alisha.

'Hoe bedoel je?'

'Behalve je broer, jij en je moeder, weet niemand wat Bradley verondersteld wordt te hebben gedaan,' zei Alisha. 'En je moeder heeft de politie niet gewaarschuwd.'

'En?'

'Waarom heeft ze dat niet gedaan?'

'Vraag het haar maar als je de kans krijgt,' zei Sophia.

'Weet je absoluut zeker dat Bradley haar verkracht heeft? Je zei dat ze er niet over wil praten.'

Ze keken allemaal naar mij.

'Toe dan, vertel ze wat hij heeft gedaan, Delia. Het is te laat om nog verlegen te zijn. Spreek op.'

Ik schudde mijn hoofd.

'Alisha heeft gelijk, Sophia. Als ze eens liegt?' vroeg Trudy.

'Hou je mond, Trudy. Je maakt iedereen dol.'

'Is je moeder tenminste met haar naar een dokter geweest? Om haar te laten onderzoeken? Ze kunnen constateren of iemand verkracht is of niet.'

'Nee, ik heb je verteld dat mijn moeder er niets aan heeft gedaan en er niets aan wil doen. Daarom werd Edward zo kwaad en daarom zijn we hier. En dat doet me eraan denken... hoe vind je het van mijn broer? Vergeet Delia maar even. Je weet toch wat er met hem gebeurd is? Hij is een oog kwijtgeraakt, Delores, en je weet wie daarvoor verantwoordelijk is. Als dat jouw broer eens overkwam, hè?'

'Goed, goed. Het was maar een vraag, Sophia. Wind je niet op.'

'Hou je mond dan,' zei Sophia. Ze keek kwaad naar mij. 'Je zou tenminste voor jezelf kunnen opkomen, Delia.'

'Ik wil niet dat Ignacio in moeilijkheden komt,' zei ik. 'Dat zou onrechtvaardig zijn.'

Iedereen zweeg. We keken naar het huis en wachtten. Plotseling hoorden we een klap alsof er iets tegen een muur werd gesmeten. Ik kromp ineen, en Delores ook.

'Wat was dat?' mompelde ze.

Er klonk geschreeuw en een meisje gilde. Het geschreeuw werd luider en er volgden meer luide klappen. Even later zagen we tot onze verbijstering Bradley Whitfield naakt door het raam naar buiten tuimelen. Hij viel op het terras aan de voorkant van het huis. Een ogenblik bleef het stil. Toen klonk er weer een harde gil.

'Laten we als de donder hier weggaan!' schreeuwde Delores.

Trudy startte de auto.

‘Wauw!’ zei Sophia. ‘Niet te geloven! Heb je dat gezien?’

Trudy schoot weg van het trottoir, reed pijlsnel de straat door en miste bijna de afslag. De banden piepten en we vielen allemaal naar één kant.

‘Wat rustiger alsjeblieft!’ gilde Delores.

Trudy minderde vaart en reed de drukkere straat in.

‘Ik héb het niet meer!’ zei Trudy. ‘Zoals hij door dat raam kwam! Dwars door het raam. Heb je gezien hoe dat verbrijzelde?’

‘Ik heb hem niet zien opstaan,’ zei Delores. ‘Ik keek achterom toen we wegreden, maar ik zag hem niet.’

‘Denk er maar niet meer aan,’ zei Sophia opgewonden. ‘Vergeet niet dat we niks gezien hebben. We zijn die Mexicaanse jongens een tijdje gevolgd, maar konden ze niet bijhouden omdat ze te hard reden en we bang werden. We hebben helemaal niks gezien, want we waren er niet, snap je?’

‘En je nichtje?’ vroeg Delores, naar mij knikkend.

Sophia, die voorin zat, draaide zich naar me om en leunde over de rug van haar stoel. ‘Begrijp je het, Delia? Je zegt geen woord hierover. *Silencio* of hoe dat heet.’ Ze maakte een gebaar alsof ze haar mond dichtritste. ‘Je was er niet bij.’

‘Jeetje, weet je helemaal niks in het Spaans te zeggen?’ zei Alisha en keek toen naar mij. ‘*No diga nada*, Delia, *entiende?*’

‘Wat ben je toch knap, Alisha,’ zei Sophia. ‘De beste leerling van de klas.’

‘Delia, *entiende?*’

Ik wendde mijn hoofd af. Ik had geen vertaling nodig.

‘Ze begrijpt het wel,’ zei Alisha.

‘Ik hoef geen Spaans te spreken om ervoor te zorgen dat ze het begrijpt,’ zei Sophia. ‘Laten we naar het Roadhouse gaan. Ik heb honger gekregen van dit alles. Ik heb behoefte aan een brownie sundae.’

‘Meen je dat?’ vroeg Trudy.

‘Ja. Ga nou maar.’

‘Hij schoot door dat raam naar buiten alsof het een film was,’ zei Delores.

'Hou je mond erover,' zei Sophia. 'Hoe meer je erover praat, hoe groter de kans is dat je je mond voorbijpraat, en dan worden wij straks nog beschuldigd.'

'Ze heeft gelijk,' zei Alisha. 'Laten we er niet over praten, vooral niet in het Roadhouse. Iemand zou ons kunnen horen.'

'Hij heeft zijn verdiende loon gekregen,' zei Sophia. 'Einde verhaal.'

'Maar kun je je Jana's gezicht voorstellen?' vroeg Trudy.

Iedereen lachte.

'Vooral als ze net druk bezig waren,' zei Delores. 'Dit zou haar liefdesleven weleens voor een tijdje kunnen bederven,' ging ze verder, en ze lachten nog harder.

Ik keek uit het raam. Hoe konden ze nu lachen? Mijn geweldige avond was wel heel snel een rampscenario geworden. Wat was er met het fiesta gebeurd? Met mijn bezoek aan een vertrouwde omgeving?

We reden het parkeerterrein van het restaurant op. Ik wilde niet uitstappen om naar binnen te gaan, maar ze hielden vol.

'Denk eraan, we moeten één lijn trekken,' zei Sophia. 'Als een van ons in moeilijkheden raakt, kom jij ook in de problemen, snap je, *mi prima*?' Ze porde me met haar rechterwijsvinger in mijn borst. 'Kom. Ik heb honger.'

Ik volgde ze naar binnen. De opwinding leek hun eetlust te stimuleren. Ze bestelden allemaal een sundae. Ik wilde niets, maar ze stonden erop dat ik tenminste koffie bestelde.

'En kijk niet zo somber,' waarschuwde Sophia.

'Ze bedoelt, kijk niet *triste*.'

Niet droevig kijken?

Mijn tante had me gedwongen iets zo walgelijks te doen met mijn neef Edward, dat hij nu een hekel aan me had en zelfs dacht dat ik een bedriegster en een sletje was. Hij geloofde nu dat hij zijn oog was kwijtgeraakt omdat hij iemand had willen verdedigen die het niet waard was, wat het voor hem nog erger maakte en mij een nog ellendiger gevoel gaf.

Mijn nicht Sophia had me beetgenomen, tegen me gelogen, me

gebruikt om wraak te nemen op haar vroegere vriendje, en waarschijnlijk een heel aardige jongen en zijn ouders in moeilijkheden gebracht. Het minste was wel dat ze me niet meer om zich heen zouden dulden.

Wist iemand wat er met dat meisje Jana was gebeurd?

Dat alles was direct of indirect het gevolg van mijn komst hier – en ik mocht niet droevig kijken?

'Ik zou haar maar een tijdje opsluiten,' zei Trudy tegen Sophia, met een blik op mij. 'Het bevalt me niks zoals ze zich gedraagt.'

'Maak je maar niet ongerust. Ze weet dat als ze iets stoms doet en voor problemen zorgt, mijn moeder haar leven zo miserabel zou maken dat ze zou willen dat ze dood was,' zei Sophia.

Ik staarde naar mijn koffie en zei niets. Alsof ze al vergeten waren wat er zojuist gebeurd was, begonnen ze te praten over een Sweet-Sixteenparty die een meisje, Ashley Piper, in een van de grote hotels gaf. Ze gingen maar door over hun kleren en de jongens die ze daar hoopten te ontmoeten.

Ze verslonden hun sundaes. Sophia at eerst al haar eigen ijs op en speelde daarna met haar lepel leentjebuur bij het ijs van de anderen. Toen ze klaar waren en de rekening betaald hadden, stapten we weer in Trudy's auto. Trudy opperde dat we langs het huis zouden rijden om te zien of er politie was of zo, maar Sophia zei dat dat heel stom zou zijn.

'Bovendien,' ging ze verder, 'welk huis? Ik heb geen idee waar je het over hebt, Delores.'

Iedereen, behalve ik, lachte nerveus. Sophia verkondigde dat zij en ik naar huis zouden gaan. Afgesproken werd dat als een van hen iets hoorde, ze onmiddellijk de anderen zou bellen. Trudy nam een afslag en reed in de richting van mijn tantes hacienda.

'Goed, we zullen het volgende verhaal vertellen,' zei Sophia toen we over de oprijlaan reden. 'We zijn naar dat Mexicaanse huis gegaan om Delia te redden van wat we zeker wisten dat een saai feest zou zijn. We praatten wat met de jongens, die al kwaad waren over wat Bradley had gedaan. Voor zover we weten had Delia hun alles verteld. We zagen ze wegrijden in hun auto, volgden hen een tijdje, maar konden ze niet bijhouden en gingen toen ijs eten. De serveerster zal het bevestigen. Verder weten we van niks, oké?'

'Wat ben je toch een slechterik, Sophia,' zei Trudy, waarop iedereen begon te lachen.

'Niet zo slecht als Bradley Whitfield,' zei Sophia. 'Of misschien niet zo stom.'

Nog meer gelach. Ik was blij dat ik uit kon stappen, en liep snel naar het huis.

'Ga rechtstreeks naar je kamer,' beval Sophia, terwijl ze mijn arm pakte bij de deur. 'Blijf niet staan praten met Jesse als hij er is, en vooral niet met Edward. Ik zal je later laten weten wat er aan de hand is als ik vanavond iets hoor.'

Ik zei niets. Ik was te confuus en te moe. Haastig liep ik de trap op naar mijn kamer. Ik ging voor het raam zitten en staarde naar de duisternis buiten. Mijn raam keek uit op het terrein aan de voorkant van de hacienda. Ik zag de verlichte oprijlaan, de lampen aan het hek en de koplampen van de auto's die door de straat reden waaraan het landgoed van mijn tante lag. Het was halfbewolkt, maar ik kon nog wat maanlicht en sterren zien die de donkere lucht verhelderden.

Ik kon niet verhinderen dat ik bleef rillen, zelfs niet toen ik alleen in mijn kamer was. Ik wist niet hoe lang ik daar had gezeten. Ik moet even in slaap zijn gevallen, want toen ik mijn ogen opendeed, was ik aanvankelijk in de war. Het was al laat, en behalve het geluid van mijn eigen diepe ademhaling, hoorde ik niets.

Juist toen ik op het punt stond op te staan om naar bed te gaan, zag ik een paar koplampen naar het hek komen. Ik keek ernaar en hoorde toen een telefoon. Hij ging een paar keer over voor hij stilhield; het hek zwaaide open en de auto reed naar het huis. Zonder te weten wie het was, begon mijn hart sneller te kloppen. Toen de auto dichterbij kwam, wist ik waarom.

Het was een politieauto.

Portieren gingen open en werden dichtgeslagen, en ik hoorde voetstappen. Ik liep naar mijn deur en opende die op een kier om te luisteren. De voordeur werd geopend en ik hoorde het gemompel van stemmen beneden. Ik herkende de hese stem van señor Garman en van Jesse, die kennelijk de nacht weer bij Edward doorbracht. Tante Isabela was weg en hij was naar beneden gegaan om te zien wat er gebeurde.

Sophia verraste me. Ik keek de andere kant op en hoorde haar niet aankomen. Ze deed de deur open, duwde me naar binnen en deed hem toen snel weer achter zich dicht. Ze had een nachthemd en een ochtendjas aan.

'Waarom ben je nog aangekleed?' vroeg ze. Haar gezicht vertrok even. 'Je ziet eruit of je net bent thuisgekomen. Gauw, kleed je uit en trek een nachthemd aan. Schiet op!'

Haastig deed ik wat ze zei, terwijl zij de wacht hield bij de deur en luisterde.

'Er komt iemand boven,' zei ze toen ik mijn ochtendjas en slippers aantrok. 'Je hebt zelfs je make-up er niet af gehaald, idioot!'

Ze pakte een doekje en wreef hardhandig over mijn gezicht.

Er werd op de deur geklopt. We verstarden.

'Wie is daar?' riep ze.

'Jesse. Ik zou maar meteen met Delia beneden komen. De politie van Palm Springs is er.'

'Waarom?'

'Kom nou maar beneden, Sophia. Neem Delia mee. Het is heel ernstig.'

Ze liep naar de deur en opende hem. 'Waarom is de politie er?'

'Ze willen Delia spreken. En jou.'

'Waarom?' vroeg ze weer en zette haar handen op haar heupen.

Jesse keek langs haar heen naar mij. 'Omdat ze dat willen.'

'Het kan me niet schelen wat ze willen. Mijn moeder is niet thuis. Zeg dat ze terugkomen wanneer mijn moeder er is.'

'Doe niet zo stom, Sophia. Kom meteen beneden.'

'Waarom? Waarom is het zo belangrijk om nu met ze te praten? Het is al laat. We stonden allebei op het punt om te gaan slapen.'

'Sophia...'

'Zeg het tegen ze, Jesse.'

'Ze zullen echt niet weggaan, Sophia.'

'Waarom niet?'

Jesse keek naar mij. 'Omdat Bradley Whitfield *está muerto*.'

Mijn hart stond stil en het bloed verdween uit mijn gezicht. Ik had het gevoel of ik in een hete oven stond. Even snakte ik naar adem.

'Wat betekent dat, verdomme?'

'Het betekent dat hij dood is,' zei Jesse.

Sophia deed een stap naar achteren alsof hij naar haar gespuugd had. Ze keek naar mij en toen weer naar hem. 'Dat kan niet. Hoe kan hij nou dood zijn?'

'Hoe dat kan? Blijkbaar heeft iemand hem door een raam gegooid en heeft het glas een slagader opengehaald. Hij is doodgebloed voordat de ambulance kwam.'

'Doodgebloed?'

'Het meisje dat bij hem was, Jana Lawler, was te hysterisch om op tijd bij een telefoon te kunnen komen.'

'Hij is echt dood?'

'Ja.'

'Nou...'

Sophia keek naar mij. Ik snikte zachtjes, mijn tranen leken uit mijn wangen te komen in plaats van uit mijn ogen.

'Nou... waarom komt de politie dan hier?'

'Jana zei dat vier Mexicaanse jongens bij haar en Bradley binnenstormden. Ze kende een van hen. Ze gingen naar het huis van die jongen en hoorden dat Delia er geweest was en jij later met een paar vriendinnen kwam. Jullie gingen allemaal weg met die jongen en zijn vrienden. Dat is wat ze weten. Dat is wat de politie ons zojuist verteld heeft. Tevreden? Ik zal zeggen dat jullie meteen beneden komen.' En met die woorden liet hij ons alleen.

'Verdomme,' zei Sophia. Ze ging in de stoel bij de toilettafel zitten.

Ik zocht steun bij de bedstijl om te voorkomen dat ik viel.

'Die Jana is een debiel. Waarom kon ze niet bellen toen ze zag hoe erg hij bloedde?' mompelde Sophia. Toen keek ze snel naar mij en stond op. 'Huil niet zo. Je mag nu geen inzinking krijgen, Delia. Je moet je aan ons verhaal houden, begrepen? Ken je het verhaal nog?

En hou verder je mond. Doe maar net of je niks begrijpt. Ik zal ze duidelijk maken dat we geen woord zeggen voordat mijn moeder thuis is. Zeg jij vooral niet te veel.

'Delia!' Ze pakte mijn armen beet en schudde me door elkaar. 'Luister je naar me?'

Ik knikte, maar haar woorden leken op rammelende knikkers in een blikje.

'Dat zou ik maar doen, anders krijg je de grootste problemen. Je bent zelfs nog geen Amerikaans staatsburger. Dan zouden ze je naar de gevangenis kunnen sturen, een verschrikkelijke gevangenis alleen voor Mexicanen.'

Was dat waar?

'Goed. Kom mee.' Ze nam me bij de hand. 'Ik ben bij je. Kijk naar mij voor je ergens antwoord op geeft. Laat mij maar het woord doen. Ik zal je hand blijven vasthouden. Als ik erin knijp, geef je geen antwoord. Ik hoop dat je het begrijpt, Delia, meer voor jou dan voor mij.' Haar ogen waren strak en dreigend op me gericht.

We liepen naar de trap. Toen we bijna beneden waren, zag ik twee politiemannen met señor Garman bij de deur staan. Jesse was terug naar Edward om hem te vertellen wat er aan de hand was. Señor Garman droeg een oude broek en een onderhemd. Hij keek ons zo kwaad aan dat ik niet te dicht bij hem durfde te komen. Zodra we de trap af waren, pakte Sophia mijn hand.

'Wat is er?' vroeg ze opvallend agressief. 'Mijn moeder is niet thuis en ik weet zeker dat ze niet zal willen dat we met de politie praten zonder een advocaat te hebben geraadpleegd.'

'Waarom? Denk je dat we je komen arresteren?' vroeg de langste van de twee politiemannen.

'Nee,' antwoordde ze, maar ze aarzelde om verder naar voren te komen.

De kleinste, een jongere, knappere man met een rustige glimlach, knikte naar me. '*Usted es* Delia?' vroeg hij.

'Sí,' zei ik. Het feit dat hij Spaans sprak maakte dat ik me iets ontspande, maar Sophia keek geschokt.

'Ik versta geen Spaans, dus...'

'Hij had het niet tegen jou. Dit meisje is pas kortgeleden hier gekomen, hè?'

'Dit meisje is mijn nichtje,' zei Sophia.

Achter ons hoorden we Jesse en Edward de trap afkomen.

'O, verrek,' mompelde Sophia. 'Mijn broer.'

'Wat is hier aan de hand, meneer Garman?' vroeg Edward, halverwege de trap.

'Er is een jongeman gedood,' antwoordde hij. 'De politie is hier om je zus en Delia te ondervragen.' Hij draaide zich om naar de politie. 'Meneer Dallas heeft een ernstig auto-ongeluk gehad en...'

'Ja, we weten van dat ongeluk,' zei de langste van de twee.

'Wat hebben mijn zus en Delia daarmee te maken?' Jesse liep met Edward naar ons toe.

'Dat proberen we te weten te komen,' zei de langste. Hij keek naar Sophia. 'Jij en je nichtje en een paar van je vriendinnen zijn vanavond in het huis van Ignacio Davila geweest. Klopt dat?'

'Mijn nichtje ging erheen met Ignacio om de verjaardag van zijn zusje te vieren, ja, en toen ben ik er met mijn vriendinnen naartoe gegaan om te zien of het goed ging met haar,' zei Sophia, en hield mijn hand steviger vast.

De jongste vroeg aan mij of ik wist waar Ignacio nu was.

'Nee,' zei ik.

'Wat heeft hij haar gevraagd? Ik wil niet dat ze vragen beantwoordt zonder dat mijn moeder erbij is. Ze weet van niks. Zo lang is ze hier nog niet. Hemel, haar ouders zijn in Mexico verongelukt. Ze is nog niet over die tragedie heen,' zei Sophia snel.

'Weet je waarom die jongens achter Bradley Whitfield aangingen?' vroeg hij aan haar.

Ze boog haar hoofd. 'Daar praten we niet graag over,' zei Sophia. 'Ze schaamt zich ervoor.'

'Sophia,' zei Edward. 'Hou op. Vertel ze wat je weet.'

'We schamen ons écht, Edward,' snauwde ze, en ging toen verder tegen de politieman. 'We geloven dat Bradley Whitfield misbruik heeft gemaakt van mijn nichtje.'

'Misbruik? Wat wil dat precies zeggen?' vroeg de langste.

'Puzzel het maar uit.'

De jongste vroeg aan mij of het waar was. Ik sloeg mijn ogen neer en zei ja.

'Hoe komt het dat niemand een dergelijk incident heeft gemeld?' vroeg de langste. Hij keek naar Edward.

Even bleef het stil en toen deed Sophia haar mond open.

'Hoe komt het dat uw neus zo lang is?' kaatste ze terug.

'O, een wijsneusje, hè?'

'Dat is ze,' zei Edward. 'Wat wilt u weten? Mijn moeder is niet thuis en we zijn allemaal minderjarig, maar we proberen u te helpen.'

'Weet iemand van jullie waar Ignacio Davila is?'

'Wij niet. Sophia, als jij het weet, zeg het dan.'

'Ik weet het niet. Wij weten het niet. Ja, we zijn op het feest geweest, en ze waren erg van streek over wat Bradley met een Mexicaans meisje had gedaan, vooral iemand die zo onschuldig en puur en religieus is. We hoorden ze zeggen dat het tijd werd voor Mexicaanse gerechtigheid.'

'Zeiden ze dat?' vroeg de langste.

'Dat hebben we ze horen zeggen.'

De jongste vroeg me in het Spaans of ik dat ook gehoord had. Ja, zei ik. Ik wilde hem nog meer vertellen, maar Sophia kneep zo hard in mijn hand dat ze de bloedtoevoer belemmerde.

'Geef me de namen van de meisjes die bij je waren,' zei de langste tegen Sophia. Ze ratelde ze op. 'Waren ze er allemaal bij toen dat gezegd werd?'

'Ja,' zei Sophia op vriendelijkere toon.

'En wat gebeurde er toen?' vroeg de langste.

'Ze holden weg, en ik zei tegen mijn vriendinnen dat we de jongens moesten volgen om te zien wat ze gingen doen, maar ze reden zo hard, dat we het opgaven en naar het Roadhouse gingen. U kunt het controleren. De serveerster heette Christina.'

'Hoe wisten die Mexicaanse jongens waar ze Bradley Whitfield konden vinden?' vroeg de jongste.

Sophia liet mijn hand los en sloeg haar arm om mijn schouders, trok me dichter naar zich toe. 'Ze wisten waar hij mijn nichtje verkracht had. Delia zit met Ignacio op Engelse les,' ging ze verder, wat erop neerkwam dat ze zei dat ik alles verteld had.

De politiemannen zwegen.

'Is er verder nog iets?' vroeg Edward.

'Voorlopig niet,' zei de langste politieman. 'Als iemand iets weet over de verblijfplaats van Ignacio Davila en zijn vrienden en het ons niet vertelt, kan hij of zij worden beschuldigd van belemmering van de rechtsgang. Denk daaraan.'

Ze bedankten señor Garman en vertrokken. Zodra ze weg waren, trok Sophia me mee naar de trap.

'Sophia,' riep Edward.

'Wat wil je?'

'Bradley Whitfield is dood.'

'En?'

'Als jij er iets mee te maken had...'

'Ben je nu ook nog doof behalve blind, Edward? Je hebt alles gehoord.'

'Delia,' zei hij tegen mij, 'is dat de waarheid? *La verdad?*

Voor ik kon antwoorden, trok Sophia me achteruit en ging tussen mij en Edward en Jesse staan.

'We zijn allebei erg van streek, Edward, vooral Delia. Je kunt haar gezicht niet zien, maar ze is volkomen van de kaart. Laat ons met rust.' Ze trok me weer naar de trap.

'Dat ging goed,' fluisterde ze terwijl we naar boven liepen. 'Ik ga de meisjes bellen. Het komt allemaal best in orde. Zolang we maar één lijn trekken. Begrijp je?'

Ik wilde haar hand loslaten. Ze bood me geen reddingsboei aan, dacht ik, ze trok me omlaag naar een duistere diepte, samen met haar en haar vriendinnen. Ze liet me naast haar zitten in haar kamer terwijl ze de een na de ander van haar vriendinnen belde om te vertellen dat de politie geweest was en wat zij tegen ze gezegd had. Uit haar manier van praten leidde ik af dat ze allemaal geschokt en doodsbang waren toen ze hoorden dat Bradley dood was. Ze eindigde elk gesprek met dezelfde woorden: 'Als je niet precies doet en zegt wat we hebben afgesproken, kun je jezelf en ons in ernstige moeilijkheden brengen. Ze zouden ons kunnen beschuldigen van medeplichtigheid aan moord of zoiets!'

Hoezo beschúldigen? Dat was precies wat we wáren, en door mee te werken en me erbij neer te leggen, was ik niet veel beter dan zij.

Ik was heel diep gevallen na de ochtend dat ik met mijn ouders voor het altaar stond om mijn *quinceañera* te vieren.

Hoeveel dieper zou ik nog kunnen vallen?

Was ik te ver naar de duistere kant afgedreven om nog terug te kunnen?

19

Geen leugens meer

Waar tante Isabela het weekend ook naartoe was geweest, het was dicht genoeg bij om de volgende ochtend onmiddellijk te horen wat er gebeurd was. Ze belde Sophia, en Sophia ging naar mijn kamer om me wakker te maken en te vertellen dat haar moeder halsoverkop naar huis kwam.

'Ik heb mijn moeder nog nooit zo ontdaan meegemaakt. Ze kan erger zijn dan de politie,' waarschuwde ze. 'Wees dus erg voorzichtig met wat je haar vertelt.'

En toen, alsof we deelnamen aan een groot, nationaal, opwindend evenement, vertelde ze dat Bradleys dood op de voorpagina stond van de kranten en op het nieuws van de tv was. Ze was erg opgewonden.

'Natuurlijk zijn we minderjarig en worden onze namen dus niet genoemd,' voegde ze eraan toe, alsof ze dat heel vervelend vond.

Het beetje slaap dat ik de afgelopen nacht had gehad maakte niet dat ik me minder versuft en geschokt voelde. Ik voelde me nog steeds alsof ik in de ruimte zweefde, gevangen was in een nachtmerrie waaruit ik me niet kon bevrijden. Sophia's woorden verbijsterden me. Ik staarde haar verbluft aan. Als er al sprake was van enige bezorgdheid of berouw, dan was die goed verborgen onder de sprankeling in haar ogen en het enthousiasme in haar stem. Waarom was ze niet net zo bang als ik? Hoe kon ze dit nog steeds opvatten als iets opwindends, iets spannends, zelfs al was het uitgelopen op Bradleys overlijden?

'Ze kan hier pas over een uur of zo zijn, dus laten we opstaan en ontbijten en net doen of er niks aan de hand is. *Nada*, snap je?'

'Niks? Hoe kunnen we doen of er niks aan de hand is?'

'Nou ja, je weet wat ik bedoel.' Haar gezicht vertrok even. 'Begin daar nou niet mee. Gedraag je niet schuldig. Je hebt trouwens helemaal niks gedaan. Je hebt hem zeker niet uit het raam gegooid, en we hebben ze niet gezegd dat ze hem dood moesten maken, toch? Het is niet onze schuld dat ze te ver zijn gegaan. Je kunt het erg vinden voor hem en zijn ouders, maar je kunt jezelf of ons niet de schuld geven, begrijp je?'

Ik gaf geen antwoord, maar sloot mijn ogen en draaide mijn hoofd om. Ze geloofde echt dat ze niets verkeerds had gedaan. Ik vroeg me af of mensen die vaak tegen anderen liegen ook goed tegen zichzelf konden liegen.

'Blijf daar niet zo liggen mokken. Kleed je aan,' beval ze. 'Ik heb een enorme honger vanmorgen. Blijf dicht bij me, dan komt alles in orde, Delia! Luister je?'

'Sí,' zei ik. 'Ik sta op.'

Ik ging rechtop in bed zitten om haar tevreden te stellen, en ze vertrok.

Hoe lang ik ook onder de douche bleef staan en hoeveel zeep ik ook gebruikte, ik kon de dikke lagen schuldgevoelens niet wegwassen. Ik had iets meer moeten doen om Ignacio en zijn vrienden tegen te houden, ik had moeten schreeuwen, smeken, ze achterna hollen.

Natuurlijk had ze gelijk. Ik moest me niet zo ellendig voelen over Bradley Whitfield. Kijk maar naar wat hij met mij had gedaan en wat voor soort jongen hij was. Maar ik kon de gedachte aan al het verdriet dat zijn dood in zijn familie zou veroorzaken, niet van me afzetten. Hij had straf verdiend, maar dit ging veel te ver. Ik vroeg me af in hoeverre Ignacio er daadwerkelijk bij betrokken was geweest. Als hij en zijn vrienden voor de rechter stonden, zouden ze mij dan gebruiken als rechtvaardiging? Ik wenste dat pastoor Martinez bij me was, zodat ik bij hem kon biechten en naar zijn goede raad en troost kon luisteren.

En als oma het op de een of andere manier zou horen? Als tante Isabela eens zo kwaad was dat ze haar schreef of belde om het haar te vertellen? De tranen sprongen in mijn ogen alleen al bij de gedachte dat ze het te weten zou komen. Al haar hoop, al haar gebeden, zouden nutteloos zijn gebleken.

Sophia had zich aangekleed en stond ongeduldig op me te wachten toen ik uit de badkamer kwam.

'Schiet op,' zei ze. 'Kleed je aan. Je doet er veel te lang over. Ik wil dat we rustig zitten te eten en volkomen ontspannen zijn als ze thuiskomt.' Ze keek op haar horloge. 'Vooruit.'

Ik kleedde me snel aan en volgde haar naar buiten. Jesse ging net weg toen we de trap afliepen. Bij de deur bleef hij staan.

'Edward en ik weten dat je liegt over alles wat er gebeurd is, Sophia,' zei hij. 'Deze keer zal zelfs je moeder je niet kunnen helpen.' En met die woorden liep hij de deur uit.

'Dat denk jij, meneer de verpleger! Opgeruimd staat netjes!' schreeuwde ze hem achterna.

Iedereen in en buiten het huis was blijkbaar op de hoogte van de afschuwelijke gebeurtenissen. Ik zag het onmiddellijk aan het gezicht van señora Rosario en van Inez. Ze keken me aan alsof ik een totaal ander mens was, alsof ik mijn huid had afgeworpen als een slang en nu pas mijn ware gedaante toonde. Ik brandde van verlangen hun alles te vertellen, alles uit te leggen zodat ze het zouden begrijpen, maar Sophia zat die ochtend praktisch aan me vastgekleefd.

Ik zag hoe ze schrokkerig zat te eten, ondanks alle spanningen en opschudding, en ik dacht bij mezelf dat waar andere mensen gevoelens, emoties, zenuwen hadden, zij van staal moest zijn. Ondanks alles wat Bradley had gedaan, was hij vroeger toch haar vriendje geweest? Had ze me niet verteld hoe graag ze intiem met hem had willen zijn? Ze had vroeger toch iets voor hem gevoeld? Hoe was het mogelijk dat ze geen traan had gelaten, of deed ze dat als ze alleen was zodat ze stoer kon doen tegenover mij? Ter wille van haar hoopte ik dat. Ik hoopte dat ze toch nog iets van een hart had, al was het nog zo gering, en in staat was ook om een ander te geven en niet alleen om zichzelf. Anders zou ze net zo eenzaam en verbitterd opgroeien als haar moeder.

Tante Isabela kwam zo heftig het huis binnengestormd, dat ik dacht dat ze ons zou zoeken en aframmelen. Ik kromp ineen bij het geluid van haar stem, haar geschreeuw. 'Waar zijn ze?' gilde ze zodra ze binnen was. We hoorden señora Rosario op gedempte toon tegen haar praten, en toen hoorden we hoe ze met iets smeet en naar de eetkamer liep. Haar voetstappen leken spijkers die in mijn ziel werden gehamerd.

Toen ze in de deuropening stond leek ze te exploderen. Misschien kwam het door mijn eigen angst, maar ze leek groter en imponerender dan ooit toen ze voor ons opdoemde. Haar ogen glommen heet en fel als gesmolten lava. Ze droeg een strakke roodleren broek, een witte blouse en een roodleren jasje. Met haar rood aangelopen gezicht leek ze volledig uit bloed te bestaan. Lange tijd bleef ze ons slechts aankijken, en toen concentreerde ze zich op Sophia. Ik sloeg mijn ogen neer en hield mijn adem in.

'Je bent naar dat Mexicaanse fiesta gegaan? Je bent haar daar gevolgd?' vroeg ze dreigend.

Sophia haalde haar schouders op, alsof het niets te betekenen had, maar ik kon zien dat zelfs haar kille, zelfverzekerde hart het eindelijk moeilijk had. Dat van mij lag als een ijzeren bal in mijn borst.

'We vonden dat we even moesten zien of het goed met haar ging, moeder. Ze is nogal dom op het gebied van jongens.'

'Zíj is dom op het gebied van jongens? Zíj?' Ze wees naar me alsof ze zeker wilde weten dat Sophia het over hetzelfde meisje had.

'Nou ja, ik dacht omdat ze... ik bedoel, kijk naar wat er tussen haar en meneer Baker is gebeurd, en toen maakte Bradley al snel misbruik van haar, en...'

'Idioot! Op het gebied van mannen is ze twee keer zo sluw en een betere intrigante dan jij ooit zult zijn. Ze is de dochter van mijn zus!'

'Nou, dat hoorde ik pas nadat ze hier was,' kaatste Sophia terug. 'Hoe moest ik trouwens iets weten over jouw zus? Waarom doe je zo geheimzinnig over je eigen familie?' Ze ging over tot de aanval.

Tante Isabela beet even op haar lip en deed toen een stap in de richting van de tafel. Ze legde haar handen op de rugleuning van haar stoel en keek woedend eerst naar mij en toen naar Sophia.

'Je gaat niet van onderwerp veranderen, zoals je zo vaak doet, Sophia. Dit is heel ernstig. Ik wil precies weten welke rol jij hierin hebt gespeeld. Over een uur komt Web Rudin hier om met jou, Delia en mij te praten, maar voordat je met mijn advocaat spreekt, wil ik heel precies weten in hoeverre jij hierbij betrokken bent.'

Ze stond op en sloeg haar armen over elkaar.

'Nou? Schiet op,' commandeerde ze. 'En je kunt maar beter geen enkele leugen vertellen, want, geloof me, ik gooi je voor de leeuwen.'

Sophia begon te huilen. Haar vermogen om haar tranen als een kraan aan en uit te draaien, was verbluffend.

'Niemand hier houdt van me sinds papa is gestorven,' zei ze door haar tranen heen.

'O, alsjeblieft!'

'Je neemt meteen maar aan dat alles mijn schuld is,' jammerde Sophia.

Tante Isabela grijnsde spottend. 'Omdat het dat meestal ook is, Sophia. En probeer niet mij te manipuleren zoals je doet met je docenten en je vriendinnen. In tegenstelling tot de meeste moeders ben ik nooit zo verzot geweest op mijn kinderen, en ik heb nooit excuses gezocht voor hun zwakheden en fouten.'

'Misschien had je dat wél moeten doen,' antwoordde Sophia. 'Dan zouden we misschien niet zo in de problemen zitten.'

'Waag het niet iets hiervan op mij af te schuiven,' zei tante Isabela. 'En nu, wat is er precies gebeurd? Ik wil weten wat je hebt gedaan. Sla geen detail over.'

'Goed, ik zal het je vertellen.' Sophia zei het op een toon alsof ze het haar moeder zou doen berouwen dat ze het gevraagd had. Ze veegde haar valse tranen weg en haalde diep en overdreven adem. 'Eerst heb ik haar geholpen met aankleden,' zei ze met een knikje naar mij. 'Ik heb haar laten zien hoe ze zich moest opmaken, en ik leende haar een paar oorbellen en hielp haar met haar kapsel. Dat is altijd zo simpel, en...'

'Daar heb ik het niet over!'

'Nou ja, je zei dat ik geen detail mocht overslaan.'

Tante Isabela zuchtte. 'En toen?'

'Ignacio, haar Mexicaanse vriend, kwam in die smerige oude pick-up. Die zag er zo armzalig uit, dat ik hoopte dat hij vanbinnen minder smerig was dan vanbuiten. Per slot had ze een dure jurk aan. Hij droeg een mariachi-kostuum of zoiets. Ik dacht niet dat het hem erg beviel zoals ze gekleed was, en ik dacht dat ze misschien weinig plezier zou hebben, dat ze zich een buitenstaander zou voelen bij die Mexicanen.'

'O, dus plotseling maakte je je bezorgd of ze door Mexicanen zou worden geaccepteerd? Maakte je je zorgen of ze wel gelukkig zou zijn?'

'Nou ja, ze is mijn nichtje. Jij hebt gezegd dat ze bij de familie zou horen, moeder. Jij zei...'

'Ga maar door met je verhaal,' zei tante Isabela.

'Ik had later afgesproken met Alisha, Delores en Trudy. We zouden naar een film gaan, maar ik vertelde ze over Delia en de manier waarop Ignacio naar haar had gekeken. Het leek hun een goed idee om even langs te gaan bij het fiesta om te zien of ze het wel naar haar zin had. Als dat niet zo was, vonden ze dat we haar met ons mee moesten nemen.'

'Zij vonden dat? Het is altijd iemand anders die met dergelijke ideeën komt.'

'Het was ook mijn idee. Ik wilde dat ze tijd doorbracht met Amerikaanse meisjes. Ze komt hier wonen en is lid van onze familie...'

'En?'

'En ik was blij dat we waren gegaan, want toen we daar kwamen, zag ik dat ze min of meer op zichzelf was aangewezen. Ik kon zien dat die Mexicanen haar vreemd aankeken, alsof ze een soort verraadster was of zoiets, omdat ze niet een van die kostuums aanhad. Ze hadden waarschijnlijk nog nooit gehoord van Valentino. De meesten zagen eruit alsof ze een paar vodden hadden geverfd en om zich heen hadden gewikkeld...'

'Sophia! Vertel me wat ik wil horen,' schreeuwde tante Isabela.

'Ik vertel het je zoals het gebeurd is. Dat wilde je toch? Je zei dat ik het tot in detail moest vertellen.'

'Ga door,' zei tante Isabela, die een uitgeputte indruk maakte.

'Nou, bijna onmiddellijk nam haar vriendje Ignacio me terzijde en vroeg me of het waar was wat Bradley Whitfield met haar had gedaan. Ze had hem blijkbaar alles verteld, elk smerig klein detail van haar verkrachting.'

Ik draaide me met een ruk om. Ik kon het meeste van wat ze zei goed genoeg volgen en twijfelde niet aan wat ze zojuist had gezegd. Ik wilde mijn hoofd schudden, maar ze keek me met zo'n vurige, dreigende blik in haar ogen aan, dat die al het andere in mijn hoofd leek te verbranden.

'Wat moest ik doen, moeder? Ik moest wel ja zeggen. Ik weet of herinner het me zelfs niet of jij het wist, maar het was Ignacio die op Bradley insloeg en hem wegjaagde toen hij achter haar aankwam om het haar met zijn vrienden te laten doen, Ja toch, Delia? Ignacio heeft je toch al eerder geholpen? Nou?'

Tante Isabela keek naar mij. Ik knikte. Ze had een kiezeltje waarheid gegooid in de poel van leugens. Ik kon het niet ontkennen.

Tante Isabela richtte zich weer tot haar. 'En toen?'

'Hij was plotseling verdwenen en stond met drie van zijn vrienden en met haar te fluisteren. Ik denk dat ze hun vertelde waar Bradley haar had verkracht. Dat kan niet anders. Ze vervloekten Bradley en dreigden met Mexicaanse gerechtigheid en verlieten het feest.'

'Mexicaanse gerechtigheid?'

'Zoiets. Ik hield Ignacio tegen en zei: "Pas op voor Bradley Whitfield. Zijn vader is erg belangrijk in deze regio." Ik denk dat ik dat niet had moeten zeggen. Het maakte hem, en zijn vrienden, nog kwader. Hij duwde me opzij, mompelde hoe slecht we Mexicanen behandelen en ging weg.

'Alisha zei dat we ze beter konden volgen om te zien wat ze van plan waren. Ik zei tegen Delia dat ze met ons mee moest, dat dit gebeurde omdat zij hun te veel verteld had. We reden weg in Trudy's auto en probeerden die Mexicaanse jongens te volgen.'

'Hoe bedoel je, probeerden?'

'Ze reden zo hard dat we ze niet konden bijhouden. Delia huilde, ze had spijt van wat ze had gedaan. We waren nu allemaal bang, dus gingen we naar het Roadhouse om tot rust te komen. Vlak daarna gingen we naar huis. Het volgende wat tot me doordrong was dat Jesse 's avonds laat op Delia's deur bonsde. Ik was bij haar in haar kamer en probeerde haar te kalmeren zodat ze wat kon slapen. Ze huilde en mompelde allerlei Spaanse woorden die ik niet begreep.'

'Jesse kwam je halen?'

'Ja, hij is hier al die tijd geweest, moeder. Ze hadden zich praktisch opgesloten in Edwards kamer.'

Ze keek naar mij en toen weer naar Sophia. 'En dat is alles?'

'Nee, Jesse stond erop dat we naar beneden zouden gaan om met de politie te praten. Ze waren erg onheus. Ik zei dat je niet zou willen dat we met ze spraken zonder dat er een advocaat bij was, en ze maakten me belachelijk, behandelden me alsof ik degene was die Bradley door het raam had gegooid. Ik vertelde ze dat we naar het Roadhouse waren gegaan en gaf hun zelfs de naam van de serveerster die ons bediend had. Je kunt het controleren als je me niet gelooft.'

Tante Isabela staarde even voor zich uit, ontspande zich toen en ging in haar stoel zitten.

'Inez,' schreeuwde ze.

Het was nogal duidelijk dat Inez met haar oor tegen de deur stond en alles had gehoord. Ze was in een seconde binnen.

'Ja, mevrouw Dallas?'

'Haal een kopje verse koffie voor me en een glas ijskoud water.'

'Ja, mevrouw Dallas.'

'Hoe was je weekend, moeder?' vroeg Sophia, alsof dit een ochtend was als alle andere. Met één grote hap at ze de rest van haar muffin op. 'Waar ben je eigenlijk geweest? Was je weer met Travis?'

'Bemoei jij je maar niet met mijn weekend, Sophia. Ik heb je gezegd dat je niet van onderwerp moest veranderen.'

'Nou, ik heb je alles verteld! Wat wil je nog meer?'

'Heb jij of Delia enig idee van de verblijfplaats van die Mexicaanse jongens?'

'Hoe zouden we? Dit was de eerste keer dat ik een van hen ontmoette. Het is niet mijn gewoonte om rond te hangen met Mexicaanse jongens, moeder.'

'Het is niet te geloven,' zei tante Isabela met een diepe zucht. 'Ik ben nu al op van de zenuwen. Morgen gaan we met Edward naar de dokter om te zien in hoeverre zijn ogen vooruit zijn gegaan.'

'Waarom maak je je zo zenuwachtig? Je hebt toch gezegd dat hij er een zal moeten missen?'

'We weten nu nog niet in welke mate, maar hoogstwaarschijnlijk wel, ja.'

Inez verscheen met een glas water voor haar. 'Over een minuut komt de koffie,' zei ze.

Tante Isabela nam een slok water, dacht even na en draaide zich toen om naar mij.

'*Ella está diciendo la verdad?*' vroeg ze aan mij.

'Je spreekt nooit Spaans, moeder,' zei Sophia onmiddellijk. 'Wat heb je haar gevraagd?'

'*La verdad?*' vroeg tante Isabela mij, haar negerend.

Ik wist dat als ik nee zei, dat het niet de waarheid was, Sophia me zou haten en zou proberen me op een of andere manier kwaad te doen. Ik had gemerkt waartoe ze in staat was, en ik was bijna net zo bang voor haar als voor mijn tante, maar ik herinnerde me wat oma Anabela altijd zei: '*Es más fácil de atrapar a un mentiroso que a un cojo.*' Het is gemakkelijker een leugenaar te pakken dan een kreupele.

Bovendien had ik weinig vertrouwen in de loyaliteit van Sophia en haar vriendinnen. De een zou de ander verraden als ze dreigde in moeilijkheden te komen, dacht ik, en uiteindelijk zou tante Isabela weten wat waar was en wat niet. Tot nu had ik me door hen mee laten slepen de duisternis in, maar het werd tijd om terug te keren, of dat althans te proberen. Tante Isabela was geen pastoor Martinez, en ik verwachtte geen vergiffenis of iets anders van haar, maar ik wilde niet langer in dezelfde modderpoel rondspartelen en dezelfde lucht inademen als Sophia. Dat zou de nagedachtenis van mijn ouders bezoedelen en hen dichter naar die derde dood voeren.

'*No lo dije a Ignacio. Estaba ella.*'

Tante Isabela knikte met een kille glimlach.

'Wat heeft ze gezegd? Nou? Wat heeft ze gezegd?' vroeg Sophia.

'Ze zei dat zij Ignacio niet verteld had dat Bradley haar verkracht had en waar hij was, maar dat jij dat hebt gedaan.'

'Wát? Ze liegt. Ze is bang voor moeilijkheden, dat ze het land uit gestuurd zal worden of zoiets.'

Inez kwam terug met verse koffie voor tante Isabela. Niemand zei iets tot ze weg was. Tante Isabela nam een slok koffie en dacht na. Toen knikte ze bij zichzelf.

'Feitelijk is het geloofwaardiger dat zij het hem verteld heeft. Dat is beter voor ons. En voor haar,' ging ze verder, met een blik op mij. 'De mensen zullen sympathie voor haar hebben. Ze is verkracht. Het is logisch dat ze zich tot Mexicanen wendt om hulp. Je vertelt iedereen dat jij het hem hebt verteld van Bradley, niet Sophia. *Entiende?*' schreeuwde ze tegen me.

Ik begreep het. Ik kon alleen niet geloven dat ze liever loog. Mijn zwijgen ergerde haar.

'Ik vraag mijn advocaat je te verdedigen, jullie allemaal. Ik betaal alles, en het zal me een hoop geld gaan kosten. Ik wil niet dat mijn familie in zo'n smerig zaakje wordt betrokken. Je doet wat ik zeg. *Entiende?*'

Ze zette haar kopje zo hard neer dat het schoteltje brak.

Ik knikte snel.

Inez en señora Rosario kwamen haastig naar binnen om te zien wat er was gebroken.

'Niet nu!' schreeuwde ze naar hen. Ze bleven staan, keken naar mij en gingen terug naar de keuken. Mijn tante zat met haar vingers op de tafel te trommelen terwijl ze nadacht. Toen richtte ze zich weer tot mij.

'Tot ik zeg dat je naar buiten mag, blijven jullie allebei binnen. *No salga de la casa*. Zelfs niet om naar school te gaan. Ik wil niet dat jullie je per ongeluk iets laten ontvallen, *entiende?*'

Weer knikte ik. Ze keek naar Sophia en wees naar haar met haar wijsvinger.

'Deze keer ben je te ver gegaan, Sophia. Als dit achter de rug is, en je doet niet precies wat ik zeg, vil ik je levend. En maak je nu gereed voor de komst van meneer Rudin. Allebei. En zorg ervoor dat jullie verhalen kloppen. Inez!' gilde ze en stond op.

Inez kwam onmiddellijk terug in de eetkamer.

'Ruim dat op,' beval ze, wijzend naar het gebroken schoteltje. Toen draaide ze zich om en liet ons alleen.

Sophia bleef met een woedend gezicht zitten terwijl Inez aan het werk was. Zodra Inez de scherven had weggebracht, begon Sophia tegen mij.

'Verraadster,' zei ze. 'Daar zul je spijt van krijgen.' Ze stond op en liep de kamer uit.

Ik keek haar na en dacht: ik heb er nu al spijt van.

Iets meer dan een halfuur later werden we allebei in tante Isabela's kantoor geroepen voor het gesprek met de advocaat van mijn tante, Web Rudin. Hij was een robuuste man van om en nabij de 1 meter 75, met donkerbruin haar en donkerbruine ogen. Hij had niet te erg opvallende flaporen, een gladde huid, met zachte gelaatstrekken en wimpers waar elke vrouw jaloers op zou zijn. Hij zat tegenover tante Isabela aan haar bureau, dichtbij genoeg om op een grote gele blocnote te kunnen schrijven.

'Je kent Sophia, Web. Dit is mijn nichtje, Delia, die kortgeleden uit Mexico is gekomen.' Ze keek naar mij. 'Meneer Rudin is de advocaat die de documenten in orde heeft gemaakt die ik nodig had om je hierheen te laten komen.'

Ik keek naar hem, maar hij glimlachte niet.

'Ze kende een paar woorden Engels, maar ze heeft veel geleerd sinds ze hier is,' ging ze verder. 'Ze is een intelligent meisje.'

Eindelijk verscheen het begin van een glimlach om zijn mond, die hij onmiddellijk onderdrukte, alsof hij iets verkeerds had gedaan. Hij keek even naar tante Isabela, en ze gebaarde ons naar de leren bank. We gingen allebei zitten en Sophia wierp me weer een waarschuwende blik toe.

'Ga door, Web,' zei tante Isabela. 'Vertel ze wat je mij hebt verteld.'

Hij legde zijn pen neer en drukte zijn handpalmen tegen elkaar. 'Drie van die Mexicaanse jongens zijn gevonden en zijn in hechtenis. De vierde is nog steeds voortvluchtig.'

'Wie?' vroeg Sophia.

Meneer Rudin keek op zijn blocnote. 'Ignacio Davila. Heeft hij geprobeerd met een van jullie contact op te nemen?'

'Nee,' zei Sophia. Ze keek naar mij.

Ik schudde mijn hoofd.

'Ik moet een duidelijk inzicht hebben in jullie betrokkenheid bij dit alles,' vervolgde meneer Rudin. 'Ik heb een globaal idee van wat die jongens aan de politie hebben verteld. Ik wil het graag van jullie horen.'

'Het zal sneller gaan als Sophia voor hen beiden het woord doet,' zei Isabela glimlachend. 'Daarna kun je Delia vragen stellen. Ik zal haar helpen als ze iets niet begrijpt.'

'Natuurlijk,' zei hij, en strekte zijn rug.

Zonder de geringste wijziging in haar verhaal vertelde Sophia alles wat ze tante Isabela had verteld. Toen, als bij nader inzien, zei ze dat zij en haar vriendinnen zich erg ongerust hadden gemaakt over het gedrag van die Mexicaanse jongen Vicente. 'Hij zag eruit alsof hij zijn eigen moeder zou kunnen vermoorden,' zei ze, en keek naar tante Isabela, die haar uitdrukkingsloos aanstaarde. 'Daarom probeerden we ze te volgen.'

'Dus je wilt zeggen dat je ze niet aanspoorde, niet precies vertelde waar ze naartoe moesten of wat ze moesten doen als ze daar waren?' vroeg meneer Rudin.

'Nee, meneer,' zei Sophia, met ogen die het hart van de strengste rechter zouden doen smelten.

'Jullie waren er niet bij? Jullie waren er geen getuige van?'

'O, nee, meneer Rudin. We zijn naar het Roadhouse gegaan, zoals ik al zei. Ik weet zeker dat de politie dat wel gecontroleerd zal hebben.'

Meneer Rudin schreef een en ander op en vroeg toen aan mij om het voorafgaande incident te beschrijven, toen Ignacio me te hulp was gekomen. Blijkbaar had tante Isabela hem er al iets over verteld. Ik deed het zo goed mogelijk, met hulp van tante Isabela als ik struikelde over een Engels woord of uitdrukking.

'Goed,' besloot hij, 'als het waar is wat ze zeggen, denk ik dat we de meisjes er wel buiten kunnen laten, Isabela. Maar zorg er natuurlijk voor dat niemand er met anderen over praat. Alles gaat van nu af aan via mij. Bel me zodra iemand van de politie of wie dan ook je benadert. En als er op school contact met de meisjes wordt gezocht, moeten ze jou onmiddellijk bellen.'

'Dat doen ze, Web,' zei ze vastberaden. Ze vertelde hem niet dat ik voorlopig niet naar school zou gaan, dat ze me hier bijna gevangenhield.

'Heel droevige zaak,' zei hij, en liet eindelijk enige emotie blijken. Hij sloeg zijn blocnote dicht. 'Bradley was Rods oogappel, zijn enige hoop op de toekomst. Hij was erg trots op hem. Het zal hem moeilijk vallen hier overheen te komen.'

'Helaas zijn kinderen vaak een teleurstelling,' zei tante Isabela.

Ik trok mijn wenkbrauwen op.

Haar vader had ongetwijfeld dezelfde woorden geuit over haar, op een andere plaats, in een ander land, in een andere wereld.

Ze staarde me even aan, alsof ze precies wist wat ik dacht.

En toen konden we gaan.

Sophia zei geen woord tegen me. Ze keek me slechts vol haat aan en ging naar haar kamer, ongetwijfeld om haar vriendinnen te bellen en verslag uit te brengen.

Later kwam tante Isabela naar mijn kamer.

'Je hebt je goed gedragen,' zei ze. 'Zolang je niet naar school gaat, doe je weer je huishoudelijke taken. Ik heb er al over gesproken met mevrouw Rosario. Ik wil niet dat je hier maar een beetje rondhangt.'

Ik zei niets. Natuurlijk ging ik liever naar school, maar ik was niet bang voor werk. Eigenlijk was ik dankbaar voor alles wat me zou afleiden van mijn gedachten aan de recente gebeurtenissen.

'Ik hoop dat dit alles goed afloopt, maar mocht het misgaan en de zaak wordt ernstiger, dan zal ik je grootmoeder op de hoogte moeten stellen. Misschien zou ik dat nu al moeten doen.'

Ik kneep mijn lippen op elkaar om te voorkomen dat ik in tranen zou uitbarsten. Ze leek tevreden toen ze mijn angstige gezicht zag, knikte en ging weg. Ik bleef zwijgend zitten, met het gevoel dat ik zat te wachten op de volgende ramp.

Die kwam een tijdje later, toen Sophia binnenkwam om me slecht nieuws te brengen over Ignacio en zijn familie.

'Ik heb net met Alisha gesproken. Ze hebben hem nog niet te pakken gekregen, maar de politie is druk naar hem op zoek, omdat Bradleys vader zo belangrijk is in deze stad. Hij zal het Ignacio's vader ook erg moeilijk maken, zegt Alisha. Ze kunnen maar beter hun biezen pakken en teruggaan naar Mexico. Misschien wordt zijn hele familie wel gedeporteerd.'

'Dat is niet eerlijk,' zei ik.

'Je hebt me bijna in grote moeilijkheden gebracht met mijn moeder. Ik zei je dat je me niet moest tegenspreken. Weet je wat dat betekent? Ik heb je gezegd dat we ons aan ons verhaal moesten houden.'

'Ik hou er niet van om te liegen.'

'O, nee, jij niet, señorita Perfecto. Geef me mijn armband terug,' eiste ze. 'Die verdien je niet. Kom op, geef terug.'

Ik deed hem af en ze rukte hem uit mijn hand.

'Ik neem mijn jurk ook weer mee.' Ze liep naar mijn kast, trok hem van het hangertje en keek naar de bijpassende schoenen die tante Isabela voor me gekocht had, en nam die ook weg. 'Ik heb een echte vriendin die de jurk aan zal kunnen nu jij hem zo mooi vermaakt hebt. Ik geloof dat ze ook jouw schoenmaat heeft. Die zul je trouwens toch nooit meer dragen. Je bent weer niks meer dan een dienstmeid, *prima* of geen *prima*.'

Ik zei niets. Eigenlijk vond ik het prettig dat ze haar spullen weer terugnam. Het voelde bijna als een grote schoonmaak. Ze dacht dat mijn gebrek aan geschokte emotie betekende dat ik me superieur voelde aan haar.

'Je vindt jezelf erg slim, hè? We zullen zien. Ik ben nog niet klaar met je,' dreigde ze en ging weg.

Kort daarna stuurde señora Rosario Inez naar me toe om me te vertellen dat ik beneden moest komen om in de keuken te helpen. Ik maakte ook de wc's beneden schoon en hielp toen met de herinrichting van de bijkeuken, en dweilde de vloeren. We moesten ook overal stof afnemen. Sophia liep met een spottend lachje langs terwijl ik aan het werk was.

Toen ik klaar was met het huishouden, ging ik naar boven om te douchen en me te verkleden. Ik wist niet zeker of ik met mijn tante en Sophia aan tafel zou mogen eten. Edward, die de hele dag in zijn kamer was gebleven, zou daar waarschijnlijk ook eten en wachten tot zijn verband de volgende dag eraf zou worden gehaald. Ik had Jesse de hele dag nog niet gezien en vroeg me af wat Edward deed om de tijd door te komen.

Ik hoefde het me niet lang af te vragen.

Hij dacht aan mij.

Ik kwam uit de badkamer en liep naar mijn kast om een slipje uit de la te halen. Ik was juist bezig het aan te trekken toen ik voelde dat ik niet alleen was.

In de deuropening stond Edward in zijn pyjama en ochtendjas.

Ik onderdrukte een kreet. Ik was naakt, maar zijn ogen waren nog verbonden.

'Wat wil je, Edward?' vroeg ik toen ik me weer beheerst had. Zelfs al kon hij me niet zien, toch trok ik snel mijn badjas weer aan.

'Ik wil de waarheid,' zei hij. '*La verdad.*'

20

Er doet zich een kans voor

Even stond ik hem slechts aan te kijken. Welke waarheid wilde hij?

'Sophia is mijn zus, en als het erop aankomt, zal ik van haar houden zoals je van een zus hoort te houden, maar ik weet dat ze nooit de schuld op zich neemt van iets wat ze doet. Begrijp je wat ik zeg, Delia? Sophia blijft liegen tot het niet langer kan, tot ze gedwongen is de waarheid te vertellen, en zelfs dan moet je het controleren om zeker te zijn.

'Doe maar niet net alsof je niet weet waarover ik het heb, Delia. Je kent genoeg Engels om te begrijpen wat ik wil.' Hij zweeg afwachtend.

Ik wist niet zeker wat ik wel en niet moest zeggen. Ik kon zien dat mijn aanhoudende zwijgen hem ergerde. Hij deed een stap naar me toe.

'Mijn moeder heeft me verteld wat Sophia haar heeft verteld over dat hele incident. Ze zei dat jij had toegegeven dat je de boel had opgestookt en haar best doet je te beschermen. Weet je wat dat betekent, de boel opstoken?' vroeg hij en maakte een gebaar alsof hij in een vuur porde.

Waarom had ze hem dat verteld? Waarom moest iedereen tegen iedereen liegen hier in huis?

'Dat heb ik niet gedaan,' zei ik. 'Dat opstoken.'

Hij knikte. 'Oké. Ik luister. Vertel me wat je dan wél hebt gedaan. Hoe is dit allemaal gebeurd?'

'Ik was met Ignacio op het fiesta voor de verjaardag van zijn zusje.'

'Dat weet ik, dat weet ik,' zei hij ongeduldig. 'Wat is er gebeurd, verdomme? Vertel op!'

Zijn woede maakte me angstig. Ik zocht naar mijn woorden. 'Sophia... haar vriendinnen kwamen *luego*... later.'

'En zij stookten de Mexicaanse jongens op, hè? Sophia's vriendinnen zijn net als zij. Nou?'

'Sí. Sophia vertelde Ignacio wat Bradley had gedaan.'

'En ze vertelde hem waar Bradley was, ja? Zij was de enige die zou weten waar hij op dat moment was. Nou? Heeft ze het hem verteld?'

'Ja, Edward.'

'Dat dacht ik al. Ze was haar onschuld al kwijt op het moment dat ze geboren werd en zelfs dat is nog te bezien.'

'Dat begrijp ik niet.'

'Vergeet het. Ik wilde alleen maar weten wat er werkelijk gebeurd is.'

'Sí, zo is het gebeurd, maar *su madre*, je moeder, wil niet dat het zo verteld wordt. Ze heeft iets anders gezegd tegen de advocaat, en ik moet doen en zeggen wat zij zegt.'

Hij knikte, liep op de tast naar de stoel en ging voorzichtig zitten.

'Vertel me wat er werkelijk gebeurd is daarna, Delia. *Qué sucedió?* Nadat de Mexicaanse jongens het fiesta hadden verlaten?'

'Sophia en haar vriendinnen wilden... hoe zeg je dat, volgen, achter Ignacio en zijn vrienden aan.'

'En ze zei tegen mijn moeder dat jullie hen niet bij konden houden omdat ze te snel reden. Mijn moeder had moeten weten dat dat een leugen was. Sophia wist waar Bradley was, dus deed het er niet toe of ze harder reden dan jullie, toch? En dat betekent dat jullie er allemaal bij waren toen Bradley werd aangevallen. Je hebt gezien wat er met hem gebeurd is, hè?'

'*No adentro... no en la casa.*'

'Jullie zijn niet naar binnen gegaan, maar je hebt gezien wat er met Bradley gebeurd is?'

'Sí, ja. Het raam... hij kwam naar buiten. Viel...'

'En toen?'

'Sophia's vriendin reed meteen weg. Ik weet niet... *no sabía*...'

'Je wist niet hoe ernstig Bradley gewond was?'

'Sí.'

'Waarom ben je met ze meegegaan?' vroeg hij kwaad, en schudde toen zijn hoofd. 'Stomme vraag. Wat kon je anders doen?'

Hij steunde met zijn ellebogen op zijn knieën en liet zijn hoofd op zijn handen rusten.

'Ik weet niet wat ik van iemand nog moet geloven.' Langzaam hief hij zijn hoofd op. 'Waarom kwam je bijna naakt naar mijn kamer?' Hij wees met zijn vinger in mijn richting. 'Je bent niet zo onschuldig als je je voordoet, hè? Nou? *La verdad*. Je hebt het in Mexico met andere jongens gedaan, hè? Je wist wat je deed toen je in mijn kamer kwam. Daar was je niet zo onschuldig. Wil dat zeggen dat je ook niet zo onschuldig was met Bradley? Nou?'

Ik schudde mijn hoofd, maar dat kon hij natuurlijk niet zien.

'Ik wilde niet naar je kamer komen. Ik...'

'Waarom deed je het dan? *Por qué*? Waarom? Ik was erg op je gesteld, Delia. Ik respecteerde en bewonderde je. Ik had medelijden met je toen Baker je meenam en je zo slecht behandelde. Waarom kwam je naar mijn kamer en deed je zoiets? Wist je op die manier de jongens in Mexico voor je te winnen? Is dat zo?' Hij schreeuwde bijna en hij keek alsof de inspanning hem pijn deed.

'Nee.'

'Je bent gauw volwassen geworden, hè? Vertel me de waarheid maar. Het doet er nu niet meer toe. Toe dan,' zei hij uitdagend. 'Vertel eens een paar van je Mexicaanse verhalen over jou en je vriendjes. Kom, vertel op.'

'Nee, Edward. Die verhalen bestaan niet.'

'Precies. Je besloot gewoon naar mijn kamer te komen en je aan te bieden.'

'Nee, dat wilde ik niet doen.'

'Waarom deed je het dan?'

'*Su madre*,' begon ik.

'Mijn moeder?' Zijn glimlach verdween. 'Wat is er met mijn moeder?'

Ik klemde mijn lippen op elkaar, maar besefte dat ik de deur al geopend had. De waarheid was als een ballon die ik probeerde plat te slaan; hij kwam overal weer omhoog. Zijn gezicht leek op te klaren toen hij nadacht.

'Wil je daarmee zeggen dat mijn moeder je zo naar mijn kamer stuurde?' Zijn gezicht vertrok. 'Maar waarom zou ze dat doen?'

'*Para ver*... om te zien.'

'Om te zien? Wil je zeggen dat zij erbij was? *Mi madre estaba*... in mijn kamer? Vertel het me!' riep hij luid, en stond weer op.

Hij was nog kwader dan eerst. Ik was bang dat ik zou gaan huilen en niets meer zou kunnen zeggen. Mijn keel voelde dichtgeknepen, maar ik zei 'Sí'.

Hij zweeg. Hij knikte even. '*Por qué*, Delia? Vertel me waarom ze in mijn kamer was.'

'Om te zien of je zou willen...'

'Wat willen? Wát?' vroeg hij terwijl hij een stap in mijn richting deed.

'*Chicas*,' zei ik.

'*Chicas*... meisjes?'

'Sí, meisjes.'

Hij zweeg. En toen deed hij iets wat ik niet verwacht had. Hij glimlachte.

'Wat? Ze keek toe om te zien of ik van meisjes hield? Ze stelde me op de proef met jou? Heeft ze dat gezegd? Wil je me dat vertellen? Ze stuurde je zo naar mijn kamer als een soort test... een examen?'

'Sí,' zei ik en knikte, al kon hij dat niet zien. 'Een test, ja.'

Hij zweeg even. Toen schudde hij zij hoofd. 'Dat slaat nergens op. Waarom zou mijn moeder... ze heeft altijd geweten wie ik ben,' mompelde hij, hardop denkend. Hij dacht weer dat ik loog. Ik was nu te ver gegaan om mijn mond te houden.

'Jesse, ze maakt zich ongerust,' zei ik in een poging het beter uit te leggen. 'Dat vertelde ze me. Ze vroeg me haar te helpen.'

'Haar te helpen? Hoe?'

'Door haar te vertellen wat ik zie, wat ik hoor.'

'Mij te bespioneren? Nee, mijn moeder en ik hebben daar al over gesproken. Niets hoefde haar te verbazen. Mijn moeder hoefde niet naar een test te kijken.'

Ik begon te huilen. 'Ik lieg niet, Edward.'

Hij zweeg en dacht weer na. 'Misschien niet,' zei hij, en glimlachte toen een andere gedachte bij hem opkwam. 'Misschien niet. Ik geloof dat ze dat zou doen, jou bijna naakt naar mijn kamer sturen, maar niet voor een test.'

'Ik begrijp je niet, Edward. Sorry.'

'Het is doodsimpel. Mijn zus en mijn moeder zijn identiek... je weet wel, hetzelfde, gelijk? Wat is een goed Spaans woord voor vals, achterbaks, sluw als een vos... wat? *Cómo se dice* sluw *en español?*'

'*Furtivo*,' zei ik, nog steeds in de war. 'Maar *por qué?*'

'*Furtivo*,' zei hij, knikkend. 'Mijn moeder wilde niet dat ik jou zou vertrouwen, Delia. Mijn moeder wilde niet dat ik je... *su primo* of *su amigo* zou zijn. Eerlijk gezegd nam ik het te fel voor je op tegen Baker en haar. Ik was degene die erop stond dat ze je deze kamer gaf, dat je lid van de familie zou zijn, niet langer een bediende. Ik heb haar gezegd wat er zou gebeuren als ze niet deed wat ik zei. Ze deed het, maar ze houdt er niet van dat iemand haar zegt wat ze moet doen.'

Hij pauzeerde even om weer na te denken.

'Maar zo meedogenloos als nu is ze nog nooit geweest,' zei hij. 'Er is iets anders, iets wat ik niet weet, een reden voor haar gevoelens jegens jou en het feit dat ze mij ook zo wil laten denken. Sophia en ik weten geen van beiden veel over onze familie. Dat weet je. Ik wist zelfs niet van jouw bestaan.

'Wat is het? Wat is er jaren geleden in Mexico gebeurd? Weet jij waarom mijn moeder niets met haar familie te maken wil hebben, waarom ze niet van haar eigen familie houdt? *Por qué mi madre no le gusta su familia? Sabe?*'

'Sí,' zei ik.

'Waarom?'

'*Mi abuelo*, mijn grootvader, was kwaad toen ze met *su padre* trouwde. Hij zei dat ze *muerta*... dood was voor hem.'

'Ja, zoiets wist ik wel, maar er moet meer zijn. Waarom stond ze niet op intiemere voet met je moeder, haar eigen zus, toen hun vader stierf?'

'Ze wilde dat *mi padre* haar *marido* zou zijn.'
'Hè? *Marido?*'
'Haar echtgenoot.'
'O.' Hij glimlachte. 'Ik snap het. In plaats daarvan viel hij voor haar zus, en dat neemt ze je moeder kwalijk?'
'Sí.'
'Dus haatte ze haar zus, en jou als haar nazaat.'
'Ik begrijp het woord *nazaat* niet.'
'Ze kon geen wraak nemen op je moeder, want je moeder was al dood. Nu neemt ze wraak op jou, haar nakomeling. Mijn goeie ouwe mam. Nu wordt het me duidelijk.'
Hij lachte. Zijn lach deed een rilling over mijn rug lopen.
'Maak je maar geen zorgen,' ging hij verder, en deed een stap in de richting van de deur. 'Ik regel het wel.'
'Waarom lach je?'
'Maak je geen zorgen,' herhaalde hij. 'Ik regel het.'
Hij bleef staan bij de deur en tastte naar de knop. Ik liep naar hem toe om hem te helpen, maar hij had hem al gevonden en draaide zich weer naar me om. Hij stak zijn hand uit.
'Delia.'
'Sí,' zei ik en pakte zijn hand vast. Hij hield die stevig vast en glimlachte naar me.
'Ik ben blij dat ik me niet vergist heb toen ik het voor je opnam, Delia. Dank je dat je de moed hebt gehad me de waarheid te vertellen.'
Hij bracht mijn hand aan zijn lippen en drukte er een kus op. Toen deed hij de deur open en liet me achter, niet zeker wetend of ik blij hoorde te zijn of juist nog angstiger. Het duurde niet lang voor ik daarachter zou komen.

De volgende ochtend ging Sophia enthousiast naar school. Voor ze wegging kwam ze in de gang naar me toe en vertelde me hoe opwindend het voor haar zou worden. Ik dacht dat ik me vergiste in het Engels.
'Opwindend?' vroeg ik niet-begrijpend.

'Ja, *stupido*. Iedereen zal willen weten wat er gebeurd is. Plotseling zal iedereen mijn beste vriendin willen worden. Alisha en ik hebben al besproken hoe we ons zullen gedragen en wat we wel en niet zullen zeggen. Jammer dat je niet naar mijn school gaat. Je zou *número uno* zijn.'

Ik wist niet wat ik moest zeggen. Waarom zou ik *número uno* zijn? Ik keek haar verward aan. Ze lachte en slenterde weg. Even later zag ik tante Isabela met Edward, die naar de dokter gingen om het verband eraf te laten halen. Ze keek niet kwaad en zei geen woord tegen me. Ik ging door met mijn werk. Señora Rosario en Inez waren niet erg vriendelijk en hielden zich de hele ochtend op een afstand. Toen de post gebracht werd, liep ik haastig naar de hal om te zien of er een brief was van *abuela* Anabela, maar er was niets. Ik had gehoopt op een brief van haar. Zelfs een kort briefje in haar handschrift zou me enigszins getroost hebben.

Later in de middag kwamen Edward en tante Isabela terug. Ik was bezig stof af te nemen in de bibliotheek. Señora Rosario zei tegen me dat ik de boeken er stuk voor stuk uit moest halen en afstoffen. Er waren zoveel boeken dat ik zeker uren bezig zou zijn, dacht ik, maar ik klaagde niet. Ik hoorde dat señora Rosario tante Isabela en Edward bij de voordeur begroette. Ze spraken te zacht om iets te kunnen verstaan. Mijn hart klopte wild, want ik maakte me ongerust over Edwards ogen. Als ze eens allebei te ernstig beschadigd waren? Al geloofde hij nog zo vast in me en gaf hij om me, hij zou me er toch om haten. Als ik niet was gekomen...

Het horen van tante Isabela's voetstappen op de travertijntegels maakten een eind aan mijn gedachtegang, en mijn vingers begonnen te trillen. Ik liet het boek vallen dat ik in mijn hand hield. Toen ik opkeek zag ik haar op de drempel naar me staan kijken. Ze draaide zich om en deed de deur dicht. Even keek ze me met een merkwaardige glimlach aan. Het was niet een van haar kille, harde glimlachjes die me angst aanjoegen, ze keek alsof ze iets had gedaan dat haar beviel. Het deed me denken aan de glimlach van señora Cuevas waarmee ze naar mij of een van de andere leerlingen keek als we iets gedaan hadden dat haar verrukte. Ik wachtte onzeker.

'Hoe is het met Edwards ogen?' vroeg ik. Ik had geen tijd om met de Engelse taal te worstelen, en zij en ik hadden bij tijd en wijle al Spaans met elkaar gesproken.

'Het is precies zoals de dokter had voorspeld. Eén oog is ongeveer vijfennegentig procent hersteld, maar het andere is te beschadigd. Hij zal het je ongetwijfeld in geuren en kleuren vertellen tijdens een van jullie tête-à-têtes.'

'Onze wat?'

'Jullie geheime gesprekken,' zei ze, nog steeds met diezelfde glimlach. Ze zette haar hoed af en maakte haar haar los en schudde met haar hoofd om het vrij omlaag te laten vallen. Toen ging ze op de divan zitten en vouwde haar handen op haar schoot. 'Ik had moeten weten dat ik je niet kon vertrouwen,' zei ze. 'Ik had het moeten verwachten, maar je bent goed. Je speelde je rol zo overtuigend toen je hier pas aankwam.'

'Ik begrijp u niet. Wat voor rol?'

'Die van de onschuld, van het zwakke meisje. Ik had je door moeten hebben bij dat verzet van je die eerste dag, maar je verborg je weer snel achter dat masker, goed genoeg om vertrouwen in je te krijgen.'

'Ik begrijp het niet, tante Isabela. Wat voor masker?'

'Het is oké. Ik heb het aan mezelf te wijten. Ik had aan een van de uitspraken van mijn vader moeten denken: "*La confianza también mata.*" Vertrouwen kan ook dodelijk zijn, ja toch, Delia? Ik heb in niemand anders geloofd dan mijzelf sinds ik naar Amerika ben gekomen, en toen moest ik zo nodig in jou geloven, de enige die ik vanaf het begin had moeten wantrouwen.'

'Ik heb niets gedaan, tante Isabela.'

Ze lachte. 'Dat zou ik ook gezegd hebben. Je lijkt te veel op me, Delia.' Haar gezicht verhardde, haar ogen verkilden. 'Het heeft geen zin iets anders voor te wenden.' Ze glimlachte weer. 'We zijn van hetzelfde laken een pak.'

'Ik lijk niet op u,' zei ik vastberaden. Ik rechtte mijn rug. 'Ik heb mijn vader en mijn moeder verloren, en ik ben ver van mijn thuisland en de mensen die ik mijn leven lang heb gekend en liefgehad, maar u bent veel eenzamer dan ik ooit zal zijn, want u hebt niet de troost van uw herinneringen.'

Haar glimlach bevroor en verdween toen. De ijskoude, kwade uitdrukking die ik die eerste dag gezien had kwam terug. 'Hoe dúrf je medelijden met me te hebben. Je bezit niets, zelfs niet de kleren die je aanhebt. Je ademt deze lucht alleen in omdat ik het toesta. Je zou je op dit moment rondwentelen in het stof en het vuil van die armoede, als ik niet zo edelmoedig was. Je bent te stom om te weten van wie je iets te verwachten hebt.'

'Wat wilt u?' Ik had genoeg van haar woede.

'Je verraadt me, probeert een wig te drijven tussen mij en mijn zoon, en je vraagt wat ik wil?'

'Ik heb niet geprobeerd een wig te drijven tussen u en uw zoon. Hij kwam bij me en vroeg om de waarheid, en ik kon niet langer tegen hem liegen.'

'O, je kon niet langer liegen? Arm kind, gebukt onder het gewicht van je teleurstellingen. Toen ik je ervoor beloonde, accepteerde je alles, nietwaar? De kleren, je opname in de familie, zodat je net als wij bediend zou worden, zodat je van dit alles zou kunnen profiteren,' zei ze met een gebaar om zich heen. 'Je at aan mijn tafel. Je werd met een Rolls naar school gebracht. Je nam Sophia's geschenken aan. Je begon een aardig fortuintje te verzamelen voor een immigrant die hier nauwelijks lang genoeg is om wratten te krijgen, maar wratten heb je gekregen, op de punt van dat schattige neusje van je, wratten die alleen ík kan zien, maar die er wél zijn.

'Oké,' ging ze verder en ging rechterop zitten, 'je hebt een kleine veldslag gewonnen en een scheuring veroorzaakt tussen mijn zoon en mijzelf, maar hij zal te veel in beslag genomen worden door zijn eigen behoeften en verlangens om veel tijd aan jou te besteden.

'Om daar zeker van te zijn, heb ik besloten je te belonen voor je lafhartige verraad. Misschien laat ik mijn advocaat niet meer doen dan absoluut noodzakelijk is om je te verdedigen. Misschien zul je je moeten verantwoorden voor jouw aandeel in dit afgrijselijke gebeuren, jij en je Mexicaanse vriendje. We zullen zien. Per slot zouden die Mexicaanse jongens Bradley Whitfield niet hebben aangevallen als jij er niet was geweest. Hij is dood dankzij jou, en Edward is half blind dankzij jou.'

Ze stond op. 'Ga door met afstoffen. Je bent gewend aan vuil, en ik weet zeker dat je er weer in terecht zal komen.'

Ze draaide zich om en liep naar de deur, bleef even staan toen ze hem geopend had en keek toen achterom.

'Je vergist je. Ik heb wel degelijk de troost van mijn herinneringen, de troost van de wetenschap dat ik ze lang geleden begraven heb.' Ze glimlachte. 'Ze zijn heengegaan via de derde dood.'

'En hoe zullen uw kinderen de herinneringen aan u bewaren na uw dood, tante Isabela?' antwoordde ik. 'Hoe lang zult u erover doen om via de derde dood heen te gaan?'

Ze sperde haar ogen open. Haar opeengeklemde tanden blonken en toen liep ze naar buiten en deed de deur achter zich dicht. De stilte die daarop volgde viel als een ijzeren gordijn omlaag.

Ik ging verder met stof afnemen in de bibliotheek tot ik klaar was. Ik deed er uren over, maar terwijl ik werkte huilde ik tenminste niet. Daarna liep ik langzaam de trap op. De deur van Edwards kamer stond ver genoeg open om in het voorbijgaan naar binnen te kunnen kijken. Ik zag hem op zijn bed zitten naast Jesse, die zijn arm om zijn schouders had geslagen. Ze zaten zachtjes te praten. Edward had zijn ogen neergeslagen; het leek of de werkelijkheid van wat er met hem gebeurd was nu pas goed tot hem begon door te dringen. Snel liep ik door.

De deur van Sophia's kamer stond nog verder open. Ik kon haar horen lachen. Ze telefoneerde met een van haar vriendinnen.

'Ik vond het prachtig zoals ze allemaal achter ons aanliepen en smeekten om een beetje nieuws,' hoorde ik haar zeggen.

Ik ging naar mijn kamer en deed de deur achter me dicht. Lange tijd bleef ik alleen maar naar alles staan kijken. Het was een prachtige kamer, een kamer in een paleis, een droomkamer voor mijn vriendinnen in Mexico. Er zouden er heel wat zijn die nog veel meer zouden doen om hier te kunnen komen. Die zouden vinden dat ik stom was om dat alles op het spel te zetten.

Ik liep naar het raam en staarde naar het grote, weelderige landgoed. Hoe vaak hadden ze me niet verteld dat de goeden en reinen van hart hun beloning misschien niet op deze aarde zouden ontvangen, maar dat hun beloning veel groter zou zijn in het leven hierna? Was dat waar, of was dat maar een rationalisatie, een manier om de armen en behoeftigen te weerhouden van rebellie, van diefstal? Waarom kregen degenen met een goed en rein hart een zwaar en moeilijk leven? Hoeveel beproevingen moesten ze ondergaan? Gebeurde dat nu met mij? Was ik niet Assepoester maar Job, wiens aardse zegeningen stuk voor stuk werden weggenomen om zijn trouw en devotie te bewijzen? Hoe vaak had pastoor Martinez dat verhaal in de kerk verteld? Misschien zou hij op een dag mijn verhaal vertellen om dezelfde boodschap uit te dragen.

Ik bleef nog een tijdje staan en zag de zon ondergaan achter de San Bernardino-bergen. Ik was hier nog nooit geweest en wist dus niet zeker wat voor weer het hoorde te zijn, maar ik had horen zeggen dat het dit jaar veel sneller veel heter werd. Dat scheen overal het geval te zijn, dus stelde ik me voor dat het ook in Mexico warmer was. Ik dacht aan de kinderen die in de rivier zwommen en op oude binnenbanden dreven, herinnerde me dat ik dat vroeger ook had gedaan.

Ondanks de airconditioning had ik me in het zweet gewerkt in de bibliotheek. Ik ging douchen en me verkleden voor het eten. Ik had geen idee hoe het nu zou zijn om met tante Isabela, Sophia en Edward aan tafel te eten, maar ik wist niet wat ik anders moest doen. Natuurlijk vroeg ik me af of tante Isabela me terug zou sturen naar de keuken om met het personeel te eten zodra ik mijn opwachting maakte.

Niet alleen deed ze dat niet, maar ze gedroeg zich of er niets aan de hand was en er niets was veranderd. Jesse at vanavond ook met ons mee, en het scheen dat hij Edward wat had weten op te vrolijken. Ik voelde me als in een droom. Niemand zei iets over Edwards ogen. Niemand zei iets over de gebeurtenissen die tot Bradleys dood hadden geleid, zelfs Sophia niet, die vooral babbelde over een komend schoolfeest. Zij en tante Isabela praatten over kleren.

Na het diner holde Sophia weg, zogenaamd om huiswerk te maken. Edward hield zich bezig met Jesse, die huiswerk voor hem had meegebracht. Tante Isabela ging naar haar kantoor. Ik wilde naar boven gaan naar mijn kamer toen ik Inez hoorde roepen. Ze was uit de keuken gekomen en stond in de gang. Verbaasd draaide ik me naar haar om. Ze keek even om zich heen en trok me toen mee naar de keuken. Daar was verder niemand.

'Casto wil je spreken,' zei ze bijna fluisterend. 'Hij wacht buiten bij de deur.'

'Casto?'

'Sí.'

Ik liep door de achterdeur naar buiten. Even zag ik niemand, toen kwam Casto uit de schaduw tevoorschijn.

'Er is iemand voor je,' zei hij.

'Wie?'

'Ignacio Davila.'

'Ignacio! Waar is hij?'

'Hij wacht op je achter de cabine bij het zwembad. Je mag niet met hem gezien worden,' waarschuwde hij en verdween toen in dezelfde duisternis waaruit hij tevoorschijn was gekomen.

Haastig liep ik over het grasveld naar het zwembad, om me heen kijkend of niemand me kon zien. Bij de cabine bleef ik staan, keek nog eens en liep toen naar de achterkant. Eerst zag ik hem niet, en toen tekende zijn silhouet zich duidelijk af. Hij riep me.

'Ignacio, waar was je?'

'Een vriend van mijn vader heeft me verborgen,' zei hij.

'Het spijt me dat je in moeilijkheden verkeert. Het is allemaal mijn schuld.'

'Nee, nee, het is niet jouw schuld. Jij was het slachtoffer.'

'Wat is er gebeurd? Waarom heb je hem zo ernstig verwond dat hij gestorven is?'

'Het was niet met opzet. Hij verzette zich hevig en Vicente stormde met gebogen hoofd als een stier op hem af, juist op het moment dat Bradley achteruitweek naar het raam. Ik dacht dat Vicente ook door het raam zou vallen, maar dat deed hij niet. We hebben toen geen seconde langer gewacht. Het meisje stond te gillen.'

'Wist je niet hoe ernstig hij gewond was?'

'We zijn er als een haas vandoor gegaan. Niemand bleef staan kijken. Later, toen we het hoorden, zijn we uit elkaar gegaan. Mijn vader was woedend op me. Ik denk dat hij me aan de politie zou hebben overgedragen als mijn moeder er niet geweest was. Hij heeft me door zijn vriend laten verbergen, maar ik hoorde dat de anderen zijn opgepakt. Ik maakte me ongerust over jou, maar ik kon niet hiernaartoe komen.'

'Waarom kom je dan nu? Het is nu toch net zo gevaarlijk?'

'Ja, maar ik wilde afscheid nemen, Delia. Ik kan hier niet langer blijven. Niemand zal geloven dat die tragedie geen opzet was. Ze zullen me naar de gevangenis sturen. Dat denkt mijn vader ook.'

'Waar ga je naartoe?'

'Terug naar Mexico. Mijn vader heeft me het geld gegeven dat ik gespaard had voor een auto, en dat zal ik gebruiken om een coyote te betalen die me over de grens zal brengen.'

'Terug naar Mexico?'

'Sí, Delia. Ik ben gekomen om je te zeggen dat ik niet ongelukkig ben dat ik je heb leren kennen en...'

'Ik moet met je mee,' zei ik.

'Wat bedoel je?'

'Terug naar Mexico. Als jij de grens over kunt, moet je mij meenemen.'

'Nee, nee, dat is geen grensovergang voor jou. Ik moet via Tucson worden gesmokkeld. Daar zal ik met mijn coyote door de woestijn trekken tot Sasabe, Mexico. Het is kilometers lang lopen, en met deze onverwachte hitte...'

'Ik wil het,' zei ik.

'Het is te gevaarlijk.'

'Jij doet het. Jij neemt het risico.'

'Ja, maar ik heb geen keus. Zelfs mijn familie wil dat ik terugga.'

'Ik heb ook geen keus.'

'Jij niet? Jij bent het nichtje van señora Dallas. Kijk eens waar je woont.'

'Ze neemt het niet voor me op, ze verdedigt me niet. Ze zal de politie wijsmaken dat ik je ertoe aangezet heb. Ze wil dat ik in moeilijkheden kom.'

'Waarom?'

'Dat is een lang verhaal, Ignacio. Ik wil hier niet langer blijven en ze zullen me niet zomaar naar mijn grootmoeder terug laten gaan. Niet na dit alles.'

'Ik heb geen geld om voor je te betalen, Delia.'

'En als je het wél had?'

'Delia, het is erg gevaarlijk. Het zijn niet alleen de ontberingen van de kilometers lange tocht door de woestijn, maar er zijn nog meer gevaren.'

'Ik wil naar huis, Ignacio.'

'Ik ben hier niet gekomen om je over te halen met me mee te gaan,' zei hij.

'Nee, maar je bent gekomen, en we moeten geloven dat een hogere macht je hierheen heeft gestuurd.'

'Waar wil je het geld vandaan halen?'

'Herinner je je die armband nog?'

'Sí. Waar is die?' vroeg hij, met een blik op mijn pols.

'Maak je geen zorgen. Ik neem hem mee. Dat zal toch wel genoeg zijn?'

'Ja, misschien wel. Ik kan je niets beloven. De vriend van mijn vader regelt het. Misschien wil hij het niet doen als jij meegaat.'

'Zeg maar dat hij het moet doen, want anders!' zei ik. Het was licht genoeg om zijn glimlach te zien.

'Sinds wanneer ben jij zo stoer geworden, Delia Yebarra?'

'Sinds ik in Amerika ben komen wonen en een harder leven heb leren kennen,' zei ik.

Hij lachte. 'Een harder leven? Wat voor harder leven? Dit is het beloofde land.'

'Die belofte is mij nooit gedaan,' zei ik.

'Oké. Ik zal je vertellen wat je moet doen en ik waarschuw je, als je te laat bent, kan ik niet op je wachten.'

'Ik kom niet te laat.'

Hij vertelde me waar ik met de bus naartoe moest.

‘Als je uitstapt, loop je naar Sixth Street. Bij de eerste hoek ga je rechtsaf. Als je bij het derde huis aan de linkerkant komt, zie je een afzetting van kapot metaalgaas. Ga door de opening van het gaas naar het huis achter dat huis. Daar zul je mij vinden. We wachten niet tot het donker is. We gaan met een bestelbusje naar Tucson en dan in een auto met de coyote. De bestuurder van het busje is betaald. Hij zal meer verlangen als hij weet dat jij ook komt, maar erg veel meer heb ik niet. De coyote in Tucson brengt ons door het Buenos Aires-wildreservaat. Hij zal bereid moeten zijn je armband aan te nemen. Ik weet zeker dat hij dat wel zal doen.’

‘Oké. *Gracias*, Ignacio.’

‘Maar hoe kom je bij de bus? Je tante heeft je toch altijd met de auto naar en van school laten brengen en halen?’

‘Ik vind wel een manier. Wacht op me. Ik zal er zijn.’

‘Als je niet komt, begrijp ik het. Ik zou graag willen dat je komt, Delia, maar eigenlijk zou ik ter wille van jou moeten wensen dat je niet komt.’

Hij bukte zich om me een zoen te geven en glipte toen weg. Als een schaduw verdween hij in de duisternis.

Misschien droom ik nog, dacht ik, maar als dat zo is, wil ik pas wakker worden als ik voor de deur van mijn oude huis sta en het gezicht zie van mijn lieve oma.

21

Een gevaarlijke reis

Ik was hier niet gekomen om als een dief in de nacht te worden, dacht ik, toen ik door de tuin naar het grote huis liep, met het plan de armband terug te stelen die Sophia me had gegeven en weer afgenomen. Ik was hier niet gekomen om er de oorzaak van te zijn dat mijn neef aan één oog blind zou worden en een andere jongen zou sterven. De moeilijkheden die ik had ondervonden waren jaren geleden begonnen in Mexico toen mijn tante op wraak uit was en haar vader trotseerde. Mijn vader had het gewaagd mijn moeder te verkiezen boven haar, en ze zou alles van haar verleden haten, haar erfgoed verloochenen, haar taal, haar volk. Ik vluchtte niet alleen om terug te keren naar de enige familie die ik nog had; ik vluchtte voor de afschuwelijke woorden waarmee ze mij vergeleek met haarzelf. Als ik hier bleef, vreesde ik net zo verwend te zullen worden als Sophia en misschien meer op mijn tante te gaan lijken dan ik me ooit had kunnen voorstellen.

Iedereen was druk bezig toen ik terugkwam. Ik ging naar mijn kamer om te zien of er iets was dat ik morgen mee zou moeten nemen. Toen ik naar mijn kleren keek, besloot ik de oude jurk aan te trekken waarin ik hier die eerste dag was aangekomen. Ik zocht de beste schoenen uit om mee door de woestijn te lopen, en luisterde toen gespannen aan mijn deur om te horen wanneer Sophia uit haar kamer zou komen. Ze ging vaak naar beneden om een frisdrank of wat koekjes te halen voor ze ging slapen. Maar uitgerekend deze avond kwam ze niet uit haar kamer.

Zonder die armband zou ik niet terug kunnen naar Mexico, dacht ik. Wat moest ik doen? Het werd later en later. Misschien ging ze naar bed en zou ik morgenochtend niet de kans krijgen om de armband te pakken. Ik kwam op een idee en bekeek mezelf in de spiegel van de toilettafel. Was ik in staat degene te zijn die tante Isabela beweerde dat ik was? Leek ik toch genoeg op haar? Zou ik hen net zo kunnen manipuleren als zij mij?

Ik hield mijn adem in en spande mijn spieren als een gladiator die ten strijde trekt. Je kunt het, Delia Yebarra, prentte ik mezelf in. Je kúnt het. Toen staarde ik naar mezelf tot ik tranen in mijn ogen kon persen, draaide me om en ging mijn kamer uit. Ik liep door de gang naar Sophia's kamer en klopte zachtjes aan.

'Wat is er?' riep ze.

Langzaam deed ik de deur open en liep met gebogen hoofd naar binnen.

'Wat wil je?' snauwde ze.

Ik hief mijn hoofd op, veegde een traan van mijn wang en liet mijn lippen trillen.

'Wat is er nu weer?' vroeg ze geërgerd. Ze zat op bed, met de telefoon in haar hand. 'Ik wilde net iemand bellen, dus schiet een beetje op,' beval ze. 'Nou?'

'Het spijt me, Sophia.'

'Wát spijt je?' vroeg ze argwanend.

'Dat ik geen vriendin voor je was toen jij wél míjn vriendin was. Het spijt me dat ik het verhaal niet heb verteld zoals jij dat wilde.'

Ze staarde me aan. Ik boog mijn hoofd, en ze legde de telefoon op de haak.

'Ik ben blij dat het tot je doordringt. Ik heb je gezegd dat het beter zou zijn voor ons allemaal.'

Ik knikte. 'Ja, en nu ben ik in grote moeilijkheden.'

'O, dat valt wel mee,' zei ze en maakte een afwimpelend gebaar. 'Je hebt Web, onze advocaat, gehoord.'

'Nee, ik ga morgen naar school en mijn klasgenoten zullen alles weten en ze zullen denken dat ik niet langer gewenst ben hier in huis. Er zullen nog meer geruchten de ronde doen, en het zal heel, heel erg worden.'

'Onzin,' zei ze. Ze ging rechtop zitten.

'Ik wil alles doen om weer je vriendin te zijn,' zei ik. 'Alsjeblieft.'

'Ik zou het je nooit moeten vergeven,' antwoordde ze. Ze keek me aan en dacht even na. Toen knikte ze glimlachend. 'Misschien is het beter als we je dit weekend met ons meenemen. Ik wil dat je sommige mensen vertelt wat Bradley met je gedaan heeft.'

'Ja. We moeten het vertellen.'

'Ik ben blij dat je dat eindelijk beseft. Goed, je mag weer met ons omgaan.'

'Dank je, Sophia.'

'Maar denk eraan dat je geen stomme dingen zegt.'

'Ja, *sí*.'

'Ik ga nu iemand bellen. Je kunt teruggaan naar je kamer.'

'Zou je... misschien... zodat mijn klasgenoten niet denken dat je me niet aardig vindt... zou ik morgen de armband mogen dragen?'

Ze staarde me aan. Ik sloeg mijn ogen neer, maar ik kon zien dat ze glimlachte.

'Je begint slim te worden,' zei ze. 'Oké, maar nu mag je hem alleen maar lenen tot ik vind dat je hem verdient.'

'Dank je, Sophia.'

Ze stond op, liep naar haar sieradenkistje op de toilettafel en haalde hem eruit. Zoals ze ernaar keek, dacht ik even dat ze zich zou bedenken, maar ze stak haar hand uit en ik wilde hem haastig aanpakken. Ze liet niet los. Ze bleef de armband vasthouden.

'Ik zou me maar heel goed gedragen als ik jou was,' zei ze.

'*Sí. Gracias*, Sophia.'

'Spreek geen Spaans als je het in het Engels kunt zeggen.'

'Ja, dank je.'

Ik glimlachte naar haar en draaide me om.

'Wees van nu af aan voorzichtig met wat je iemand vertelt,' waarschuwde ze toen ik bij de deur was.

'Ja, ik zal voorzichtig zijn.'

Ze grijnsde spottend en ik verliet haar kamer, deed de deur zachtjes achter me dicht.

Toen liet ik mijn adem ontsnappen.

Ik kan net als tante Isabela zijn, dacht ik. Ik had er blij om moeten zijn, want ik had de armband, maar toch voelde ik me teleurgesteld in mezelf. Ik kon ook met de duivel spelen. Ik zocht troost bij iets wat ik had gelezen en mijn vader had horen zeggen. *Engañar al engañador no es una deshonora.* De bedrieger bedriegen is geen schande. Leugenaars verdienen het om te worden voorgelogen, dacht ik, en ging terug naar mijn kamer, te opgewonden voor zelfs de gedachte aan slaap.

Sophia keerde weer terug naar haar oude gewoonte om in haar kamer te ontbijten, en Inez haastte zich om het haar te brengen. Edward hield me gezelschap aan tafel. Hij was zenuwachtig bij de gedachte dat hij terugging naar school, te zenuwachtig om mijn nervositeit te beseffen. Hij zou voorlopig een lapje over zijn slechte oog dragen, en in zijn gezicht waren de littekens nog te zien van de schaafwonden, vooral op zijn kin, dus verwachtte hij dat hij herhaaldelijk zijn verhaal zou moeten doen. Ik wenste hem succes, en hij glimlachte en zei dat ik me niet ongerust moest maken.

'Als deze nare tijd achter de rug is, zal ik ervoor zorgen dat je hier gelukkiger zult zijn, Delia,' zei hij.

Hij kent zijn eigen moeder niet, dacht ik. Ze zou deze nare tijd niet zo gemakkelijk voorbij laten gaan. Haar dreigementen galmden nog in mijn oren. Maar ik bedankte hem. Jesse kwam hem halen en ze vertrokken eerder dan ik. Señor Garman stond bij de Rolls, en ik vertelde hem dat ik een uur later uit school zou komen, omdat ik de verzuimde tijd moest inhalen. Ik kon zien dat hij er niet blij mee was, maar hij zei niets.

Toen ik op school kwam werd er nog druk gepraat over Ignacio en zijn vrienden. Ik kon alle ogen op me gericht voelen toen ik door de gang liep, en zodra ik mijn klaslokaal binnenkwam, keken mijn medeleerlingen – vooral Mata, wier vader op het fiesta had gespeeld – verbaasd dat ik terugkwam. Señorita Holt deed haar best om ons bij de les te houden. Ze zei niets en stelde me geen enkele vraag over de recente gebeurtenissen. Om te voorkomen dat iemand iets vermoedde, concentreerde ik me op de les.

Tijdens de lunchpauze verlieten veel leerlingen het gebouw om een sandwich of een hamburger te kopen in een van de nabijgelegen fastfoodrestaurants. Het was leuker dan eten in de schoolkantine, en buiten de school konden ze roken. Het zou ook mij een excuus geven om het gebouw uit te gaan. Ik probeerde het zo onopvallend mogelijk te doen, maar sommige leerlingen zagen me en vroegen me iets, maakten zelfs sarcastische opmerkingen. Ik deed net of ik het niet begreep, en toen het ze begon te vervelen, liepen ze weg. Toen ik zeker wist dat niemand meer op me lette, liep ik snel de andere kant op en wachtte bij de bushalte verderop in de straat op de volgende bus.

Ik was dicht genoeg bij school om de bel te horen die waarschuwde dat de lunchpauze bijna voorbij was. Het leek een eeuwigheid te duren voordat de bus kwam, en ik was bang dat señorita Holt mijn afwezigheid onmiddellijk zou melden. Maar voordat de laatste bel ging, kwam de bus. Op dit tijdstip was de bus halfleeg, maar ik ging toch helemaal achterin zitten en verschool me achter de op een na laatste bank, kroop dicht tegen het raam aan en lette scherp op alle haltes. Het duurde langer dan een uur voor ik bij de halte was die Ignacio had beschreven. Ik sprong van mijn plaats om uit te stappen.

Het was weer een ongewoon hete dag. De temperatuur was tien tot vijftien graden hoger dan normaal. Daarom leek de afstand die ik moest afleggen me buitensporig lang. Ik probeerde zo snel mogelijk te lopen, doodsbang dat Ignacio weg zou gaan voordat ik er was. Ik wist niet zeker of hij zich wel had gerealiseerd hoe lang de rit met de bus zou duren en hoe lang ik er dan nog over zou doen voor ik op de afgesproken plaats was.

Plotseling maakte ik me ongerust dat hij me misschien met opzet de verkeerde richting en tijd had opgegeven, om te beletten dat ik met hem mee zou gaan. Toen ik het metaalgaas niet meteen zag, raakte ik in paniek. Ik begon te hollen, tot ik het eindelijk zag. Opgelucht dat dat tenminste klopte, liep ik in een rustiger tempo naar het gat in de afscheiding. Ik zag het kleine huisje achter het huis aan de straat, keek om me heen of niemand me zag, kroop door het gat en ging snel naar het huisje. Vlak voordat ik er was, kwam Ignacio er achter vandaan.

Hij keek niet erg blij toen hij me zag.

'Ik hoopte dat je niet zou komen,' zei hij. 'Ik heb zo'n reis nog nooit gemaakt, maar ik heb er vreselijke verhalen over gehoord. Ze hebben me verteld dat die coyote ons in de steek laat als we hem niet bijhouden of als een van ons gewond raakt. Er zijn drugsmokkelaars en bandieten, en met deze hitte' – hij keek omhoog alsof de hitte in regendruppels om ons heen viel – 'wil dat zeggen dat we 's nachts moeten lopen, misschien wel drie nachten lang. Dat hangt ervan af wat we moeten vermijden en welke route de coyote kiest.'

'Ik ben niet bang, Ignacio.'

'En er zijn slangen en schorpioenen.'

'Ik ben niet bang,' zei ik vastberaden.

Hij knikte.

Ik strekte mijn arm uit. 'Hier is de armband.'

Hij schudde zijn hoofd. 'Dit gebeurt allemaal omdat ik iets afschuwelijks heb gedaan, het komt door mij en mijn opvliegendheid,' mompelde hij. 'Kom binnen. Ik weet niet eens zeker of de chauffeur die door de vriend van mijn vader wordt gestuurd zal komen opdagen. Misschien is hij wel bang geworden. Als hij erop wordt betrapt dat hij me de grens overbrengt, gaat hij de gevangenis in.'

We liepen het kleine huis in via de keuken. Hij had twee rugzakken voor ons ingepakt, beide gevuld met flessen water.

'Dit is *sweto*,' zei hij, 'water vermengd met elektrolyten, tegen uitdroging.' Hij had ook een paar maaltijdrepen voor de energie.

Ik knikte en glimlachte, maar hij glimlachte niet terug. 'Beschouw dit niet als een avontuur of een wandeling in het park, Delia. Heel veel mensen sterven op deze route. Sommigen worden pas gevonden als er alleen nog maar botten over zijn. Ze hebben geen identiteitsbewijs, dus weet hun familie niet dat ze dood zijn en wachten ze eeuwig op bericht. Ze worden opgegeten door echte coyotes.'

'Hou op met proberen me bang te maken, Ignacio.'

'Ik probeer je niet bang te maken. Ik vertel het je alleen zodat je nergens verbaasd over zult zijn en je de risico's goed begrijpt, Delia.'

'Ik wil naar huis, naar Mexico,' hield ik vol.

Hij zag hoe vastberaden ik was en knikte. 'Als mijn vader erachter komt dat ik jou heb meegenomen, zal hij zo kwaad zijn dat we geen zonlicht meer nodig hebben. Hij zal zo in vuur en vlam staan, dat hij genoeg licht verspreidt.'

'En als ik thuis ben, zullen oma en ik hem schrijven en zal hij zo afkoelen dat het hier gaat sneeuwen.'

Eindelijk moest Ignacio lachen.

Toen hoorde ik een baby huilen. Verbaasd keek ik door de deur van de woonkamer en zag een vrouw met een baby. Ze staarde me met een ontdaan gezicht aan.

'Dit is de vrouw van mijn vaders vriend, Silvia. Ze was ertegen dat haar man me verborg, en nu ze jou ziet, is ze woedend. Probeer niet met haar te praten. Kom mee.'

Hij ging me voor naar een kleine kamer, waar een veldbed stond, en waar hij kennelijk had geslapen.

'We wachten hier.' Hij keek uit het raam en toen op zijn horloge. 'Als hij komt, moet hij hier binnen een uur te zijn.'

'En als hij niet komt?'

'Dan ga jij terug, en ik neem het risico om te gaan lopen en liften.'

Ik wist dat ik eindelijk bang keek.

Hij keek me glimlachend aan.

'Wat is er?'

'Toen ik je voor het eerst zag en ontmoette, en je me vertelde wie je was en waar je woonde, dacht ik dat je een van die verwende rijke meisjes was, of als je dat niet was, het heel gauw zou zijn, en dat je mij nooit zou bekijken. En nu ben je hier, bereid om je leven met mij op het spel te zetten om terug te gaan naar wat?'

'Geluk.'

Hij lachte. 'Geluk? Reken maar dat je tientallen mensen in de omgekeerde richting ziet gaan die naar ons kijken of we gek zijn geworden. Misschien denken ze dat we muilezels zijn.'

'Muilezels?'

'Mensen die drugs vervoeren voor drugshandelaren en teruggaan naar Mexico om een nieuwe bestelling op te halen.'

'Hoe komt het dat je daar zoveel over weet, Ignacio?'

'Als je met een paar van onze mensen in het tuinbedrijf werkt, hoor je wel het een en ander.' Hij maakte zich bijna kwaad. 'Daarom moet je er heel goed over nadenken, Delia. Hoe slecht de omstandigheden hier ook zijn, ze kunnen niet zo slecht zijn als in Mexico.'

'Geloof me, dat zijn ze.'

Hij staarde me even aan en keek toen uit het raam. 'Hij is er,' zei hij. 'Kom mee.'

We gingen terug naar de keuken om de rugzakken te halen en liepen toen naar buiten om de chauffeur te begroeten die de vriend van zijn vader had gestuurd. Hij heette Escobar. Voor hij zijn beklag kon doen over mij, overhandigde Ignacio hem driehonderd dollar.

'Voor haar kaartje in het busje,' zei hij.

'Dat is niet wat met de gids is afgesproken,' zei Escobar.

'Dat regelen we wel als we er zijn.'

'Wat je wilt. Stap gauw in,' zei Escobar, en deed de deur aan de achterkant open.

Ignacio stapte als eerste in en stak zijn hand naar me uit, maar aarzelde nog even.

'Dit is je laatste kans, Delia.'

'Ik weet het. Dat is de reden waarom ik ga.' Ik pakte zijn hand stevig vast en stapte in het bestelbusje.

Escobar sloot de deur, en we gingen op de grond zitten. Het was al erg warm en er was geen airconditioning.

'Dit is nog niks,' zei Ignacio toen hij zag dat ik mijn voorhoofd afveegde, 'vergeleken met wat er komen gaat.'

'Spaar je krachten voor de reis, Ignacio. Ik zal niet van gedachte veranderen.'

We hoorden Escobar het portier van het busje openen en instappen. Hij keek achterom naar ons.

'Het is een lange reis,' waarschuwde hij. 'Is het verstandig haar mee te nemen?'

'Ja,' antwoordde ik voor Ignacio.

Escobar haalde zijn schouders op, startte de motor en reed weg. Toen we op de snelweg waren, zette Escoba de radio aan en hadden we tenminste wat muziek. Ignacio staarde me aan. Hij leek zich eindelijk te ontspannen en er kwam een warme blik in zijn ogen.

'Wat is er?' vroeg ik.

'Ik heb het gevoel dat ik gezelschap heb van een engel,' zei hij.

Ik voelde me geen engel. Ik voelde me een vluchteling, maar ter wille van hem en misschien van mijzelf, glimlachte ik en legde mijn hoofd tegen zijn schouder. Ik was moe omdat ik de afgelopen nacht nauwelijks had geslapen, maar ik wilde niet dat hij zou weten hoe moe. Niettemin vielen mijn ogen dicht. Ik dacht aan *abuela* Anabela, die eerst verbaasd en kwaad en dan heel blij zou zijn. We zouden weer in dezelfde kamer slapen en samen bidden. Het simpele leven dat zo arm en moeilijk had geleken, was nu het beloofde land dat Ignacio dacht dat we verlieten. De muziek en het eentonige gedreun van de wielen op de weg vloeiden samen tot een slaaplied. Na een paar minuten sliep ik.

Ignacio wilde niets eten of drinken uit onze rugzakken. Escobar, die een beetje moe werd van het rijden, stopte na drie uur bij een wegrestaurant. Ik had bijna al die tijd geslapen en ook Ignacio was in slaap gevallen.

'We kunnen hier stoppen om iets te eten en te drinken en naar de wc te gaan,' zei Escobar.

Ik ging meteen naar het toilet en waste mijn gezicht en hals met koud water. Daarna bestelde ik een kipsandwich en frieten. We dronken limonade en zaten aan een tafeltje in een hoek. Niemand lette op ons. Escobar keek op zijn horloge en zei dat we op tijd waren, maar dat we nu aan één stuk door zouden moeten rijden. We vertrokken en hij vulde de benzinetank voor we terugreden naar de snelweg.

Het was donker toen we bij Tucson kwamen. We konden de lichten van de stad zien. Het was de grootste stad waarin ik 's avonds ooit geweest was, en de felle lichten fascineerden me en maakten me ook een beetje angstig. Escobar nam een paar bochten en stopte eindelijk in een donkere straat voor een gebouw dat eruitzag als een autocarrosseriebedrijf. Ignacio wilde opstaan om uit te stappen.

'Wacht,' zei Escobar. 'Laat mij maar eerst gaan.' Hij stapte uit en liep naar de deur van de zaak, die binnen nauwelijks verlicht was. Hij keek door het raam, draaide zich toen om en keek om zich heen. Degene die we verwachtten was kennelijk niet binnen.

'Wat gebeurt er?' vroeg ik.

'Ik weet het niet,' zei Ignacio.

We zagen de koplampen van een auto flitsen en toen liep Escobar naar een geparkeerde auto zonder licht. Hij ging ernaast staan en sprak met de bestuurder. Na een paar ogenblikken kwam hij terug naar het busje.

'Hij zegt dat hij Pancho heet. Hij is er niet blij mee dat je het meisje meebrengt. Hij wil het dubbele van het afgesproken bedrag. Ik mag hem niet,' zei Escobar.

'Hij is alles wat we hebben,' zei Ignacio.

'Vertrouw hem niet,' waarschuwde Escobar. 'Wat wil je doen aan dat geld?'

'Geef me de armband,' zei Ignacio. Ik deed hem af en overhandigde hem. 'Ik zal wel met hem gaan praten.'

Hij stapte uit en liep naar de auto. Ik kon de man die Pancho heette, niet zien, maar Ignacio stond met hem te praten en liet hem Sophia's armband zien. Er volgde een discussie en toen kwam Escobar terug, deed de deur open en zei dat ik uit moest stappen.

Ik liep naar Ignacio.

'Stap in,' zei Pancho.

'Jij kunt terug met Escobar,' zei Ignacio. 'Dit is echt je laatste kans.'

'Laten we instappen. We verspillen tijd,' zei ik.

Hij knikte, maakte het portier voor me open en stapte na mij in.

Escobar stapte in het busje, startte en reed weg.

'Dit is geen wandelingetje door het park,' zei Pancho. Ik had zijn gezicht ternauwernood gezien, maar hij leek mager, had een scherpe neus en een mond die als een snee door zijn gezicht liep. Hij had vettig zwart haar dat over zijn oren en tot achter in zijn hals viel.

'Een wandelingetje door het park kost niet zoveel,' antwoordde Ignacio.

Pancho bromde wat, startte de motor en reed weg, door de straten van de stad naar snelweg Nummer 86, en trapte toen op het gaspedaal. Hij zette de radio niet aan en zei niets tot we van de snelweg afbogen, tussen een aantal struiken door. We kwamen uit op een onverharde weg die net breed genoeg was voor de auto. Mijn hart bonsde. Hoe konden we weten of hij ons niet domweg zou beroven en ons daar achterlaten? Ik zag dat Ignacio's gezicht ook bezorgd stond. Per slot, ondanks al zijn bravoure, was dit ook zijn eerste illegale grensovergang.

Pancho reed zover hij kon met de lichten uit en schepte toen op. 'Ik heb jullie een dag lopen bespaard. Geen enkele coyote kent deze weg. Als jullie terug zijn in Mexico en anderen willen naar Amerika, stuur ze dan maar naar mij.'

'Dat zullen we doen,' zei Ignacio.

'Ik zal hier parkeren,' zei Pancho. 'We beginnen nu aan onze wandeling. We lopen de hele nacht door tot we bij een grot komen waar we het grootste deel van de dag blijven slapen voor we weer verdergaan. We moeten het tempo erin houden, maar als ik zeg stop, moeten jullie stoppen, en jullie moeten zo min mogelijk praten. De grenswacht patrouilleert daar en er zijn bandieten die loeren op een stel stommelingen. Er is jullie verteld hoeveel water je mee moet brengen. Hebben jullie genoeg bij je voor jullie tweeën? Want ik heb geen extra water.'

'Ja.'

'Slok het niet in het eerste uur naar binnen. Ik heb sommige idioten na een uur weer terug moeten brengen.'

'Je hoeft ons niet terug te brengen,' zei Ignacio.

'We zullen zien. Laten we gaan.'

Hij stapte uit en we volgden zijn voorbeeld. Even bleef hij staan luisteren en toen liep hij de duisternis in, zonder achterom te kijken of we hem volgden. Ignacio pakte mijn hand en we haalden hem in. Het verbaasde me dat Pancho zo precies wist waar hij zijn voeten in het donker moest neerzetten.

We liepen uren door zonder iets te zeggen. Mijn voeten begonnen pijn te doen. Ik struikelde een paar keer, maar er kwam geen klacht over mijn lippen. Ik wist zeker dat ik rechts van ons vlakbij een ratelslang hoorde, maar noch Ignacio, noch Pancho hoorde het, of ze wilden niet toegeven dat ze het hoorden. Wel waarschuwde Pancho ons dat we niet te ver naar rechts of naar links moesten afwijken, en ik was de laatste om hem tegen te spreken.

Eén keer bleef hij staan en stak zijn hand op, en we bleven staan wachten en luisteren. Links van ons kon ik in de verte stemmen horen. Ze spraken Spaans. Pancho fluisterde dat zo dichtbij het eind van de tocht, *pollos* – kippen, zoals vreemdelingen werden genoemd – niet zo stom zouden zijn om ook maar iets te zeggen. Hij zei dat het betekende dat het politie was. We bleven doodstil staan tot de stemmen geleidelijk verdwenen.

De pijn in mijn voeten en benen werd erger, en al was het koeler omdat het nacht was, toch kreeg ik enorme dorst. Maar ik durfde niet om water te vragen. Ik had geen idee hoe lang we hadden gelopen. Behalve nu en dan het gekras van een uil of het gejank van een coyote in de verte, was het doodstil. Boven ons flonkerden de sterren helder en stralend, zonder dat hun glans werd verbleekt door kunstlicht. Het uitspansel kende geen grenzen, geen grenzen die je moest oversteken. Zo zou het ook in de wereld moeten zijn, dacht ik.

Pancho bleef staan om op zijn horloge te kijken. Ik was verbaasd toen hij zei dat we vierenhalf uur gelopen hadden en volgens zijn schatting minstens achttien kilometer hadden afgelegd. Ignacio en ik wisten er te weinig van om het eens of oneens met hem te zijn.

'We hebben nog vier of vijf uur duisternis,' zei Pancho. 'Als we dit tempo aanhouden, zijn we voor het aanbreken van de dag bij mijn grot. Neem je eerste slok water,' beval hij, wat we deden. Hij zei dat we nu onze behoefte moesten doen als dat nodig was, want we zouden alleen maar stoppen om rovers of patrouilles te vermijden, al dacht hij dat we nu al ver genoeg van de grens met Amerika verwijderd waren. Ik was als de dood om me in het struikgewas te wagen, bang dat ik op een slapende ratelslang zou trappen. Maar ik had geen keus. Ik wist dat als ik niet ging, ik het urenlang te kwaad zou hebben.

Zodra we allemaal klaar waren, liepen we verder. Het grootste deel van de tijd kon ik Ignacio's hand vasthouden, maar er waren smalle doorgangen tussen rotsblokken, en steile hellingen, waar het gemakkelijker en veiliger was om gescheiden te lopen. Meestal liep ik dan vlak achter hem met mijn hand op zijn middel om mijn evenwicht te bewaren. Pancho zei heel weinig en alleen als het nodig was om ons te waarschuwen of een aanwijzing te geven. Onwillekeurig vroeg ik me af wat voor man zijn brood verdiende met het smokkelen van mensen in de nacht. Toen ik het Ignacio had gevraagd in het busje zei hij dat het smokkelen van illegale immigranten een groot bedrijf was geworden. Hij zei dat zijn vader hem had verteld dat alles in handen was van syndicaten en de coyotes werkten voor iemand die rijker en machtiger was. Daarom had hij zeker geweten dat Pancho mijn armband zou accepteren. Die zou hij kunnen verzwijgen en voor zichzelf houden.

Ik huiverde toen ik dat hoorde. Ik wist wel iets over mensen die stikten in busjes en vrachtwagens of stierven door uitdroging tijdens de tocht door de woestijn. Er waren altijd wel verhalen over een of ander familielid, maar nu dreef ik zelf in een zee vol haaien. Wat zou *abuela* Anabela kwaad zijn, dacht ik, maar de belofte aan wat er daarna zou komen was te sterk om me ervan af te brengen. Ik zou doorgaan. Ik zou naar huis gaan.

Misschien omdat we jong en sterk waren, arriveerden we eerder bij Pancho's grot dan hij zei dat hij verwacht had. Hij maakte ons een complimentje dat we hem hadden weten bij te houden. De grot zelf was niet groot, maar het was een opening in een rij rotsen die goed verborgen lag achter struikgewas. Hij zei dat de grot op het noorden lag en dat het er zelfs op een onwaarschijnlijk hete dag nog koel zou zijn. Hij ging als eerste naar binnen om zich ervan te overtuigen dat er geen ratelslangen waren die op hetzelfde idee waren gekomen.

'Het is oké,' zei hij, toen hij weer tevoorschijn kwam.

We zochten de platste plekken op en bedekten de grond zo goed mogelijk met wat struikgewas om het ons een beetje comfortabeler te maken. We dronken nog wat water en aten een van onze repen. Toen kropen we dicht tegen elkaar aan. Pancho ging tegenover ons liggen.

'Gewoonlijk zou je vannacht veel *pollos* kunnen zien en horen,' zei hij. 'Het is een goede tijd om uit Mexico te komen, maar zoals ik al zei, mijn route, mijn pad, is mijn geheim, en de meesten weten niet hoe ze moeten zigzaggen zoals ik. Jullie hebben geluk. Jullie komen de grens goedkoop over.'

'Ik heb niet het gevoel dat ik zoveel geluk heb,' mompelde ik.

Hij hoorde me. 'Ik vraag de mensen niet waarom ze hier of daar naartoe willen. Gewoonlijk wil ik niet te veel weten, maar waarom gaan jullie terug? Jullie handelen niet in drugs, want dan zou je mij niet nodig hebben.'

'We zijn allebei ongelukkig zo ver van huis,' zei Ignacio.

Hij lachte. 'Het kan me niet schelen. Het was alleen om de tijd te verdrijven. Ik heb veel dingen geleerd in de woestijn, maar een van de belangrijkste is dat de noodzaak om te overleven leugenaars maakt van ons allemaal. Denk eraan, *mis pollos*, het interesseert de woestijn niet of je goed of slecht bent. Hij vreet je in een mum van tijd op.'

Hij deed zijn ogen dicht en draaide even heen en weer om wat gemakkelijker te liggen. Ik was zo moe dat ik zeker wist dat ik onmiddellijk in slaap zou vallen, zelfs op de harde grond.

'Hoe gaat het?' fluisterde Ignacio met zijn lippen vlak bij mijn oor.

'Oké.'

'Je bent veel dapperder dan enig meisje dat ik ooit gekend heb.'

'Mijn oma zei altijd: "*Solamente los valientes tienen miedo.*" Alleen de dapperen weten wat angst is. Ze vertelde me dat vaak als ik nachtmerries had en huilde. Angst maakt je voorzichtig, en voorzichtigheid houdt je in leven, zei ze. Wees niet bang om bang te zijn.'

'Geen wonder dat je zo graag terug wilt. Ze is een wijze vrouw. Ze heeft je veel geleerd.'

'En ik moet nog veel meer van haar leren,' zei ik.

'Ja.' Ik zag hem glimlachen in het licht van de aanbrekende dageraad. We kusten elkaar en hij hield me een ogenblik steviger vast. 'Ik had geen enkele hoop tot je je aan me opdrong, Delia Yebarra.'

'Me aan je opdrong?'

'Nou ja, misschien was ik wat gemakkelijker over te halen dan ik pretendeerde.'

Ik moest bijna hardop lachen, maar dacht bijtijds aan Pancho's waarschuwing dat we ons zo stil mogelijk moesten houden. Dus in plaats daarvan glimlachte ik en zoende hem. Ik ben niet bang meer, dacht ik. Spoedig daarna vielen we in elkaars armen in slaap.

Het was het geluid van een lach dat me wekte. Ik keek op in de grijnzende gezichten van twee mannen met baarden, die allebei een paar tanden misten. Een van hen had een machete in de hand en stond gebukt in de ingang van de grot.

Hun lijven blokkeerden het grootste deel van het zonlicht, en dat leek hen nog groter te maken dan ze al waren.

Ik gaf Ignacio een por om hem wakker te maken. Misschien zou hij niet zien wat ik zag.

Misschien was het een nachtmerrie.

22

Nachtmerrie

Helaas was het werkelijkheid. De man links was klein en dik, en had lange armen die omlaag bungelden als de armen van een mensaap. Zijn metgezel was langer en magerder dan Pancho. Ze waren allebei zo vuil, dat het leek of ze van modder waren gemaakt. Toen ik ze wat nauwkeuriger bekeek, zag ik dat de man rechts een stukje van zijn linkeroor miste. Zijn rechteroog was gezwollen en verkleurd.

'Sta langzaam op,' fluisterde Ignacio.

Ik was bang dat mijn benen niet zouden gehoorzamen, maar ik kwam gelijk met hem overeind. Pancho bleef zitten. De kleine, dikke man knikte naar ons en keek toen naar Pancho.

'Zo, *mi coyote*, hoeveel heb je ze afgetroggeld om ze naar Amerika te brengen?'

'Ze gaan niet naar Amerika. Ze willen naar huis,' zei Pancho. 'Dus was het niet zoveel.'

'En waar is dat niet zoveel?'

'Je weet dat het niet hier is, *amigo*.'

'Er is wel iets hier,' antwoordde de dikke man met een brede glimlach. Hij keek naar ons. 'Wat neem je mee naar huis, *muchacho*?'

'Niks voor jou,' zei Ignacio.

De glimlach verdween van het gezicht van de bandiet als een verschrikte vogel.

'Dat is niet erg vriendelijk. Ik heb je gebruik laten maken van mijn huis.' Hij wees naar de grot en zijn vriend lachte. 'Nu moet je huur betalen.' Hij hief zijn machete op en richtte die op ons. 'Ik weet dat je dollars hebt.'

'Geef ze wat je hebt,' zei Pancho tegen Ignacio.

'Zie je, *su coyote* is verstandig en vriendelijk,' zei de dikke.

Pancho stond op en ze keerden zich met een ruk naar hem toe. Hij stak zijn armen omhoog. Toen maakte hij zijn rugzak open om te laten zien dat die alleen maar water en wat voedsel bevatte.

'Neem ervan wat je wilt.'

De rover spuwde op de grond. 'Wat heb je nog meer?'

Pancho haalde zijn zakken leeg om te tonen dat ze leeg waren.

'Ga door, *mi coyote*.' De dikke zwaaide met zijn machete naar hem. 'Laat zien dat je niks hebt.'

Pancho trok zijn hemd uit en liet zijn broek zakken en tot mijn afgrijzen ook zijn ondergoed. Maar ze wilden hem naakt zien om zeker te weten dat hij niets verborg. De teleurgestelde rover richtte zijn aandacht nu op ons, en Pancho trok haastig zijn kleren weer aan. Hij pakte zijn rugzak op en schuifelde naar de ingang. De dikke draaide zich naar hem om.

'Mijn armzalige leven is jullie toch niks waard,' zei Pancho. Hij keek naar ons. 'Ik zal buiten op jullie wachten om jullie verder te brengen nadat jullie de huur hebben betaald,' zei hij.

De twee rovers grijnsden en stonden toe dat Pancho langs hen heen naar buiten glipte.

'Sí, luister naar je coyote,' zei de dikke.

'De schoft,' fluisterde Ignacio. Hij draaide zich om zodat die twee niet zouden zien dat hij tegen me sprak. 'Je kunt niet weglopen met het water, Delia. Dan ben je niet snel genoeg. Als ik het zeg, hol je zo hard mogelijk de grot uit. En blijf doorhollen.' Ik wilde mijn hoofd schudden, en toen zei hij: 'Ze zullen niet alleen ons geld afpakken. Ze zullen jou verkrachten.'

Een rilling liep over mijn rug en ik snakte naar adem.

'Gooi jullie rugzakken hierheen,' zei de dikke weer.

Ignacio knikte naar mij. Hij bukte zich en gooide de rugzakken toen links van de dikke. De lange rover kwam erbij en knielde om de inhoud ervan te inspecteren. Ignacio pakte mijn hand achter zijn rug en bewoog zich langzaam naar de dikke man.

'We hebben heel weinig,' begon hij. 'We zullen het je geven,' ging hij verder. 'Doe ons alsjeblieft geen kwaad.'

De dikke lachte en ontspande zich, en op dat moment viel Ignacio hem aan, zijn hoofd gebogen als de kop van een stier. 'Rennen, Delia, rennen!'

Met zijn schouder stootte hij tegen de borst van de dikke, die tegen de puntige rotswand viel. Toen zijn metgezel zich omdraaide, gaf Ignacio hem een harde trap tegen kin en hij viel achterover. Ik holde door de opening van de grot en toen naar rechts, de helling af. Ik wist nog net te voorkomen dat ik viel. Onder aan de helling bleef ik staan en keek hoopvol achterom naar de grot in de hoop Ignacio naar buiten te zien komen om me achterna te rennen. In plaats daarvan verscheen de dikke man, en ik verschool me haastig achter een grote rots en liet me op mijn buik vallen. Ik tuurde om me heen en keek toen weer naar de grot. Zijn metgezel voegde zich bij hem. Ze spraken even met elkaar, keken om zich heen en liepen toen weer de grot in.

'Delia,' hoorde ik. Ik draaide me om en zag Pancho, die ook op zijn buik lag, achter dicht struikgewas. 'Kruip hiernaartoe. Gauw.'

Ik keek achterom naar de grot. Waar was Ignacio?

'Delia, nu! Voordat ze weer naar buiten komen.'

Ik deed wat hij zei.

Hij keek naar de grot en pakte mijn hand.

'Gauw!' Hij begon te hollen en trok mij mee.

'Ignacio!' riep ik.

'Je kunt niet terug om te gaan kijken. Het zal toch niet erg plezierig zijn. Vooruit. Ze zullen ons niet achterna komen als we ver genoeg weg zijn.'

Ik probeerde te blijven staan, maar hij trok harder.

'Waarom heb je ons in de steek gelaten?' gilde ik.

'We zouden nu allemaal dood zijn.' Hij zweeg even en keek achterom. 'Ik vind het erg voor je vriend, maar hij heeft jou weten te redden. Ik heb genoeg om ons erdoorheen te helpen. Ik zal mijn lafheid goedmaken door jou in veiligheid te brengen.'

'Nee. We moeten terug voor Ignacio.'

'En de kans vergooien die hij je heeft gegeven? Dat zou veel erger zijn. Voor hem is het te laat. Wil je hier soms doodgaan? Het is een afschuwelijke dood. Je gaat ijlen. Je gaat zand eten. De buizerds en de coyotes zullen je lichaam verscheuren en niemand zal ooit weten dat je dood bent.'

'O, *díos mío*,' riep ik uit en begon te snikken.

'Verspil niet het water en zout in je lichaam, Delia. De woestijn kent geen genade. Kom, we zullen een veilige, schaduwrijke plek zoeken, waar we kunnen wachten tot het donker wordt. Ik denk dat we na één nacht en een deel van de ochtend Sasabe kunnen bereiken. Kom,' zei hij, en trok me mee.

Onder het lopen keek ik achterom.

Ignacio, dacht ik. Ik was je hoop, je engel, en ik laat je achter. Ik ben degene die laf is.

We liepen zo lang in de brandende hitte, dat ik mijn lichaam voelde verslappen. Mijn keel was zo droog dat hij wel van schuurpapier leek. Pas toen Pancho een plek had gevonden onder een uitstekende rots bood hij me wat water aan.

'Drink langzaam,' zei hij, en gaf me toen drie gedroogde sardines te eten.

'Wat hebben ze met Ignacio gedaan?' vroeg ik.

'Dat is niet te zeggen, en het heeft geen zin erover na te denken. Denk alleen maar aan het oversteken van de grens en je thuiskomst.'

'Neem je dezelfde weg terug?'

'Natuurlijk. Ik zal een groep *pollos* naar Amerika brengen.'

'Wil je onderweg even stoppen om naar Ignacio te kijken? Als je dat doet, zal ik je zeggen waar je me kunt bereiken. Alsjeblieft,' smeekte ik.

'Misschien neem ik niet dezelfde route.'

'Maar je zei dat dit jouw speciale route was. Je zei dat het de beste en snelste was. Je zei...'

'Ga nu slapen en hou op met praten. Je verspilt te veel kracht.' Hij rolde zich op in zoveel mogelijk schaduw en sloot zijn ogen.

Ik staarde naar de hete woestijn. Hij leek te trillen in het licht van de hoog aan de hemel staande zon, maar ik bad in stilte dat ik straks Ignacio zou zien die zich haastte om ons in te halen.

'Als je niet slaapt,' hoorde ik Pancho zeggen, 'ben je straks niet sterk genoeg om de hele nacht te kunnen lopen, Delia. Ik kan niet op je wachten. Ik zal je achter moeten laten voor de echte coyotes.' Zijn stem klonk heel zakelijk. 'Leef of sterf,' voegde hij eraan toe. 'Het is jouw keus. Genade bestaat hier niet.'

Ik probeerde te negeren wat hij zei, maar ik was moe. Het was de bedoeling dat we sliepen in de ochtend en tijdens de hete uren van de dag. Onze vlucht voor de rovers had ons minder tijd gegeven. Ik wist dat hij gelijk had. Ik zou niet de kracht hebben om tien uur lang over dit ruwe terrein te lopen.

Vergeef me, Ignacio, dacht ik, terwijl ik in de richting keek waaruit we waren gekomen. Misschien zul je ons hier zien, redeneerde ik, en ging op de grond liggen. Die was in ieder geval koel.

Ondanks alles viel ik na enkele ogenblikken in slaap en sliep door tot de avondschemering. Ik werd pas wakker toen Pancho zei: 'Verroer je niet. Vertrek geen spier.'

Ik staarde hem aan. Hij stond over me heen gebogen. Met een snelle zwaai van zijn hand, sloeg hij een schorpioen van mijn bovenarm en vertrapte hem met zijn voet.

'Ik heb *pollos* gehad die gestoken werden en te ziek werden om te lopen, zodat ik ze heb moeten achterlaten.'

'Zijn ze gestorven?'

'Dat weet alleen de woestijn en die vertelt het niet. Drink wat water.'

Hij bood me de fles aan. Het water was warm en maakte me bijna misselijk, maar ik wist dat ik het nodig had. Hij gaf me een reep gedroogd rundvlees en een stuk brood. We aten, dronken nog wat water en maakten ons gereed om op pad te gaan.

'Misschien zal Ignacio ons inhalen,' mompelde ik. 'Of misschien loopt hij al voor ons uit.'

'Denk niet langer aan Ignacio en zorg dat je me bijhoudt,' beval hij. 'We moeten onze volgende stopplaats bereiken voordat de zon opkomt.'

We liepen over rotsachtige bodem, over lange stukken zand, omhoog en omlaag door kleine geulen. Mijn hele lichaam deed pijn, vooral de achterkant van mijn hals. Ik bleef bidden dat hij even zou stoppen om te rusten, maar telkens als het leek of hij het langzamer aan zou doen, verhoogde hij zijn tempo weer. Op een gegeven moment bleef ik iets achter. Ik dacht dat hij achterom zou kijken en op me wachten. Maar hij liep stug door. Ik wist dat als ik struikelde en viel of bleef staan om even uit te rusten, hij gewoon verder zou gaan. Hij was niet alleen een gids door de woestijn, hij wás de woestijn, net zo onbarmhartig, net zo hard en genadeloos. Hij moest er zijn uitgebroed, dacht ik. Wat was er gebeurd met die redding die hij had beloofd bij de grot? Liet zijn geweten hem zo snel in de steek?

Meer dan iets anders was het mijn woede die me deed volhouden. Ik zou hem niet toestaan me achter te laten. Ik nam me voor iemand in de arm te nemen als we in Mexico waren, iemand die ik kon vertellen over Ignacio, iemand die misschien terug kon gaan om hem te zoeken.

Toen Ignacio eindelijk stopte om te rusten, kon ik wel gillen van de pijn in mijn voeten. Ik wist dat ik overal blaren had.

'Drink,' zei hij en overhandigde me weer een fles. Ik pakte hem aan alsof het goud was en dronk. 'Langzaam, langzaam.'

Hij gaf me een paar sardines en nog een stuk brood. Ik bleef staan. Ik was bang dat als ik ging zitten of liggen, ik niet meer overeind zou kunnen komen.

'Je hebt het veel beter gedaan dan ik verwacht had,' zei hij. 'Morgenavond kunnen we naar Sasabe. Vertel me waar je dorp is.'

Ik zei het hem.

'Je moet met de bus naar Mexico City en vandaar met een andere bus, of misschien wel twee. Heb je wat geld?'

Ignacio had gezegd dat ik mijn geld in mijn beha moest stoppen, maar plotseling durfde ik dat Pancho niet te vertellen. Als hij het eens vroeg om het me af te kunnen nemen?

'Ik ben geen dief,' zei hij, toen ik aarzelde. 'Ik beroof mijn *pollos* niet. Ik verdien genoeg zonder te hoeven stelen. Weet je hoeveel *pollos* ik alleen al dit jaar over de grens heb gebracht?'

Ik was te moe om het te vragen.

'Vijftienhonderd,' zei hij. 'Ze hebben het niet allemaal gehaald, maar ik ben voor allemaal betaald. Ik heb mijn aandeel gekregen. Laat maar,' zei hij, toen hij zag dat ik niet van plan was om over geld te praten. 'We moeten verder.'

Hij ging op weg. Ik sloot mijn ogen, bad, en liep achter hem aan. Ongeveer een uur later stak hij zijn hand op ten teken dat ik moest blijven staan en stil zijn. Links van ons kon ik stemmen horen. Ik ging dichter bij hem staan en wachtte.

'Het is oké,' zei hij, na nog eens goed geluisterd te hebben. 'Het is een groep die op weg is naar Amerika.'

'Misschien kunnen we ze vertellen over Ignacio. Alsjeblieft,' smeekte ik.

'Ze kunnen niet van hun route afwijken. Hoor je die *bebés pequeños* niet? Het zijn gezinnen die de grens over willen. Als ze een fout maken omdat jij ze vraagt te gaan kijken, zullen kleine kinderen sterven. Wil je dat?'

'Nee, maar...'

'Loop door,' zei hij en zette zich weer in beweging.

Ik luisterde naar de stemmen. Ze leken dichterbij. Even overwoog ik naar ze toe te hollen, maar dan zou ik Pancho zeker kwijt zijn, en als ik ze niet vond, zou ik alleen achterblijven, zonder iets. Ik had ook niet de kracht meer om helemaal terug te lopen naar Amerika, zelfs al zou ik ze ontmoeten, en hij had laten doorschemeren dat we niet zo ver meer van ons einddoel verwijderd waren. Ik haatte mezelf erom, maar ik holde achter hem aan en niet achter degenen die misschien naar Ignacio hadden kunnen uitkijken.

Uren later zei Pancho dat we op de rustplaats waren. Het was weer een opening in een rots.

'En als er nog meer rovers komen?'

'Wil je hier in de zon gaan slapen?'

Hij wachtte niet op mijn antwoord. We liepen de kleinere grot in en gingen op de grond liggen voor weer een lange rustdag.

'Dit is het laatste wat we te eten en te drinken hebben,' zei hij. 'We moeten zo snel mogelijk naar Sasabe, zodra de zon onder is.'

Hij gaf me het water en nog een reep gedroogd vlees. Toen brak hij de rest van het brood doormidden, en ik zag een rol bankbiljetten. Langzaam rolde hij ze uit.

'Een beetje zakgeld,' zei hij glimlachend. 'Als dat ongedierte honger had gehad, zou ik niks meer hebben.'

Hij dacht even na en overhandigde me toen iets van zijn geld.
'Ik weet niet of je geld hebt voor de bussen of niet, maar pak aan.'
'Dank je,' zei ik en accepteerde het.
'Waarom zou een jonge meid als jij, en nog knap bovendien, haar leven willen riskeren om terug te gaan naar Mexico? Je kunt het me nu wel vertellen. Het zal de tijd doden.'
Ik vertelde hem waarom ik naar Amerika was gebracht en hoe het mij vergaan was en dat Ignacio en zijn vrienden Bradley hadden willen straffen en wat er toen gebeurd was. Hij luisterde en knikte.
'Ignacio had gelijk dat hij vluchtte, maar ik geloof niet dat het voor jou zo zwaarwegend was.'
'Ik wilde naar huis.'
Hij dacht na en voor het eerst gaf hij blijk van enige emotie.
'Ik ben al in heel lange tijd niet meer thuis geweest. Ik weet zelfs niet of mijn broers en zussen nog leven.'
'Waarom ga je niet bij ze op bezoek?'
'Het is beter de herinnering aan ze te bewaren, dan nare dingen te moeten horen. Geen gepraat meer,' snauwde hij toen, alsof ik het korstje van een wond had gekrabd.
Hij ging liggen en gebruikte zijn rugzak als hoofdkussen. Weer vroeg ik me af wat voor soort man in zijn levensonderhoud wilde voorzien met het gidsen van wanhopige mensen door de woestijn die als illegale immigranten wilden gaan werken in Amerika, in de wetenschap dat sommigen van hen het niet zouden overleven? Was het goed of slecht wat hij deed? Zoals hij had gezegd, verdiende hij er goed mee, maar deed hij het ook uit morele overwegingen? Zag hij zichzelf als iemand die anderen naar een beter leven voerde, naar een droom, naar nieuwe hoop, of kon het hem niet schelen? Was hij bang om zijn *pollos* te leren kennen, bang dat hij medelijden zou krijgen als iemand te ver achterbleef of gewond raakte? Hoeveel mensen waren gestorven toen ze hem volgden? Hoeveel zouden er in de toekomst nog sterven? Wanneer zou er een eind komen aan die migratie van illegalen?
Mijn lichaam was te moe om nog pijn te doen. Zelfs de pijn was uitgeput. Deze keer sliep ik zo diep en zo lang dat het een tijdje

duurde voor hij me wakker had geschud. Hij rammelde me zo hard heen en weer dat hij bijna mijn schouder brak.

'Tijd om te gaan,' zei hij. 'Dit is het kortste stuk, maar ook het moeilijkste, omdat we niet kunnen stoppen en we geen water meer hebben. Begrijp je, Delia? Je moet uit alle kracht putten die je bezit.'

Ik knikte, wreef met mijn droge handen over mijn wangen en stond op. Even wankelde ik. Hij keek me bezorgd aan.

'Het gaat wel,' zei ik. 'Loop maar.'

Hij ging op weg, en ik volgde. Waar ik de kracht vandaan haalde, weet ik niet. Het leek of mijn benen een eigen wil hadden ontwikkeld en mijn bovenlichaam domweg werd voortgedragen. Na twee uur lopen hoorden we weer stemmen. Deze keer waren ze heel dichtbij.

'Wacht hier,' zei Pancho en stak zijn hand op. Ik bleef staan, maar ik had het gevoel dat mijn benen in beweging bleven. Hij verdween tussen een paar struiken in de richting van de stemmen. Ik bleef wachten tot ik bijna staande in slaap viel. Ik was te moe om me zelfs maar ongerust te maken dat ik in de steek werd gelaten.

En toen kwam hij terug met een fles water.

'Die stommelingen hebben me het water verkocht,' zei hij. 'Ik bood ze te veel om mijn aanbod te kunnen afslaan. Ze zullen er spijt van hebben als ze straks zonder komen te zitten. Hier, drink.'

Heel even protesteerde mijn geweten. Ik dronk wat nodig kon zijn om iemand anders in leven te houden, misschien zelfs een kind, maar mijn lichaam overschreeuwde mijn bezwaren, en ik pakte de fles en klokte het water gulzig naar binnen.

'Langzaamaan, Delia,' waarschuwde hij.

Ik voelde het leven zelf naar binnen vloeien door mijn keel en in mijn lichaam. Ik haalde diep adem en knikte om hem te bedanken en gaf de fles terug. Hij dronk.

'Nu halen we het zeker,' zei hij. 'Laten we gaan.'

We liepen door. Ik had allang geen benul meer van de tijd, of er een uur of langer voorbij was gegaan, maar plotseling bleef hij staan en wees. Ik keek en zag de lichten.

'Sasabe, Mexico,' zei hij. 'We zijn er bijna. We zijn bijna thuis.'

Ik was zo gelukkig dat ik geen woord kon uitbrengen. Pas toen we heel dichtbij waren, dacht ik weer aan Ignacio.

Ik voelde me schuldig dat ik hem was vergeten. Noch ik, noch Pancho, had zijn naam genoemd tijdens de nachtelijke mars. Voor Pancho was hij gewoon de zoveelste *pollo*, dacht ik, gauw genoeg vergeten. Ik was niet bereid hem dat te vergeven, maar ik bedacht ook dat als hij de verongelukten niet vergat, het in zijn hoofd zou blijven rondspoken en hij dit werk niet langer zou kunnen doen.

Hij nam me mee door een gat in het prikkeldraad bij de grens, het dorp in. Ik bleef staan kijken naar de lichten, de mensen, de auto's en luisterde naar het rumoer, het gelach, het getoeter van claxons, de muziek uit de cafés, en dacht dat ik op een andere planeet terecht was gekomen. Hoe was dit allemaal mogelijk terwijl wij daarbuiten ons best deden om te overleven, en honderden anderen op ditzelfde moment vochten voor hun leven?

'Daar is het busstation,' wees Pancho. 'Daar kun je zien wanneer er een bus gaat.'

'Is er niemand die we over Ignacio kunnen vertellen?' vroeg ik.

'Je kunt het proberen, maar het zal tijdverspilling zijn, en misschien mis je dan een bus. Niemand zal naar je luisteren of iets doen. Niemand zal daarnaartoe willen om hem te zoeken, Delia. Hij is een van de velen in de woestijn, en je hebt niet genoeg geld om iemand te betalen. Je kunt niets meer doen, Delia. Je moet nu voor jezelf zorgen. *Buena suerte*. Per slot hangt zoveel ervan af of je geluk hebt of niet.'

Ik keek hem na toen hij wegliep en achterom naar de woestijn waar wij vandaan waren gekomen en waar Ignacio nu lag, dood of gewond. Toen liep ik naar het busstation, waar ik een tweedeklaskaartje kocht naar Mexico City. Ik moest bijna vier uur wachten op een bus. Ik kocht een paar tortilla's en wat vlees en een gekoelde frisdrank, die voor mij was wat de kostbaarste wijn voor mijn tante was.

Toen ik had gegeten en gedronken viel ik in slaap, ondanks de harde houten bank. Ik verlangde naar de komst van de bus, zodat ik verder zou kunnen slapen. Daar had ik tijd genoeg voor, want de rit zou langer dan dertig uur duren. Er was een wc in de bus, maar er zou onderweg gestopt worden bij terminals, waar passagiers konden uitstappen en wat te eten kopen. Niemand kon de tijdsduur garanderen, zelfs de chauffeur niet, toen andere passagiers naar hun bestemmingen informeerden. Op dat moment kon het me bijna niet schelen. Ik was in Mexico en straks zou ik op straat lopen naar mijn ouderlijk huis en naar oma.

Ik wist zeker dat ik er erbarmelijk uitzag. Mijn haar was vet en vuil, en mijn jurk ook. Ik had geen geld voor nieuwe kleren, maar ik deed mijn best om me wat op te knappen in het toilet van de terminal. Ik had een borstel gevonden die iemand in de bus had achtergelaten, en die maakte ik schoon toen we bij een volgende halte stopten. Maar ik was nog zo moe, dat mijn uiterlijk me niet echt interesseerde. Ik wilde alleen maar slapen. Alle spieren in mijn lichaam waren nog in opstand. De pijn werd zelfs nog erger tijdens het rijden. Ik wist zeker dat degenen die me zagen zich zouden afvragen hoe het mogelijk was dat iemand die zo jong was zo lang kon slapen, maar het voordeel ervan was dat de rit daardoor veel korter leek.

Toen we bij de terminal in Mexico City kwamen, zocht ik de beste manier om naar mijn dorp te komen. De man die de kaartjes verkocht vertelde me dat ik drie keer zou moeten overstappen, maar de laatste bus zou me thuisbrengen. Ik was ongedurig en opgewonden, al had ik nog uren te gaan.

Het was kort na twaalven toen ik in mijn dorp aankwam. Mijn hart begon wild te kloppen bij de nadering ervan. Ik wist niet zeker hoe *abuela* Anabela me zou begroeten. Zou ze zo kwaad zijn dat ze zelfs niet zou kalmeren als ze me zag? Had mijn tante bericht gestuurd dat ik was weggelopen? In dat geval zou ze me beslist heel slecht hebben afgeschilderd. Mijn tante kennende, zou ze het bericht sturen via señor Orozco, de postdirecteur, zodat iedereen in het dorp het verhaal zou horen.

De bus stopte op het plein. Zodra ik uitstapte bleef ik met open mond staan kijken. Ik voelde me als iemand die een tijdlang blind is geweest en plotseling weer kan zien. Alles was zo mooi; niets was te oud of moest worden hersteld. De kerktoren stak hoger dan ooit in de lucht, en de oude mensen die ik zag zitten praten leken niet langer meelijwekkend of versuft. Ik wilde naar iedereen toe hollen en iedereen omhelzen.

Niemand leek op me te letten. Even vroeg ik me af of ik wel echt was weggeweest. Was het allemaal een afgrijselijke nachtmerrie geweest? Was ik zojuist op het plein wakker geworden? De blaren en de pijn brachten me snel terug in de werkelijkheid. Ik ging op weg naar huis, door de straten waar ik mijn leven lang gelopen had, maar nog nooit zo goed had bekeken als nu.

Toen ik de hoek omsloeg naar onze straat, bleef ik even staan. Hier was de grote hitte niet doorgedrongen, hier was het comfortabel. De zon brandde niet, en het briesje was zacht en verfrissend. In de verte zag ik de rook omhoogkringelen van iemands brandende afvalhoop. Ik glimlachte naar de honden die in de schaduw lagen en lui hun kop optilden. Hun nieuwsgierigheid was niet groot genoeg om op te staan en me te besnuffelen. Ze waren aan hun siesta begonnen en die was te heilig om te worden verstoord.

Ik moest inwendig even lachen, voelde me weer vol verlangen dit simpele, landelijke, eerlijke leven te omarmen. Ik zou graag slapen in een kamertje dat kleiner was dan Sophia's kast. Ik zou op een bed slapen dat zij een grap zou vinden. Ik zou vloeren dweilen en boenen die er nooit duur en schoon uit zouden zien. Ik zou naast oma werken, onze traditionele gerechten bereiden en nooit meer denken aan gourmetmaaltijden, en ik zou het geen seconde berouwen. Ik verheugde me er zelfs op señora Porres weer te zien en haar waarschuwingen te horen over het alomtegenwoordige boze oog.

'Ik heb in dat oog gekeken, señora Porres,' zou ik tegen haar zeggen. 'Ik heb erin gekeken zoals u nooit gedaan hebt, en ik heb het verblind achtergelaten.'

Mijn jubelstemming gaf me nieuwe moed. Ik haastte me naar ons huis. Wat *abuela* Anabela ook had gehoord of gedacht, ik zou haar gauw weer gelukkig maken. Vanavond zouden we samen bidden en we zouden in slaap vallen terwijl we naar elkaars ademhaling luisterden en ons getroost voelen.

Het weerzien met onze oude droge fontein met de engelen was wonderbaarlijker dan ooit, evenals de grasstoppels, het struikgewas en de aangebouwde keuken. Ik kon het allemaal niet snel genoeg in me opnemen en hoorde weer Pancho's waarschuwing om langzaam te drinken, want dit was als water in de woestijn voor me. Dit was mijn thuis.

Ik holde naar de voordeur, bleef even staan om op adem te komen en ging toen naar binnen.

'*Abuela* Anabela,' riep ik. Het bleef doodstil. Waarom was ze niet bezig het middagmaal te bereiden? '*Abuela!*'

In een paar seconden was ik het huis door, maar ik vond haar niet. De keuken leek onaangeroerd, geen bord of pan was van zijn plaats, er stond niets in de gootsteen, de tafel was leeg. In onze slaapkamer waren beide bedden opgemaakt. Haar nachthemd lag als gewoonlijk opgevouwen op bed, wat een glimlach om mijn lippen bracht. Misschien was ze weg om wat van haar *mole* af te leveren, dacht ik. Ik dronk wat water en vroeg me af wat ik zou doen. Haar zoeken of gewoon wachten?

Toen hoorde ik voetstappen en de voordeur ging open.

Abuela Anabela!' riep ik en liep haastig naar de deur om haar te begroeten.

Toen bleef ik stokstijf staan.

Alleen señora Paz stond voor de deur. 'Mijn zus zei dat ze je door de straat zag lopen,' zei ze.

Omdat ze niet glimlachte en blij leek omdat ze me zag, nam ik aan dat ik gelijk had gehad om bang te zijn dat mijn tante bericht hierheen had gestuurd. Het hele dorp dacht slecht over me. Ik zou mijn uiterste best moeten doen daar verandering in te brengen.

'Weet u ook waar mijn grootmoeder is?'

Ze sloeg een kruis en keek op. 'Ze is naar God gegaan.'

Ergens in de woestijn jankte een coyote bij het lichaam van een man, een gier cirkelde erboven, schorpioenen kropen snel naar het lijk en ratelslangen sisten in de buurt.

Niet alleen in de woestijn was genade een onbekende. Die was overal waar harten waren om te worden gebroken.

De naweeën van mijn strijd, de zware druk van mijn verloren hoop en geluk, het was allemaal te veel om te worden genegeerd.

Ik zakte ineen op de grond als een vaandeldrager in een grote veldslag, eens zo vastberaden, dapper en sterk, uiteindelijk verslagen door de vijand die hij niet kon zien.

Zijn vaandel zweefde op hem neer en begroef hem onder wat eens zijn zegevierende dromen waren.

23

Thuiskomst

'Vijf dagen geleden werd ze niet meer wakker, Delia. Ze is in haar slaap gestorven, dromend over jou, dat weet ik zeker,' zei señora Paz.

Ze had haar zus erbij geroepen en ze hadden me op de bank gelegd met een koud nat washandje op mijn voorhoofd. Beiden keken vol medelijden en verdriet op me neer. Ze scheelden twee jaar, maar ze leken een tweeling in de manier waarop ze op elkaar reageerden. Als de een hoofdpijn had, had de ander dat ook. De een kon niet lachen zonder dat de ander meedeed, en elke klacht van de een werd door de ander ondersteund.

'Ze zijn echt een tweeling, zei *abuela* Anabela vaak als ze vertrokken na een bezoek aan ons. 'De een is alleen wat later geboren dan de ander.'

Het was een grappige opmerking van *abuela* Anabela, maar ze zei soms dat ze geen van beiden in de spiegel hoefden te kijken. Ze konden naar elkaar kijken en zichzelf zien.

'Het hele dorp was op haar begrafenis, Delia,' zei de zus van señora Paz, Margarita. 'Señor Lopez kwam en schonk een goede donatie aan de kerk. Tijdens jouw afwezigheid stuurde je grootmoeder hem vaak lekkere dingen, haar fantastische citroentaarten, haar kip *mole*, of wat ze die dag ook maakte.'

'Ze was erg trots op je en wat je in Amerika deed. Ze las ons je brieven voor zodra zij ze ontvangen had,' zei señora Paz.

'Ze las ze iedereen voor die maar wilde luisteren,' voegde haar zus er glimlachend aan toe.

'Hoe komt het dat je niet wist dat ze gestorven was, Delia? Señor Diaz had je tante bericht gestuurd door middel van een van die vreemde apparaten,' zei señora Paz, in wier kraalogen plotseling een achterdochtige blik verscheen.

'Dat noemen ze een fax,' zei señora Paz nadrukkelijk.

'Hoe dan ook, het moet heel snel gaan.'

'Ik ben vertrokken voordat mijn tante het had ontvangen,' zei ik. Per slot was dat de waarheid.

'Waarom ben je weggegaan?' vroeg señora Paz argwanend.

'Als je kennelijk niet wist dat ze overleden was, kom je hier dan alleen maar op bezoek?' vulde haar zus aan, als een speurder afspringend op mijn woorden.

Oma Anabela zou zeggen dat ze zoveel mogelijk informatie probeerden te krijgen om al het nieuws vanavond op het dorpsplein te verspreiden. Ze waren onze stadsomroepers, plaatselijke radio en krant tegelijk. Het was duidelijk dat er nog geen bericht was gekomen dat ik was weggelopen. Niemand in Palm Springs had zich erg ingespannen om me te zoeken.

'Ik ben niet op bezoek, ik ben voorgoed naar huis gekomen,' zei ik.

Ze keken geschokt, met wijd open ogen en mond. Ik moest bijna lachen, omdat ze zo sprekend op elkaar leken. Toen knikte señora Paz naar haar zus.

'Margarita zei dat ze het vreemd vond dat je niet door een grote auto hier gebracht werd, maar met de bus bent teruggekomen,' zei señora Paz.

'En hoe zit het met *su tía* Isabela? Wilde ze dat je wegging?' vroeg Margarita. 'Had ze er spijt van dat ze je gevraagd had bij haar en haar kinderen te komen wonen?'

Eén ding was zeker, dacht ik, de twee zussen wilden alles zo gauw mogelijk te weten komen. Ze zouden het verschrikkelijk vinden als iemand anders ook maar het geringste nieuwtje eerder wist dan zij. Ik draaide mijn hoofd om en sloot mijn ogen.

'Ik moet even rusten en dan ga ik naar het kerkhof,' zei ik.

'Natuurlijk. Maar je moet wél weten dat señor Diaz dit huis heeft verkocht. Je grootmoeder heeft hem daartoe het recht gegeven ingeval van haar overlijden,' zei señora Paz. 'Het huis is gisteren verkocht aan señor Avalos. Het geld zal ongetwijfeld voor jou zijn vastgezet. Je moet naar señor Diaz om ervoor te zorgen dat hij het geld niet naar je tante stuurt.'

'Het huis is verkocht?'

'Sí, Delia,' zei Margarita. 'Niemand verwachtte dat je hier weer zou komen wonen, zeker je grootmoeder niet, na al die enthousiaste brieven die ze van je heeft ontvangen.'

'Misschien moet je het geld van de verkoop gebruiken om terug te gaan naar Amerika. Zou je tante je terug willen nemen?' vroeg señora Paz. Ze zouden alle bijzonderheden op den duur toch wel te horen krijgen, dacht ik.

'Daar kan ik nu nog niet aan denken,' antwoordde ik tot hun teleurstelling.

'Ik weet zeker dat señor Avalos het goedvindt dat je hier nog een paar dagen blijft, maar ik heb gehoord dat hij van plan is het huis op te knappen en te renoveren,' zei señora Paz. 'Je kunt bij ons een hapje komen eten als je zover bent, Delia. En tot je hebt besloten wat je gaat doen, kun je ook bij ons logeren.'

Ik zei niets. Ik hield mijn hoofd afgewend.

'Niemand hier was zo geliefd als Anabela. Kom bij ons als je eraan toe bent en als je iets nodig hebt,' zei Margarita.

'Dank je. Ik bedoel *gracias*,' voegde ik er snel aan toe. Het leek nu verraad om Engels te spreken.

Ik draaide me pas om toen ik ze weg hoorde gaan.

Mijn verdriet en wanhoop veranderden in woede. Waarom had God niet kunnen wachten tot ik thuis was voor hij *abuela* Anabela tot zich nam? Waarom moest ze sterven voordat ze de waarheid vernam over mijn nieuwe leven? Ik was net zo kwaad als op de dag toen mijn ouders verongelukten. Toen ik rechtop ging zitten en om me heen keek, zakte mijn woede, en mijn verdriet keerde terug. Het huis leek zo leeg nu. Nu oma er niet meer was, kon het me niet schelen dat het huis was verkocht.

Ik liep naar de gootsteen en waste mijn tranen weg. Toen ging ik naar de slaapkamer die oma en ik hadden gedeeld en zocht mijn kleren. Alles was er nog. Oma had zelfs alles gewassen en opgevouwen alsof ze had geweten dat ik terug zou komen. Ik verkleedde me en ging op weg naar het kerkhof.

Ik liep door het dorp als een slaapwandelaarster. Ik zag niets, hoorde niets, rook niets. Ook al was ik versuft, toch nam ik instinctief de juiste weg en beklom de kleine heuvel naar het kerkhof, waar mijn grootmoeder en ouders nu naast elkaar lagen. Zodra ik er was, hield ik stil op het pad. Een kat lag op het pas gedolven graf. Hij zag me en slenterde op zijn gemak weg, alsof hij het graf had bewaakt en op mijn komst had gewacht. Al was het geen margay, hij leek er toch een beetje op, en even moest ik lachen, denkend aan Ignacio's grootmoeder en haar geloof dat je je lot deelde met een dier. Misschien had mijn margay de kat gestuurd als plaatsvervanger tot ik kwam.

Pas toen ik haar naam op de steen zag, drong het goed tot me door dat *abuela* Anabela weg was. Ik liet me op mijn knieën vallen, sloeg mijn armen om me heen, huilde en wiegde heen en weer tot ik geen tranen meer had. Toen bleef ik zo zitten, zag haar gezicht en glimlach voor me, hoorde haar stem als ze een slaapliedje voor me zong of haar gebeden zei.

'Je zult nooit de derde dood sterven, oma, nooit, zolang ik leef,' zwoer ik. Toen bad ik op het graf van mijn ouders en steunde met mijn handen op de grond, in de hoop kracht te putten uit hun geest. Ik bleef op het kerkhof tot het donker begon te worden.

Op weg naar huis ging ik een tijdje op een bank op het plein zitten. Señor Hernandez kwam langs met zijn beschilderde, handgesneden wandelstok. Zolang ik me kon herinneren was hij bijna altijd op het plein te vinden. Er ging zelden een avond voorbij dat hij hier niet zijn pijp zat te roken of zachtjes zat te praten met iedereen die bereid was even stil te houden om de tijd te passeren. Hij was een groot verhalenverteller, hij was vroeger acteur geweest en had in theaters in heel Mexico gespeeld. Al zag hij er niet zo erg oud uit, toch wist ik dat hij net zo oud was als *abuela* Anabela. Ze had me verteld dat hij steeds meer in de war raakte, gebeurtenissen uit heden en verleden door elkaar haalde, maar op de een of andere manier wist hij zich toch staande te houden. Hij was nooit getrouwd geweest en had geen kinderen die voor hem konden zorgen, dus nam ik aan dat hij eraan gewend was om alleen te zijn. Hoe wende je daaraan? Ik vroeg het me af nu ik zelf alleen was.

'Ha, Delia,' zei hij, en kwam naar me toe. 'Kom je uit school? Ben je op weg naar huis?'

'Nee, señor Hernandez. De school gaat pas over ruim een uur uit.'

'Ah, *sí*.' Hij bleef staan en keek om zich heen. 'Ik kijk zelfs niet meer op mijn horloge. Als ik honger heb, eet ik, als ik moe ben, slaap ik. Wat voor verschil maakt de tijd trouwens als je oud bent?' Hij glimlachte.

Zelfs nu nog, dacht ik, naar zijn bejaarde gezicht kijkend, kon je zien dat hij vroeger een knappe man moest zijn geweest.

Zijn vraag zei me dat hij niet wist of vergeten was dat ik vertrokken was. Maar er dook iets op in zijn bewustzijn.

'Je grootmoeder is gestorven.'

'Sí, señor Hernandez.'

'Toen ze zo oud was als jij was ze het mooiste meisje van het dorp. Ik had haar willen vragen met me te trouwen, maar haar vader wilde geen acteur als schoonzoon. Ik kan het hem niet kwalijk nemen. Maar, helaas, ik kon het toneel niet opgeven. Het zat in mijn bloed. Mijn vader was er ook niet blij mee. Vaders, tenzij ze zelf acteur zijn, vinden het niet prettig als hun zoons of dochters aan het toneel gaan.

'Maar weet je waarom ik acteur ben geworden, Delia? Ik werd acteur omdat je op het toneel geluk en droefheid, leven en dood, in de hand hebt. In deze harde wereld is het beter in je fantasie te leven. Op het toneel huil je alleen als je verdriet speelt, en *wíl* je niet huilen, dan speel je geen verdriet.'

Hij zuchtte en ging naast me zitten, leunde op zijn stok.

'Ik heb vaak een oude man gespeeld, maar als ik het toneel verliet, was ik weer een jonge man. Nu zit ik gevangen in deze rol. Tot ik het toneel verlaat.' Zijn stem stierf weg.

Hij staarde voor zich uit en ik kon zien aan de manier waarop zijn ogen en mond zich bewogen, dat hij een paar van zijn rollen opnieuw beleefde, misschien zichzelf weer op het toneel zag. Ik zei niets. Net als hij keek ik recht voor me uit, zag mijn leven in dit kleine Mexicaanse dorp terug. Wij beiden, jong en oud, vertoefden enkele ogenblikken in hetzelfde theater.

We werden gestoord door señora Paz en haar zus, die haastig naar me toekwamen, als twee paraderende soldaten synchroon naast elkaar schuifelend, hun rokken wapperend om hun benen.

'O, daar ben je,' zei señora Paz. 'We maakten ons ongerust over je, Delia. Je moet bij ons komen eten en slapen. We hebben het besproken en we vinden dat je niet alleen moet blijven. Er valt niet over te discussiëren.'

Ik wilde al afwijzend mijn hoofd schudden.

'Je wilt toch zeker niet alleen in dat huis blijven!' voegde ze eraan toe.

Daar had ze gelijk in.

'Kom, lieverd,' zei Margarita en stak haar hand naar me uit.

Ondanks hun geroddel waren ze vriendelijk en behulpzaam, dacht ik. Oma had nooit bezwaar tegen ze gehad. Ze vond ze amusant. Ze zou willen dat ik hun edelmoedige aanbod accepteerde en troost zocht in hun gezelschap. Ik stond op.

'*Buenas noches*, señor Hernandez,' zei ik.

Hij keek op alsof hij nu pas besefte dat ik er was. Zijn ogen waren dof en kalm, maar werden helderder toen hij glimlachte.

'Ah, Delia, sí. Je doet me denken aan een jonge actrice die ik heb gekend. We speelden in een klein theater even buiten Mexico City, en...'

'Ze heeft geen tijd voor je domme verhalen,' snauwde Margarita. 'Weet je niet dat ze net haar grootmoeder heeft verloren?'

'Ah,' zei hij. 'Ja, ik heb het gehoord. Ik vind het heel erg.' Hij glimlachte naar me. 'Toch doe je me aan haar denken.'

'Ouwe gek,' zei señora Paz en draaide zich om.

'Hij bedoelt het niet kwaad,' zei ik, terwijl ik hen volgde.

Ik keek achterom naar hem en herinnerde me hoe graag oma met hem gepraat had. Hij staarde weer voor zich uit, zag ongetwijfeld al die fantastische mensen weer die hij had gekend en met wie hij zoveel jaren in het theater had gestaan, hij leefde in zijn herinneringen. Straks, dacht ik, zou hij het toneel verlaten en weer een jongeman worden.

'Hoe die man zich redt is een raadsel,' zei Margarita.

Hoe ieder van ons het redt is een raadsel, dacht ik. Ik wist dat het een te verbitterde en cynische gedachte was voor iemand die zo jong was als ik, maar ik had te veel verschrikkelijke dingen meegemaakt.

De zussen maakten een heel goede maaltijd klaar, zij het niet zo goed als de maaltijden van *abuela* Anabela. Ik at alles wat ze op mijn bord schepten. Ik kon zien dat ze verbaasd waren over mijn eetlust, maar het was zo lang geleden dat ik een echt maal had gegeten, zittend aan een eettafel. Hun huis was veel kleiner dan dat van ons. Ze hadden maar één slaapkamer, maar die was schoon en keurig gemeubileerd.

Na het eten regelden ze een slaapplaats voor me in de woonkamer. Ik was erg moe, en toen ze de kaarsen hadden uitgeblazen en ik mijn ogen had gesloten, dommelde ik in en sliep de hele nacht door. Zonder me te wekken, waren ze de volgende ochtend druk bezig het ontbijt klaar te maken.

Zodra ik wakker werd, stond ik op, waste me en ging bij hen aan tafel zitten, in afwachting van hun vragen. Dat was de betaling waar ze op rekenden, dacht ik, en ik was ertoe bereid. Maar ze verrasten me door in plaats daarvan over mijn toekomst te praten.

'Terwijl jij op het kerkhof was, hebben we señora Rubio gesproken. Je weet dat ze haar *menudo*-shop samen met haar zoon beheert. Ze verdienen er niet veel mee, maar ze hebben een aardig klein *casa*. Ken je haar zoon, Pascual?'

'Niet erg goed,' antwoordde ik. 'We hadden elkaar nooit veel te vertellen. Hij is minstens tien jaar ouder dan ik.'

'Sí, maar hij ziet er niet naar uit,' zei Margarita.

'Zijn moeder zou graag willen dat hij trouwde, en we dachten dat jij met het geld van het huis een aardige bruidsschat hebt,' vulde haar zus aan.

'Bedoelt u – trouwen met Pascual Rubio?'

'Het zou een gemakkelijker leven zijn dan het leven met een boer,' zei señora Paz.

Pascual Rubio was midden twintig en begon al kaal te worden. Hij was klein en gezet en zo verlegen dat hij bijna geen woord zei. Ik was niet de enige die zelden met hem sprak. Alleen al het idee van een huwelijk met hem was schokkend. Ik schudde heftig nee.

'Je gaat niet terug naar die rijke tante van je, Delia. Dat heb je zelf gezegd. We weten niet waarom, maar dat is nu niet belangrijk. Wat wil je hier doen? Werken op de sojavelden?' vroeg Margarita. 'Of wil je eindigen zoals ik, een ouwe vrijster die woont bij haar zus, een weduwe?'

'Er moet nog een andere oplossing zijn,' zei ik. 'Maar dank u dat u aan me hebt gedacht.'

Ze keken me beiden afkeurend aan omdat ik zo snel van de hand had gewezen wat ze kennelijk een prachtige, snelle oplossing vonden voor mijn benarde toestand.

'Je moet vanmorgen naar señor Diaz. We hebben hem en señor Avalos laten weten dat je terug bent,' zei señora Paz.

'*Gracias.*'

'Alsjeblieft, Delia, denk na over wat we gezegd hebben,' zei Margarita. 'Pascual heeft veel bewondering voor je. Je zou jezelf gelukkig moeten prijzen. Een meisje van jouw leeftijd zonder familie heeft weinig hoop op een goede toekomst.'

Daarmee kon ik het niet oneens zijn. Misschien was het te overmoedig van me geweest om een mooiere droom na te jagen. Misschien stond mijn lot vast en hoorde ik hier thuis, getrouwd met iemand als Pascual.

'Het zal een prachtig huwelijk worden,' zei señora Paz. 'En je zult een huis en een zaak hebben.'

'Ik weet het niet... een huwelijk zo snel na het overlijden van mijn oma lijkt me verkeerd.'

'Zij zou de eerste zijn om je te vertellen: "*No hay dolor de que el alma no puede levantarse en tres días.*" Er bestaat geen verdriet waarvan een ziel zich niet in drie dagen kan losmaken.'

'Ja,' zei ik glimlachend. Ik herinner me hoe ze haar wijsheden altijd verkondigde met het gezag van een priester. 'Dat zou ze.'

'Dus je zult serieus nadenken over het aanbod van señor Rubio?' vroeg Margarita.

'Ik zal het overwegen.'

'Verstandige meid,' zei señora Paz en gaf een klopje op mijn hand.

'Ik ga me verkleden en dan ga ik naar señor Diaz,' zei ik.

'We zullen wachten tot je terug bent en dan gaan we met z'n allen naar señora Rubio,' zei Margarita. 'En we zullen Pascual zelf het woord laten doen.'

Ik kon me niet voorstellen dat Pascual zoiets tegen me zou zeggen in het bijzijn van een paar vrouwen. Als hij me zo graag wilde dat hij zijn verlegenheid zou kunnen overwinnen, was het misschien voorbestemd.

Ik bedankte hen voor alles wat ze gedaan hadden en ging naar mijn huis voor wat de op één na laatste keer zou zijn. De volgende keer zou ik mijn eigen spullen gaan halen en wat er nog over was van eventuele familiebezittingen. Toen ik andere kleren had aangetrokken, ging ik naar señor Diaz. Hij was een van de meest gerespecteerde mensen in het dorp, voormalig advocaat en rechter. Zelfs nu nog werden er weinig belangrijke beslissingen genomen in het dorp zonder zijn inbreng. Hij had een kantoor met een secretaresse en de modernste communicatiemiddelen, zelfs nog beter dan wat señor Lopez had op zijn landgoed en sojafarm.

Ik was maar één keer bij señor Diaz geweest, samen met mijn vader, toen hij een paar belangrijke papieren ging ophalen. Señor Diaz' secretaresse was zijn schoonzus. Mijn moeder vond haar altijd een arrogante vrouw die zich gedroeg alsof zij, en niet señor Diaz, de adviezen gaf. Ze was geen roddelaarster zoals señora Paz en haar zus, maar ze had haar eigen manier om mensen te laten weten dat ze op de hoogte was van belangrijke dingen over hen of hun familie. Ze hield die wetenschap als het zwaard van Damocles boven hun hoofd.

Ze had een rijzige gestalte met een lang gezicht, dat oma deed opmerken dat ze een paard onder haar voorouders moest hebben gehad, en ze tuitte haar lippen en trok haar wenkbrauwen op in plaats van *hola* te zeggen. Ze sprak tegen mensen alsof haar woorden parels waren. Er waren weinig mensen bij wie ik me zo slecht op mijn gemak voelde.

Ze wist wie ik was, maar deed net alsof ze dat niet wist toen ik binnenkwam.

'Ja?' zei ze.

'Ik ben Delia Yebarra. Señor Diaz weet dat ik kom.'

Ze staarde me aan alsof ze wachtte tot ik haar meer zou vertellen. Toen stond ze zonder verder iets te zeggen op en liep naar de verbindingsdeur met señor Diaz' kantoor. Ze klopte maar wachtte niet tot hij reageerde. Ze liep naar binnen en deed de deur achter zich dicht.

Nog geen tien seconden later kwam ze weer naar buiten en ging terug naar haar bureau alsof ik niet aanwezig was. Ze verschoof een paar papieren en keek toen naar mij.

'Nou, ga dan naar binnen,' zei ze, alsof ik dat uit eigen beweging had moeten doen. Ik bedankte haar, maar ze zag en hoorde me niet meer.

'*Hola*, Delia,' zei señor Diaz, die opstond om me te begroeten. Hij was een gedistingeerd uitziend man met een zwart snorretje en een smal gezicht. Hij had donkerbruine ogen en zwart haar en was niet langer dan 1 meter 75, maar door zijn trotse en zelfverzekerde houding leek hij veel langer. 'Mijn condoleances met het overlijden van je grootmoeder. Ik vind het heel erg voor je. De dood van je ouders ligt nog te vers in het geheugen.'

'*Gracias, señor.*'

'Ik vrees dat de opbrengst van je ouderlijk huis niet zo'n groot bedrag is, Delia. Het zal niet voldoende zijn om lang van te leven.'

'Ik begrijp het, señor.'

'Het is echter meer dan de meeste huizen in het dorp zouden opbrengen. Ik ben er trots op te kunnen zeggen dat ik er een mooi bedrag voor heb weten te krijgen.'

'*Gracias, señor.*'

Hij staarde me even aan, en ik wist dat hij nog meer wilde zeggen.

'Ik wist dat je hier gauw terug zou komen, Delia. Het verbaasde me niets toen ik van señora Paz hoorde dat je weer in het dorp was en in hun *casa* verbleef.'

'O? *Por qué*, señor Diaz?'

Hij staarde me even aan, ging toen terug naar zijn bureau en pakte een grote bruine envelop op.

'Toen je grootmoeder gestorven was, heb ik je tante in Palm Springs, Californië, bericht gestuurd. Ze antwoordde niet, maar vanochtend ontving ik deze expresbrief.' Hij overhandigde hem aan mij.

Ik keek naar het adres van de afzender. Dat was inderdaad Palm Springs, maar de naam erboven was Edward Dallas, niet Isabela.

'*Gracias*, señor Diaz.' Ik kon de verbazing in mijn stem niet onderdrukken.

'Ik heb gesproken met señor Avalos toen ik hoorde van je terugkeer en hij vindt het goed dat je nog twee dagen in je huis blijft, maar ik ben bang dat je dan je spullen zult moeten pakken en ander onderdak moet vinden, Delia.'

'Sí, ik begrijp het.'

'Hier,' zei hij, en gaf me nog een andere envelop. 'Dit is de opbrengst van het huis. Je zult het naar de bank moeten brengen.'

'*Gracias*.'

'Heb je een adres waar je naartoe kunt, iemand bij wie je terechtkunt?'

'Dat vind ik wel, señor.'

'Nogmaals, ik vind het heel erg dat je zoveel moeilijkheden en verdriet moet ondervinden, Delia. Je had een fijne familie. Vergeet ze niet en doe alleen dingen waardoor ze trots op je kunnen zijn.'

'*Sí, señor. Gracias*.' Ik ging weg, met de twee enveloppen in mijn hand geklemd, maar was om diverse redenen huiverig om die van Edward te openen. Ik gunde señor Diaz' schoonzus zelfs geen blik, maar voelde dat haar ogen me volgden.

Ik besloot eerst terug te gaan naar huis en daar Edwards brief open te maken. Onderweg zag ik kinderen die zich haastten om op tijd op school te zijn. Ik deed een stap naar achteren, zodat ik in de schaduw stond, en keek naar een paar jongens en meisjes uit mijn klas, die lachend en pratend over het plein liepen. Ik voelde een steek van jaloezie. Ik zou zo dolgraag terug kunnen naar die onschuldige wereld, alle verschrikkingen met een enkel gebaar van mijn hand wegvagen en op magische wijze weer de Delia Yebarra worden, het vijftienjarige meisje, dat zojuist een heerlijke *quinceañera* had gevierd. Het geluid van hun stemmen stierf weg en ze verdwenen uit het gezicht. Ik bleef alleen achter in de schaduw.

Ik bemerkte mijn tranen pas toen ik halverwege was, liep haastig de mensen voorbij van wie ik wist dat ze me wilden condoleren. Ik holde bijna de straat in naar ons huis, waar ik me veilig kon voelen. Zodra ik binnen was, liet ik me op oma's bed vallen en huilde tot mijn keel pijn deed. Toen herinnerde ik me de brief van Edward, ging rechtop zitten, wreef de tranen uit mijn ogen, haalde diep adem en scheurde de envelop open.

Een cheque van vijfhonderd dollar viel op mijn schoot. Ik keek ernaar en las toen de brief.

Lieve Delia,
Ik hoop en bid dat je deze brief zult ontvangen.

Gisteren ontving mijn moeder het bericht dat je grootmoeder is overleden. Als je deze brief leest, weet je het natuurlijk al, maar er is veel gebeurd dat je niet weet.

We nemen aan dat je bent weggelopen met Ignacio. Ik kan alleen maar hopen dat jou niet hetzelfde afschuwelijke lot heeft getroffen. Zijn lichaam was gevonden in de woestijn. Toen we dat hoorden, zijn Jesse en ik zijn vader gaan opzoeken. Het gezin was in rouw. Zijn vader vertelde me hoe hij te weten was gekomen wat er met zijn zoon gebeurd was. Het schijnt dat de man die hem, en waarschijnlijk ook jou, door de woestijn heeft geleid, zijn lichaam heeft ontdekt toen hij terugkeerde met een groep zogenaamde pollos, *illegale immigranten. Hij kon Ignacio's lichaam niet meenemen en, afschuwelijk als het klinkt, hij vertelde dat het al was verminkt door coyotes en gieren, en dat het beter was als hij niet werd teruggebracht. Zijn vader heeft dat geaccepteerd. De man gaf hem Ignacio's portefeuille met zijn identiteitsbewijs.*

Omdat we niets over jou hoorden, hoopten we dat jij het op een of andere manier gehaald had en je dorp had weten te bereiken. Natuurlijk wilde ik eerst weten waarom je was weggelopen. Ik hoopte dat de dingen opgelost konden worden en je een nieuwe start zou kunnen maken. Ik was geschokt toen ik ontdekte dat mijn moeder niet genoeg deed om jou te beschermen. Ik wilde je toen nog meer beschermen, ondanks mijn recente handicap. Overigens gaat het me prima. Voor de meisjes op school ben ik een soort romantische held, omdat ik een ooglapje draag. Wie kan de gedachtegang en de reacties van een pubermeisje verklaren?

Jesse en ik hebben erover gesproken naar Mexico te gaan om jou te zoeken en terug te brengen. Nu Ignacio er niet meer is, heeft de politie haast gemaakt met de zaak. Ignacio's vrienden hebben een deal gesloten met de aanklager. Ze worden veroordeeld voor doodslag. Ze gaan de gevangenis in, maar niet zo lang als anders het geval had kunnen zijn. Niemand van de politie of justitie wil nog met je spreken. Het is definitief voorbij. En Bradleys vader, toen hij hoorde van Ignacio's dood, heeft ervan afgezien om te proberen Ignacio's vader een hak te zetten.

Sophia probeerde je ervan te beschuldigen dat je er met haar armband vandoor was gegaan. Ze vertelde mijn moeder een of ander fantastisch verhaal dat je haar ervan had weten te overtuigen dat het je speet dat je haar zo slecht behandeld had en je had gesmeekt of ze weer je vriendin mocht zijn. Mijn moeder en ik barstten bijna in lachen uit en ze holde weg. Ze is weer in haar oude gedrag vervallen en niets van dit alles interesseert haar nog.

Ik heb de cheque bijgesloten om je in staat te stellen je terugreis te betalen. Ik heb een lang gesprek gehad met mijn moeder over jou, en ze heeft erin toegestemd het je gemakkelijker te maken. Je zult hier nooit meer behandeld worden als personeel. Nu je grootmoeder er niet meer is, zijn wij per slot je naaste familie. Natuurlijk is het geen ongunstige bijkomstigheid dat ik volgende maand achttien word en mijn trust in werking gaat treden. Er zijn veel bezittingen en rekeningen die ze graag wil dat ik samen met haar zal beheren. Zij wordt nu mijn zakelijke partner, of ik die van haar. Mijn trust wordt in verschillende stadia geactiveerd, en als ik vijfentwintig ben, zal ik nog meer macht hebben.

Je moet terugkomen, Delia. Ik zou het gevoel hebben dat al mijn moeite en mijn oog verspild zouden zijn als je dat niet deed. Ik weet dat het een slag onder de gordel is of misschien een beetje oneerlijk, maar in liefde en oorlog – je weet het. Ja, ik wil van je houden als mijn nichtje. Jesse en ik vinden allebei dat je een goed mens bent en hier thuishoort. God weet dat deze familie iemand als jij hard nodig heeft.

Mijn moeder heeft zelfs toegestemd, als je dat wilt, je op mijn particuliere school in te schrijven. Het zal gemakkelijker voor je zijn en het zal je opleiding goeddoen.

Maak je geen zorgen over Sophia. Wij, met jou samen, kunnen Sophia aan. Ze is trouwens een veel te grote egoïste om zich over iemand anders druk te maken. Misschien zul je zelfs een goede invloed op haar kunnen hebben en zal ze erop vooruitgaan. Weer een reden om terug te komen. Bel me. Alsjeblieft.

Kom terug, Delia.

Je zult het zien. Het zal anders worden.

Liefs, je primo, *Edward*

Ik vouwde zijn brief op en bleef zitten met een misselijk gevoel in mijn maag. Ignacio was definitief dood, maar het afgrijzen dat zijn lichaam ten prooi was gevallen aan gieren en coyotes was meer dan ik kon verdragen. Ik ging naar buiten omdat ik dacht dat ik moest overgeven, maar het bleef bij wat kokhalzen en snikken. Uitgeput ging ik terug naar de woonkamer en bleef daar een tijdlang versuft zitten. Toen keek ik weer naar de cheque en herlas een deel van Edwards brief.

Teruggaan? Ondanks al zijn beloften en alles wat mijn tante tegen hem had gezegd, dacht ik niet dat mijn leven daar veel beter zou worden. En ik geloofde absoluut niet dat Sophia stilletjes naar de achtergrond zou verdwijnen. Daarvoor was ze veel te wraakzuchtig, en tante Isabela zou zich niet zo plotseling bekeren – vergeven en vergeten. In zijn eigen woorden vertelde hij me dat hij een paar financiële kwesties als dreigement gebruikte om haar te laten meewerken, zoals hij haar ook die eerste keer had gedreigd om te zorgen dat ik een kamer in het grote huis zou krijgen na die afschuwelijke periode met señor Baker. De mensen daar zouden me altijd blijven beschouwen als het meisje dat zoveel opschudding en droefheid had veroorzaakt. Ondanks al hun goede voornemens konden Edward en Jesse me daartegen niet beschermen.

Nee, dacht ik. Ik hoor hier thuis. Het lot heeft het beslist. Het boze oog krijgt zijn zin.

Bovendien, dacht ik, heb ik geen reden om terug te gaan. Ik kan hier genoeg leed en verdriet meemaken.

Ik stond op en ging naar buiten, naar señora Paz en haar zuster, om Pascual en zijn moeder te bezoeken.

24

Een nieuw leven

Señora Paz vroeg me haar de cheque te laten zien van de verkoop van het huis. Ik verborg Edwards envelop, omdat ik wist dat zij en haar zus me niet met rust zouden laten voor ze wisten wat zich daarin bevond.

'Dat is een grotere bruidsschat dan ik dacht,' zei ze, toen ik haar de cheque overhandigde. Ze keek naar Margarita. 'Señor Diaz heeft het goed gedaan. Pascual Rubio zal meer krijgen dan we dachten.' Ze zwaaide met de cheque naar haar. 'Laten we niet de indruk wekken dat we met de hoed in de hand komen om hem te smeken Delia tot vrouw te nemen.'

'Nee,' zei Margarita, en keek naar mij. 'Wees maar niet bang, wij nemen het voor je op, Delia. Een goede huwelijksovereenkomst sluiten is niet eenvoudig.'

'Hoe weet jij dat?' vroeg señora Paz haar.

'Ik weet het. Ik wist het van jouw huwelijksovereenkomst, hoeveel vader in de pot heeft gestopt. De familie van je man bezat niet veel meer dan Delia. Heeft vader niet de gouden trouwring betaald die je draagt?'

'In ieder geval draag ik een gouden ring,' kaatste señora Paz terug. Margarita leek even te verschrompelen. 'Val me alleen niet in de rede om een stomme opmerking te maken,' zei señora Paz tegen haar. 'Kom mee, Delia.' Ze keek met een verwijtende blik naar Margarita, die naar me glimlachte, alsof ze wilde zeggen dat haar zus zich aanstelde.

Ik vertelde hun dat señor Diaz had geregeld dat ik nog twee dagen in het huis kon blijven.

'Je blijft bij ons tot het huwelijk,' zei señora Paz.

Zij en Margarita wilden heel graag weten hoe señor Diaz' schoonzus me bejegend had. Ik vertelde het, en beiden begonnen een tirade over haar, kwamen met verhalen over haar huwelijk en geruchten die ze hadden gehoord over haar relatie met haar man. Ze hadden vliegen aan de wand in haar *casa* kunnen zijn, te oordelen naar de details die ze onthulden. Naar hen luisteren was amusant genoeg om mijn nervositeit een klein beetje te doen bedaren.

Toen we in de *menudo*-winkel stonden, verstarde señora Rubio even en riep toen haar zoon, die uit de keuken kwam, zijn handen afwrijvend aan zijn al vuile schort. Zijn hemd stond open en het donkere krulhaar dat van de onderkant van zijn keel omlaaggroeide over zijn borst en maag, kronkelde naar buiten als dunne gebroken metalen veren. Toen hij ons zag veegde hij snel met de rug van zijn hand het zweet van zijn voorhoofd en lachte. Sinds ik hem de laatste keer gezien had was hij twee linkertanden kwijtgeraakt, maar omdat hij heel dikke lippen had was het niet erg zichtbaar, behalve als hij lachte. Hij probeerde zijn baard te laten staan, maar zijn haar was zo lichtbruin dat er bijna geen baard te zien was; het groeide in plukken in plaats van in een regelmatige vorm.

'*Hola*,' zei señora Paz.

'*Hola*,' antwoordde señora Rubio en keek haar zoon scherp aan om hem te dwingen iets te zeggen.

'*Sí, hola*,' zei hij haar snel na.

'We komen over Delia's toekomst praten,' zei señora Paz. Ze keek naar de lege tafel rechts van ons. 'Ze heeft niemand anders dan wij om voor haar op te komen.'

'Waarom is ze teruggekomen uit Amerika?' vroeg señora Rubio onmiddellijk.

De onderhandeling is begonnen, dacht ik. Ze zoekt naar iets negatiefs over me.

'Ik was tot de conclusie gekomen dat ik daar niet thuishoorde,' zei ik. 'Ik ging weg voordat ik ontdekte dat mijn grootmoeder was gestorven.'

'Niettemin is het beter voor haar om hier te blijven,' kwam Margarita tussenbeide. 'Net als uw zoon. Ik zie hem de grens niet oversteken voor een beter bestaan.'

'Dat komt omdat hij hier een bestaan heeft,' zei señora Rubio. 'Een goed bestaan.'

'Kan hij dat goede bestaan houden als jij naar je Schepper bent gegaan?' vroeg señora Paz. 'Kan hij alles doen wat nodig is in de winkel, koken, schoonmaken, bedienen en voor een huis zorgen?'

Señora Rubio gaf geen antwoord. Ze staarde even voor zich uit en knikte toen naar de tafel. We gingen zitten. Pascual bleef achter de toonbank staan. We hadden nog steeds geen woord met elkaar gewisseld.

'Misschien kunt u ons een glas water aanbieden,' zei señora Paz.

Señora Rubio knikte naar Pascal, die haastig glazen ging vullen met water en die naar de tafel bracht. Terwijl hij dat deed keek hij heimelijk naar mij.

'Waar moet ze slapen in uw *casa*?' vroeg señora Paz onmiddellijk, alsof dat de belangrijkste overweging was.

'Ik ga in de woonkamer slapen, en zij krijgen de slaapkamer. Ik heb niet zoveel slaapruimte nodig.'

'Ze kan goed koken. Haar grootmoeder heeft haar veel geleerd,' zei señora Paz. 'Ze kan zelfs haar verrukkelijke *mole* maken, en die zou u hier misschien kunnen verkopen.'

Señora Rubio knikte. 'Sí, ik had al gehoopt dat ze dat kon.'

'Verwacht u dat ze haar geringe bruidsschat besteedt om mee te betalen aan het huwelijk?'

'Hoeveel heeft ze gekregen voor het huis?' vroeg señora Rubio, met een onderzoekende blik op mij.

'Wat ze heeft gekregen is niet belangrijk. Waar en hoe het gebruikt wordt is belangrijk,' zei señora Paz, voet bij stuk houdend. Gewoontegetrouw werden alle huwelijksovereenkomsten en wie wat zou betalen op deze manier geregeld.

Ik had altijd gedroomd van een prachtig huwelijk in de kerk, dat door een groot aantal *madrinas* en *padrinos* werd bijgewoond. De *madrina de arras* zou de dertien gouden munten bij zich hebben die mijn toekomstige echtgenoot me zou overhandigen bij het sluiten van de echtverbintenis. De dertien munten zouden zijn onomstotelijke geloof en vertrouwen symboliseren, door al zijn goederen in mijn zorg en hoede over te dragen. Ik had het vaak zien doen.

Pastoor Martinez zou de munten zegenen en in de handen van de bruid leggen. Zij zou ze toevertrouwen aan de tot een kom gevormde handen van de bruidegom, die ze op een zilveren blad zou leggen, en aan het eind van de plechtigheid zouden ze aan pastoor Martinez worden gegeven om aan de bruidegom te overhandigen. Hij zou ze weer aan de bruid teruggeven als symbool van de overdracht van zijn wereldse goederen aan zijn bruid.

'We geven geen extravagante bruiloft. Het geld dat ze heeft dient bewaard te worden voor andere behoeften,' gaf señora Rubio zich gewonnen. 'We geven een receptie in onze tuin. We zullen voor een simpele maar traditionele maaltijd zorgen van gekruide rijst, bonen, kip en rundvleestortilla's, en sangria.'

'En de mariachi's?' vroeg Margarita. Die waren haar meest geliefde aspect van een huwelijk.

'Señor Gonzales is me nog wat schuldig. Hij zal zijn zoons sturen.'

Margarita's gezicht betrok. Ze had blijkbaar gehoopt op meer.

Maar señora Paz zei: 'Goed. Dat is verstandig.'

'Ik ben altijd een verstandige vrouw geweest,' snauwde señora Rubio.

'Ze moet een mooie jurk hebben voor het huwelijk,' zei señora Paz. 'Het zou niet verstandig zijn haar bruidsschat daarvoor te gebruiken. Ze trouwt niet elke week.'

'En nieuwe schoenen,' voegde Margarita eraan toe.

'Daar hoeft ze het geld van het huis niet voor te gebruiken. Ze kan mijn trouwjurk krijgen. Die kan gemakkelijk worden vermaakt. We vinden wel nieuwe schoenen voor haar,' zei señora Rubio.

Ik vond dat señora Paz haar goed in het defensief wist te drijven, tot señora Rubio me strak aankeek en zacht fluisterend vroeg: 'Natuurlijk is ze nog maagd?'

Ik voelde mijn wangen gloeien.

'Hoe kunt u zoiets zelfs maar vragen over Anabela Yebarra's kleindochter?' antwoordde señora Paz. 'Is uw zoon nog maagd?'

Tot onze verbazing knikte señora Rubio en zei: 'Helaas wel, ja.'

Ook al kon hij het gesprek gemakkelijk horen, toch bleef Pascual net doen alsof hij druk bezig was achter de toonbank.

De *guayabera* van uw overleden man zal uw zoon vast niet passen,' mompelde Margarita.

'Ik denk dat hij zich wel een nieuwe *guayabera* kan veroorloven,' zei señora Rubio. Het traditionele Mexicaanse trouwhemd was wat een smoking was voor Amerikanen.

'We moeten nog horen dat uw zoon Delia tot vrouw wil,' zei señora Paz.

Señora Rubio keek achterom naar een blozende Pascual.

'Pascual, heb je señorita Delia vandaag wat te vragen?'

Hij kwam naar voren om de zinnen uit te spreken die hij kennelijk met zijn moeder had gerepeteerd.

'Señorita Delia, ik zou erg gelukkig zijn als je mijn vrouw zou willen worden. Ik zal een goede echtgenoot zijn en we zullen veel kinderen hebben. Ik zal zorgen dat je nooit honger hebt en we altijd een dak boven ons hoofd hebben. Ik zal je trouw zijn en altijd rekening houden met je gevoelens. Wil je mijn vrouw worden?'

Ik staarde hem aan. Nu ik daadwerkelijk hier stond en naar hem luisterde en besefte wat het betekende, wist ik dat ik alle controle over mijn leven had verloren. Het verdoofde mijn hersens, ik voelde me verlamd, maar alsof ik in de val zat, kwam een weigering zelfs niet bij me op.

'Sí,' zei ik.

'Wanneer?' vroeg señora Paz onmiddellijk.

'We hebben familie die we graag willen uitnodigen. Laten we zeggen vandaag over een week,' zei señora Rubio. 'Nadat we met pastoor Martinez hebben gesproken natuurlijk en een afspraak hebben gemaakt voor de mis.'

'Natuurlijk,' zei señora Paz.

'*Gracias* dat je met me wilt trouwen,' zei Pascual.

Iedereen zweeg, in afwachting van wat hij verder nog zou zeggen.

'Ik moet terug naar de keuken om verder te gaan met mijn werk voor vandaag.'

Ik gaf geen antwoord. Toen hij zich omdraaide, zag ik hoe breed zijn heupen waren. Hoe moesten we naast elkaar in één bed liggen? Ik moest er bijna om lachen. Ik voelde me duizelig worden, als iemand die te veel tequila heeft gedronken. Señora Paz zag het aan mijn gezicht.

'We moeten nu onze plannen gaan maken,' zei ze en stond snel op. 'Kom, Delia.'

'Ik heb je nog niet gezegd hoe erg ik het vind dat je grootmoeder is overleden,' zei señora Rubio tegen me. 'Je zult haar nu wel meer dan ooit missen, maar straks heb je een nieuwe familie om voor te zorgen en die voor jou zal zorgen. Dat is niet in goud uit te drukken,' zei ze met een scherpe, kille blik op señora Paz.

'*Gracias*,' zei ik en ging haastig weg.

Toen we buiten stonden, had ik het gevoel dat ik in een kast zonder ventilatie opgesloten had gezeten.

'Het zal een goed huwelijk zijn,' zei señora Paz. 'Ik weet dat señora Rubio een zuinige en efficiënte vrouw is. Je zult een goed leven krijgen, Delia. Je dagen van verdriet en treurnis zijn voorbij.'

Ik zei niets.

Ik kon nog twee dagen in mijn ouderlijk huis blijven, en ik zei tegen ze dat ik er nog minstens één nacht wilde slapen.

'Maar je eet bij ons,' zei Margarita. 'Er valt nog een hoop te regelen voor je huwelijk.'

'Nee, ik red me wel. Ik moet een tijdje alleen zijn. Ik kom u morgen opzoeken en dan kunnen we praten. *Gracias*. U bent allebei erg vriendelijk en aardig.'

Voor ze konden tegenspreken liep ik weg. Toen ik in het *casa* kwam, begon ik weer te huilen. Ik had het gevoel dat ik net van een begrafenis kwam, en in zekere zin was dat ook zo. Ik had zojuist de jonge, optimistische, hoopvolle Delia Yebarra begraven, die een nieuw en beter leven had gezocht over de grens. Tijdens de tocht door de woestijn was die Delia Yebarra geleidelijk verdwenen. Ik had haar achtergelaten in die grot bij Ignacio Davila. Ik was niet langer dezelfde Delia die met hem was weggelopen. Ik was in mijn eigen ogen een vreemde geworden.

Zoals *abuela* Anabela zich op het koken had geworpen na het nieuws dat mijn ouders gestorven waren, begon ik het huis schoon te maken om mijn gedachten en huilbuien te ontlopen. Terwijl ik daarmee bezig was, bedacht ik dat dit nu mijn dagelijkse werk zou worden. Mijn schooltijd was voorbij. De dromen die mama voor me had gehad waren vervlogen. De ene dag zou vrijwel onmerkbaar overgaan in de andere. Mij zou het lot beschoren zijn waarvan oma had gezegd: '*Lo que pronto madura poco dura.*' Ik zou snel volwassen worden, oud worden met mijn kinderen en mijn werk.

Maar het kon me niet meer schelen. Alles wat me lief was geweest had ik verloren. Ik zou me overgeven en het lot gehoorzamen als een geesteloze slavin, en de zeldzame lach, de zeldzame glimlach, koesteren. Op dit moment kon ik me niet voorstellen wanneer dat ooit voor zou komen.

Ik werkte hard, boende de tegels precies zoals oma ze had geboend, op mijn knieën, met alle kracht waarover ik beschikte. Ik stofte en poetste, waste en boende, elk plekje en het kleinste vlekje. Señor Avalos zou verbaasd zijn over de conditie van het *casa* dat hij had gekocht. Zoals oma het zou hebben overgedragen, wilde ik het ook.

Ik realiseerde me niet hoeveel tijd er verstreken was terwijl ik bezig was. Op een gegeven moment keek ik op en zag dat het al donker werd en ik probeerde schaduwen weg te schrobben. Ik stak een paar kaarsen aan, omdat de elektriciteit was uitgevallen, en begon toen een paar tortilla's te maken. Ik zou eten omdat ik moest eten. Terwijl ik bezig was met koken, herinnerde ik me hoe oma naast me stond en me leerde hoe ik het moest doen. Als ik mijn ogen sloot, kon ik haar aanwezigheid weer voelen.

Later, toen ik in mijn eentje in het donker zat in het doodstille *casa*, kauwde en slikte ik gedachteloos. Toen ik opgeruimd had, ging ik naar bed, maar ik kon niet slapen. Ik lag in het donker te staren, luisterde hoe de wind om het huis speelde, door de kieren floot, krassend over het metaal streek. Oma interpreteerde altijd elk geluid voor me. Ze wist zeker dat sommige afkomstig waren van engelen die rond het huis dansten. Ze zei dat ze hun vleugels kon horen flapperen. Ik luisterde ingespannen en hoorde toen duidelijk voetstappen bij mijn voordeur. Ik wachtte, hield mijn adem in en luisterde nog aandachtiger. Ik wist zeker dat ik de deur zachtjes hoorde opengaan.

Ik bleef mijn adem inhouden. Een paar ogenblikken was het stil, en toen hoorde ik voetstappen. Ik ging rechtop zitten. Een donkere schaduw viel langs de open deur van de slaapkamer, gevolgd door het silhouet van een man. Ook al voelde ik me nog zo ongelukkig met mijzelf en mijn toekomst, toch was ik bang om het leven te laten of te worden verkracht.

'Wie is daar?' vroeg ik.

Hij gaf geen antwoord. Zou het Pascual Rubio kunnen zijn? Was hij gekomen om zelf het woord te doen, met een reeks beloften?

Ik stak de kaars naast mijn bed aan en hield die omhoog om de deuropening te verlichten.

Mijn hart stond stil en begon toen wild te kloppen.

Ik slaakte een zachte kreet.

Het was Ignacio.

Hij lachte om mijn verbijsterde en geschokte gezicht.

'Ik ben geen geest,' verzekerde hij me en liep de slaapkamer in.

Hij droeg een blauw hemd op een spijkerbroek, en zag er springlevend uit.

'Hoe kan dat? Je lichaam is gevonden met je identiteitsbewijs erbij.'

Hij kwam dichterbij en ging op het voeteneind van mijn bed zitten.

'Ik had veel verhalen gehoord van mensen die illegaal de woestijn waren overgestoken naar Amerika,' begon hij. 'Sommigen werden overvallen door bandieten, net zoals wij, en moesten zich naakt uitkleden, zoals Pancho zich moest uitkleden in de grot. Hun kleren werden afgenomen en ze zwierven rond tot ze een lijk vonden en zijn kleren aantrokken. Identiteiten gingen verloren of werden verwisseld, en veel families weten nog steeds niet wat er werkelijk gebeurd is met hun beminden.

'Onze rovers hadden alleen maar belangstelling voor mijn geld. Toen jij uit de grot ontsnapt was, beletten ze me om ook te vluchten. We worstelden en vochten, en een van hen sloeg me hard op mijn achterhoofd.' Hij draaide zich om en liet me de verbonden wond zien. 'Toen ik bijkwam, waren ze vertrokken. Ik had nog water en voedsel; ze hadden onze rugzakken achtergelaten. Dus ging ik op weg, verdwaalde en bracht een eenzame nacht door, denkend dat ik het niet zou overleven. Maar op de een of andere manier lukte het me de juiste route te vinden. Sint Christopher moet me hebben geholpen.

'Ik hoorde stemmen en liep in die richting, en daar, aan het hoofd van een tiental *pollos*, liep Pancho. Hij was zo verbluft toen hij me zag, dat hij bijna flauwviel. Hij vertelde me dat hij jou naar Sasabe had gebracht, maar natuurlijk was hij bang dat ik zou verraden dat hij me in de steek had gelaten. Hij beloofde de vriend van mijn vader te vertellen dat ik in de woestijn door rovers van het leven was beroofd, maar natuurlijk zou hij het verhaal zo vertellen dat hij minder laf leek.

'Op dat moment kwam het idee bij me op hem mijn identiteitsbewijs te geven en hem mijn verhaal te laten vertellen. Hij legde me uit hoe ik verder moest lopen, en ik bereikte Sasabe en ging naar jouw dorp.'

'Maar je ouders denken dat je dood bent. Ze rouwen om je.'

'Ze kennen de waarheid. Ja, ze rouwen toch om me omdat mijn identiteit dood is en ze hun zoon kwijt zijn, maar op een goede dag ga ik terug, Delia. Ik vind wel een manier. Het zal misschien een tijdje duren, maar ik zweer je dat ik het doe.'

'Ik geloof je, Ignacio.' Toen vertelde ik hem wat Edward had geschreven over zijn vrienden en de politie.

'Ik weet dat je grootmoeder gestorven is,' zei hij. 'Toen ik in het dorp kwam, ging ik naar een café en vroeg waar ze woonde, en toen vertelden ze me dat ze overleden was.'

'Voordat ik thuis was,' zei ik bedroefd. 'Ik heb nooit afscheid van haar kunnen nemen, Ignacio.'

'Misschien was dat wel goed. Ze is gestorven met de gedachte dat jij nog in Amerika woonde bij je rijke tante. Dus,' ging hij glimlachend verder en pakte mijn hand vast, 'nu heb je geen reden om nog langer hier te blijven. Je kunt terug. Contact opnemen met je tante. Misschien stuurt ze je het geld ervoor.'

'Dat heeft *mi primo* Edward al gedaan. Mijn oma had besloten dat ons huis na haar dood verkocht moest worden, en dat is nu gebeurd.'

'En?'

'Vrienden van mijn oma hebben een huwelijk voor me geregeld.'

'Met iemand van wie je altijd gehouden hebt?'

'Nee,' zei ik glimlachend, 'met iemand die ik zelfs niet mocht en met wie ik nauwelijks een woord heb gewisseld.'

'En dat huwelijk zet je door? Je blijft hier?'

Ik gaf geen antwoord, en hij sprong op van zijn bed en begon te ijsberen.

'Je blijft hier en veroordeelt jezelf tot zo'n leven? Je wilt trouwen met iemand van wie je niet houdt? Je wilt...'

'Stop, Ignacio,' zei ik, lachend tussen mijn tranen van blijdschap door.

Hij zweeg even en keek me aan. Het kaarslicht scheen flakkerend op zijn gezicht.

Ik pakte de cheque op en zwaaide ermee naar hem.

'Vermom jezelf niet zo erg dat ik je niet herken als je terugkomt,' zei ik.

Zijn lach was stralender dan het zonlicht en verlichtte mijn innerlijk als een kaars in een kerk om de herinnering aan onze beminden in leven te houden.

Ook ik was ontsnapt aan de derde dood.

Epiloog

Mijn vertrek was nu heel anders dan de vorige keer. Toen was ik heel erg bedroefd geweest, maar had de hoop dat ik terug zou komen om oma te bezoeken. Nu kon ik alleen nog naar de graven van mijn ouders, mijn oma en andere familieleden. Ik zou die bezoeken, dat wist ik zeker, al kon dat voorlopig nog niet. Maar ik zou hen altijd in mijn hart blijven koesteren.

Ignacio en ik brachten de nacht met elkaar door. De volgende ochtend ging hij met me mee naar señora Paz en Margarita om hun het nieuws te vertellen. Ze waren zo geschokt dat ze bij uitzondering sprakeloos waren.

'U moet mijn verontschuldigingen overbrengen aan señora Rubio en Pascual,' zei ik.

Ze staarden mij en Ignacio slechts aan.

'Ik zal u eeuwig dankbaar zijn voor uw pogingen me te helpen mijn toekomst veilig te stellen,' zei ik. 'Ik zal u schrijven.' Geen van beiden had nog een woord gezegd.

Margarita begon te huilen.

'Stel je niet zo aan,' zei señora Paz tegen haar. 'Ze heeft een beter aanbod.'

'Ik huil niet voor haar,' bekende Margarita. 'Ik huil voor mijzelf. Ik wou dat ik ook was weggelopen toen ik zo oud was als zij.'

Ik omhelsde haar en daarna señora Paz. Ignacio en ik stapten in dezelfde bus en reisden een eindje samen. Hij ging ook naar Mexico City, maar daar zouden we afscheid nemen in het busstation en ging ik met de shuttle naar het vliegveld. Dankzij Edward zouden al mijn papieren daar liggen voor mijn tweede oversteek naar Amerika.

Ik had Edward gebeld, en hij was enthousiast over mijn terugkomst. Hij en Jesse zouden op me wachten op Palm Springs Airport.

'Deze keer wordt het anders, Delia, dat beloof ik je,' zei hij.

Hij meende het in alle oprechtheid, maar ik had er weinig vertrouwen in. Ik begon aan wat misschien een nog moeilijkere reis zou zijn naar een andere toekomst. Er waarden nog veel geesten en veel demonen rond, en ik zou voortdurend achteromkijken naar het boze oog van señora Porres, het *ojo malvado*.

Ignacio stond naast me bij de deur van de bus tot de chauffeur zei dat het tijd was om te vertrekken.

'Stort je niet halsoverkop in een ander huwelijk voor ik terug ben,' zei hij.

'Ik beloof het je.'

'Ik kom terug, Delia, al moet ik weer de woestijn trotseren om naar je toe te komen.'

'Ik zal op je wachten,' zei ik, en we zoenden elkaar ten afscheid.

Toen stapte ik in de bus en ging bij het raam zitten.

Toen ik een keer met oma naar het kerkhof ging om samen met haar het graf van mijn grootvader te bezoeken, had ik haar gevraagd of het niet beter zou zijn als je kon vergeten, zodat je minder verdriet zou hebben.

'Nee,' zei ze. 'Hij is weg, maar niet onze liefde voor elkaar. De herinnering daaraan verdrijft het verdriet, Delia. Zonder dat, ja, dan is er minder reden om naar het kerkhof te gaan, minder reden om niet te vergeten. Maar dan blijf je achter met een leegte die je nooit zult kunnen vullen. De liefde voorkomt dat we een eenzaam leven leiden.'

'Sí, *abuela* Anabela,' fluisterde ik toen de bus wegreed en Ignacio zijn hand tegen zijn lippen drukte en me een kus toezwaaide. 'Ik zal niet alleen zijn. *Gracias, mi abuela.*'

Beste Virginia Andrews-lezer,

Als u op de hoogte wilt blijven van het boekennieuws rondom Virginia Andrews, dan kunt u een e-mail met uw naam sturen naar info@defonteinbaarn.nl o.v.v. Virginia Andrews (uw gegevens worden uitsluitend voor deze mailinglijst gebruikt). Uitgeverij De Kern organiseert regelmatig kortingsacties en prijsvragen waaraan u kunt meedoen.

Met vriendelijke groet,
Uitgeverij De Kern